oba
WISSELCOLLECTIE
Terugbezorgen
D0834050

PEGASUS
SIRRI

Pegasus Yayınları: 149
Bestseller Roman: 14

PEGASUS SIRRI
GREGG LOOMIS
Özgün Adı: THE PEGASUS SECRET

Yayın Yönetmeni: İbrahim Şener
İngilizce'den Çeviren: Enver Günsel
Bilgisayar Uygulama: Meral Gök
Kapak Uygulama: Yunus Bora Ülke
Film-Grafik: Mat Grafik
Baskı-Cilt: Kilim Matbaası

1. Baskı: Temmuz 2008
2. Baskı: Ağustos 2008
3. Baskı: Ekim 2008
ISBN: 978-605-5943-26-4

PEGASUS YAYINLARI
Gümüşsuyu Mah. Osmanlı Sk. Alara Han
No: 27/9 Taksim / İSTANBUL
Tel: 0212 244 23 50 (pbx) Faks: 0212 244 23 46
www.pegasusyayinlari.com / info@pegasusyayinlari.com

GREGG LOOMIS

PEGASUS SIRRI

İngilizce'den Çeviren:
ENVER GÜNSEL

PEGASUS YAYINLARI

Önsöz

Rennes-Le Chateau

Güneybatı Fransa

1872

Peder Sauniere garip bir şey keşfetmişti.

Parşömen rulosu o kadar eskimişti ki, onu sunakta gizlendiği yerden aldığı zaman, üzerindeki kurdele bağ birden toz olup dağıldı. Hayatında daha önce böyle bir yazı görmemişti Peder, soluk satırlar yazıdan çok kurtçuk izlerini andırıyordu.

Küçük kilisesindeki onarımlar için para harcayacak durumda olmadığı için kendisi bazı şeyler yapmaya çalışıyordu. Tavan akıyordu, cemaatin oturduğu sıralar çok eskiydi, sallanıyorlardı ve çivilenmeleri gerekiyordu ve sunak... Aslında sunak kilisenin kendisinden bile eskiydi.

Rahip kaşlarını çattı ve düz, kalın ve büyük bir taş levhadan ibaret olan sunağa baktı; uzun zamandan beri Kutsal Komünyon ayinlerine hizmet vermiş olan taş levha öyle aşınmıştı ki, üzerinde durduğu iki taş destekten yere düşecekmiş gibi duruyordu. Rahip bir seksen boyunda ve doksan kilo olduğu halde taş levhayı ayakları üzerinden zor kaldırmış, ayaklardan birinin oyuk olduğunu ve orada bir parşömen rulo olduğunu görmüştü.

Sunağın nereden geldiğini kimse bilmiyordu ama Sauniere'e göre, bu taş levha civardaki şato kalıntılarının birinden getirilmişti buraya. Cemaati çok fakir olan bir kilisenin böyle karmaşık oymaları olan bir sunak satın alması mümkün değildi.

Burası çok eski bir bölgeydi, İspanya'da Katalonya'nın bir parçası olduğu dönemlerde muhtemelen Romalılar, Tapınak Şövalyeleri ve hatta Mağribiler yaşamıştı bu topraklarda. Bu sunak da onlardan birinin kilisesinden gelmiş olabilirdi.

Belki de Catharların ve Gnostiklerin ibadethanelerinden gelmişti.

Sauniere bu taş parçasının dinsizlerden ya da putperestlerden bile gelmiş olabileceğini düşününce yüzünü buruşturdu. Bu koca taş levhanın nerelerde kullanıldığını ancak Tanrı bilirdi. Sanki birisi gelmiş de böyle düşündüğü için onu kınayacakmış gibi, omzunun üzerinden arkasına baktı.

Kendi kendine maddelerin kötü olamayacağını düşündü. Fakat elindeki yazılı parşömenler onu rahatsız ediyordu, bunlardan kurtulması daha iyi olacaktı. Ama hayır, bunun kararını o veremezdi. Piskoposun ziyaretini beklemeli, bunları ona göstermeli ve kararı yetkiliye bırakmalıydı.

Elindeki parşömen parçalarından ona ne kötülük gelebilirdi ki?

Bu sorunun cevabı rahibin akşam ayinini yapması sırasında geldi. Bir katedral kapısına çivilenen bir kâğıt parçası kiliseyi sonsuza kadar mahvetti.

Kısım Bir

Bölüm Bir

1

Paris

Saat 02:34

Patlama bütün Vosges Meydanını ve Marais bölgesinin büyük bir kısmını sarstı. Meydanın dört kenarında bulunan dokuzar, yani otuz altı ev, dört yüzyıl önce el yapımı tuğlalarla değil de daha zayıf inşaat malzemesiyle yapılmış olsalardı hasar çok daha büyük olurdu. Yine de bu binalardan en büyüğü olan ve ikinci katında Victor Hugo'nun yaşadığı eski Hotel de Rohan-Guéménée'nin bütün camları kırıldı.

Ama en büyük hasar patlamanın kaynağı olan 26 No.da oldu. Patlamadan on iki dakika sonra 11'inci bölge itfaiyesi geldiğinde, bu binanın dört katı da cehenneme dönmüştü. Evi ve içinde yaşayanları kurtarmak mümkün olmadı.

Jandarmaların bazıları meydana toplanan kalabalığı kontrol etmeye çalışırken, bazıları da pijamalarla sokağa fırlayan sokak sakinlerini sorguya çekiyordu. Uykuyu pek sevmediği anlaşılan bir adam jandarmaya, televizyonda geçen yılın futbol şampiyonasını izlerken patlamayı, camların kırıldığını duyduğunu ve çok parlak bir ışık gördüğünü anlattı. Penceреye koşmuş ve patlamanın olduğu yere bakarken parıltıdan gözleri kamaşmıştı.

Soruşturma yapan bir polis, bir mahalle sakinine, camın dışarıya doğru atılan bir taşla kırılması ihtimalinin olup olmadığını sordu.

Sorguya çekilen adam elini yumruk yaparak esneyen ağzına götürdü ve saçma soruyu soran polisin yüzüne baktı. Camın içerden mi yoksa dışardan mı atılan bir şeyle kırıldığını insan o anda nasıl anlayabilirdi ki? Böyle çok saçma bir soruya Fransızlara özel bir tavırla omuz silkti ve "Bilmiyorum," diyerek başını başka yöne çevirdi.

Adam evine gitmek için arkasına dönünce az kalsın takım elbiseli, orta yaşlı bir adama çarpacaktı. Adam bu saatte bu işadamı kıyafetiyle ne yapıyordu orada acaba? Adamın gömleği kolalıydı ve üzerinde şık bir takım elbise vardı. Polisin yanından ayrılan adam tekrar omuz silkti ve evine doğru yürüdü. Patlama acaba TV'ye zarar vermiş miydi?

Jandarma elini kasketine götürerek yeni geleni zoraki bir ifadeyle hafifçe selamladı ve "İyi akşamlar bayım," dedi. Devlet Güvenlik Teşkilatı (DGSE) şehirde çıkan her yangın mahalline giderek böyle herkesi sorguya çekmezdi aslında.

DGSE memuru yanından geçen adamı hafifçe selamladı ve sonra başını çevirip alevler içindeki eve baktı. Evdeki su boruları bile ateşte erimiş ve eğilmiş, patlamışlardı. Diğer evler simsiyah is içinde kalmışlar, hepsinin camı kırılıp dökülmüştü. Kor haline gelen yerler itfaiyecilerin hortumlarından fışkıran basınçlı sularla birden kömürleşiyor buharlar içinde siyaha dönüşüyordu. Sanki yer yarılmış ve cehennemin ateşi etrafı alevler içinde bırakmıştı.

DGSE ajanı, bir itfaiyeciye yaklaştı ve "Patlamanın nedeni konusunda bir bilgi var mı?" diye sordu.

İtfaiyeci devlet güvenliği için çalışan insanların basit yangın olaylarıyla ilgilenmediklerinden emindi. Soruyu soran ajana baktı ve "Yok efendim," diye cevap verdi. "Bakın itfaiye şefi şurada duruyor, bir de ona sorun isterseniz."

Güvenlik ajanı biraz ilerde yanmaz kıyafeti ve diz boyu çizmeleri içinde adeta kaybolmuş gibi duran kısa boylu adamın yanına gitmeden önce biraz düşündü. İtfaiye şefi adeta babasının elbisesini giymiş oyun oynayan bir çocuğu andırıyordu.

Ajan birkaç saniyelik bir tereddütten sonra şefin yanına giderek kimliğini gösterdi ve "Merhaba Şef, ben DGSE'den Louvere," diye konuştu. "Patlamanın nedeni konusunda bir bilgi var mı acaba?"

İtfaiye şefi onun bir bürokrat olduğunu anlayınca yorgun bir ifadeyle başını iki yana salladı. "Patlamaya neden olan her neyse, bir hızlandırıcıyla takviye edilmiş gibi görünüyor. Bunun bir kaza eseri olduğunu hiç sanmıyorum."

Louvere ona hak vererek başını salladı. "İşin içinde eter de olabilir mi dersin, Şef?"

İtfaiye şefi bir şeyler homurdandı. Eter kokain tozunu daha güçlü uyuşturucu bloklarına çevirme işleminde kullanılırdı. Uyuşturucu satıcılarının çoğu bu uçucu madde konusunda pek fazla şey bilmez ya da bilse bile aldırmazdı. Eter yakınlarında ısının dikkatsizce kullanımı korkunç sonuçlara neden olurdu.

Şef eliyle pahalı evleri göstererek, "Bu bölgede olur mu böyle şeyler dersin?" diye sordu. 1615 yılında burada Louis XII'nin evliliğini kutlamak için üç gün boyunca şenlikler ve bir turnuva yapılmıştı. Bu meydanda Kardinal Richelieu ve diğer bazı saygın insanlar yaşamıştı. İnsanlar meydanda yapılan düelloları evlerin önlerinde bulunan kemerli balkonlardan izlemişlerdi. Başkan de Gaulle 1962'de bu meydanın tarihi ve ulusal bir yer olduğunu söylemişti. Bu meydandaki evlerden herhangi biri boşalsa bile, çok göz önünde olduğu için uyuşturucu laboratuvarı olarak kullanılmaya uygun olamazdı.

Ajan Louvere onun eliyle işaret ettiği pembe tuğlayla inşa edilmiş evlere bakarak, "Ben de pek sanmam," dedi.

İtfaiye şefi, "Peki ama DGSE uyuşturucu işiyle pek uğraşmaz," diyerek ajana baktı. "Burada seni ilgilendirecek ne olabilir ki?"

"Kişisel bir mesele bu dostum. ABD'deki eski bir arkadaşım burada bulunan kız kardeşine Paris'i gezdirmemi istedi benden. Kız bir okul arkadaşıyla beraber burada, 26 No.lu evde kalıyordu. Onunla tanıştırdığım biri bana telefon etti ve bu patlamadan söz etti. Onun için geldim buraya."

Şef elinin tersiyle alnındaki terleri sildi ve "Şey, eğer kız orada idiyse . . . yanan bir cesedin kimliğini ancak birkaç günde ve muhtemelen DNA yoluyla saptayabilirler," dedi.

Güvenlik ajanının omuzları düştü, içini çekti ve "Arkadaşıma bunu nasıl haber vereceğim bilmem," diye mırıldandı.

İtfaiye şefi ona sempatik bir ifadeyle baktı. "Bana kartını bırakırsan raporun bir kopyasını sana hemen yollatırım dostum."

"Teşekkür ederim." Louvere kısa bir süre önce Paris'in güzel evlerinden biri iken şimdi kor yığınına dönmüş olan eve kederli bir ifadeyle baktı ve sonra ağır adımlarla oradan uzaklaştı. Biraz ilerde, dar bir sokağın kaldırımına yanaşmış bir Peugeot markalı araba onu bekliyordu.

2

Paris, Üç Gün Sonra

Şoför uzanarak arka koltukta uyuyan yolcusunu uyandırdı. Yolcu, taksi şoförünün Charles de Gaulee havaalanından aldığı ve Atlantik uçuşundan sonra yorgun olan çoğu Amerikalılardan daha bitkin bir haldeydi. Adamın elbisesi, gömleği iyice buruşmuş, sakalı uzamıştı. Ne kadar yorgun olduğu açtığı gözlerinden belliydi. Uykusuzluk ve yorgunluktan kızarmış gözlerini önüne çevirdi ve şoföre vereceği parayı saydı.

Şoför parayı alıp cebine koydu ve sonra Place de l'Opera'da ne olduğu kolayca anlaşılmayan bir binaya giren yorgun adamın arkasından baktı.

Amerikalı içerde eski asansörün önünden geçerek yıpranmış merdivenden ikinci kata çıktı ve sağa dönüp birkaç adım sonra eski moda bir cam kapının önünde durdu. Yarı şeffaf camın kurşungeçirmez olduğunu biliyordu. Başını yavaşça kaldırdı ve bir yerde kamera olduğunu bildiği tavana baktı. Cam kapı sessizce açıldı ve adam küçük bir odaya girerek bu kez bir çelik kapı önüne geldi.

Kapı yanındaki küçük hoparlörden gelen bir kadın sesi, "Evet?" dedi.

Adam İngilizce konuşarak, "Ben Langford Reilly, Patrick Louvere beni bekliyor," diye cevap verdi.

İkinci kapı da birincisi gibi sessizce açıldı ve Lang Reilly Fransız Güvenlik Teşkilatının birçok bürosundan birine girdi. Onu koyu renk, şık bir İtalyan takımı giymiş, ayakkabıları parlayan bir adam karşıladı. Geçmiş yıllarda Lang ve Dawn, bu kadar şık görünmesi için günde birkaç kez kıyafet değiştiriyordur diyerek Patrick Louvere'e takılırlardı.

Louvere bir av köpeğinin avını izlemesi gibi dikkatle Lang'a baktı ve sonra aksansız bir İngilizceyle, "Aman Tanrım, Langford!" diye bağırdı. "Görüşmeyeli ne kadar oldu? On, on beş yıl? Arkadaşlar bu kadar uzun süre ayrı kalmamalı birbirinden!" Ellerini misafirinin omuzlarına koyarak biraz geri çekildi ve "Bizi aramalıydın, sana bir araba gönderirdik," diye devam etti.

Lang başını salladı. "Beklememek için bir taksiye atlayıverdim işte."

Fransız ajan ellerini onun omuzlarından çekerek, "Ne kadar üzgün olduğumu sana..." derken sustu.

"Seni anlıyorum Patrick, ama hemen başlayabilir miyiz dostum?"

Louvere pek çok vatandaşının kabalık sayacağı bu davranışa aldırmadı. Amerikalılar çoğu zaman böyle aceleci olurlardı. "Elbette arkadaşım," diyerek döndü ve Lang'ın göremediği birine seslendi. "Kahve lütfen, Paulette. Bu taraftan Lang."

Lang uzun bir koridorda onu takip ederken etrafına bakındı. Buraya en son yaklaşık yirmi yıl önce gelmişti, fakat yerdeki yeni ama ucuz halıdan başka hiçbir şey değişmemişti bu büroda.

Patrick Louvere ile olan dostluğunda da bir değişiklik olmadığı için memnundu Lang. Gerçi hükümetleri arasında Irak savaşı da dâhil olmak üzere bazı anlaşmazlıklar oluyordu ama onların arkadaşlığı eskisi gibi devam ediyordu. Patrick, Lang'ın Paris'e gelen ve eski bir okul arkadaşıyla beraber kalan kız kardeşi için elinden geleni yapacağını söylemişti ona. Janet yanında evlatlık edindiği oğlu Jeff'i de getirdiği için, arkadaşıyla alışverişe çıktığı zamanlarda Patrick çocuğu kendi çocuklarıyla vakit geçirmesi için kendi evine götürüyordu. Fakat Patrick'in telefonu Lang'ın dünyasını ikinci kez yıkmıştı.

DGSE ajanı arkadaşını, onun da hatırladığı eski ofisine götürdü ve üzerinde sadece ince bir dosya olan masasının arkasına geçerek oturdu. Onların hemen arkasından odaya giren orta yaşlı bir kadın kahvelerini masaya bıraktı. Lang oraya gelene kadar birkaç litre kahve içmişti ama itiraz edemeyecek kadar yorgundu.

Patrick, kadın gidene kadar konuşma olsun diye, "Demek artık avukatlık yapıyorsun, öyle mi?" diye sordu. "Herhalde büyük Amerikan şirketlerine milyonlarca dolarlık davalar açıyorsundur, değil mi?"

Lang başını iki yana salladı ve "Aslına bakarsan büyük işadamlarının suç davalarını savunuyorum," diye cevap verdi.

Fransız dudaklarını büzdü. "Büyük işadamlarının suçlarını mı savunuyorsun?" Eski arkadaşından duyduğu sözden pek hoşlanmamış gibiydi.

"Bilirsin işte, işadamlarının işlediği suçlarla uğraşıyorum. Şiddet içermeyen, sahtekârlık, adam dolandırma gibi suçlarla yani."

"Yani kendilerini savunman için sana iyi para ödeyen adamların davalarını alıyorsun, öyle mi?"

"Evet, tamamen öyle arkadaşım."

Kadın elindeki tepsiyle birlikte odadan çıkarak kapıyı dışardan kapadı ve Patrick masanın üzerindeki dosyayı arkadaşına doğru itti.

Lang dosyaya baktı ama dokunmadı. "Hâlâ kim olduğunu ve nedenini bilmiyor muyuz?"

Patrick üzgün bir ifadeyle başını iki yana salladı. "Ne yazık ki hayır. Sadece alüminyum, demir oksit ve nitrojen gibi hızlandırıcı izleri bulduk."

"Termit ha? Tanrım, bu kaçık bir hergelenin hazırladığı bir şey olamaz o halde, askerlerin tankları, zırhlı araçları tahrip etmek için kullandıkları, çok yüksek ısı isteyen bir şey olmalı bu."

"Binanın neden o kadar kısa zamanda yanıp kül olduğu da gösteriyor bunu."

Patrick Lang'ı asıl ilgilendiren konuyu açmaya çekiniyordu. Bu haber çok kötü olacaktı. Lang yutkundu ve "Peki içerde bulduklarınız . . . kimleri buldunuz?" diye sordu.

"Sana telefonda söylediğim gibi üç ceset bulundu, kız kardeşin, evlatlık oğlu ve ev sahibi Lettie Barkman."

Lang haberi ilk aldığında kendini çok kötü hissetmiş ama yine de umudunu tam olarak yitirmemişti; Janet ve Jeff o gece belki de başka bir yerde kalmış olabilirlerdi. İdam cezası getireceği kesin olan bir davadan kurtulmayı beklemek gibi bir şeydi bu. O anda masanın arkasında kız kardeşi oturuyormuş gibi geldi ona; dünyayı ciddiye almayan Janet'in gözleri sanki yine parlıyordu orada. Janet'in boşandıktan sonra Meksika'nın güneyindeki ülkelerden birinde bulup evlat edindiği Jeff ise, esmer teni, simsiyah gözleriyle bir Maya büstünü andırırdı. Beysbol kasketini ters giyen Jeff, kendisine bol gelen şortları ve kocaman lastik spor ayakkabılarıyla sempatik bir çocuktu. Lang'ın en iyi genç arkadaşıydı o, Lang onu kendi oğlu gibi severdi.

Lang onları hatırlayınca yanaklarında aşağıya yavaşça süzülen gözyaşlarını silmek bile istemedi ve "Kim yapmak isteyebilir bunu....?" diye mırıldandı.

Patrick cebinden bir mendil çıkarıp ona uzatırken, "Bilmiyoruz," dedi. "Barkman adlı kadın Paris'te yaşayan zengin bir Amerikalı duldu, ama bildiğimiz kadarıyla siyasi aşırı uçlarla hiçbir ilişkisi yoktu. Bulup konuşabildiğimiz arkadaşları bile onun politik tercihlerinin ne olduğunu bilmiyorlardı. Senin kız kardeşin bir doktordu, bir..."

Lang, "Çocuk ortopedistiydi o," dedi. "Her yıl bir ay üçüncü dünya ülkelerine gider, fakir çocukları tedavi etmeye çalışırdı. Jeff annesiyle babasını bir depremde kaybetmişti. Kardeşim onu alıp kendi evine getirdi."

"Kardeşin de boşanmıştı, değil mi?"

Lang öne doğru eğilerek kahvesini karıştırdı ve başını salladı. "Evet, Holt adında biriyle evliydi. Yedi sekiz yıl önce ayrıldılar ve ondan bir daha hiç haber almadım. Kardeşim onun soyadını hâlâ kullanıyordu, çünkü tıp diplomasında o soyadı vardı."

"Olayda hırsızlık da olamaz, çünkü ev tamamen yandı."

"Evet, ama hırsızlar ne çalındığının bilinmesini istememiş olabilirler."

Patrick başını salladı. "Evet, bu mümkündür. Fakat Bayan Barkman'ın evinde mükemmel bir alarm sistemi ve içerde ayrıca demir parmaklıklar varmış. Daha önce New York'ta yaşadığı için bu konuları biliyordu mutlaka. O bina Amerikalıların altınları korudukları şu yere benziyordu..."

Lang, "Fort Knox," diye tamamladı onu.

"Evet, Fort Knox. Bana sorarsan adamların amacı çalmaktan ziyade yakıp tahrip etmekti."

"Neydi tahrip etmek istedikleri peki?"

"Bunu öğrendiğimiz zaman suçlulara da yaklaşmış olacağız arkadaşım."

İki eski arkadaş bir süre konuşmadan birbirlerine baktılar ve düşündüler. Sonunda Patrick öne doğru eğildi ve "Bunun seni teselli etmeyeceğini biliyorum, ama yangın korkunçtu, eğer patlamada hemen ölmedilerse bile o alevlerde kısa zamanda öldükleri kesin."

Land arkadaşının kendisini teselli etmek için her şeyi söylemeye hazır olduğunu biliyordu.

Patrick, "Olay şu anda polisin elinde, soruşturmalar, araştırmalar devam ediyor," diye devam etti. "Bunun bir terörist saldırısı olduğuna inanmamızı gerektiren nedenler var ve bunu polise söyleyip duruyoruz, söylemeye de devam edeceğiz, ama bu ikna çabaları ne kadar sürecek bilemiyorum doğrusu."

Lang olayın DGSE tarafından ele alınmasını iki nedenle istiyordu. Birincisi, Patrick arkadaşıydı ve onun olayı çözmek için elinden geleni yapacağına inanıyordu ve ayrıca, Fransız güvenlik teşkilatı dünyanın en iyi teşkilatlarından biriydi.. İkincisi, Paris polisi siyasi çatışmalar için bir bataklık sayılırdı. Sinema kahramanı Müfettiş Clouseau gerçeğe yakın bir tipti.

Lang'ın düşünceye daldığını gören arkadaşı, "Hiç kuşkusuz her bilgi kaynağı..." diye devam etmek isterken Lang, "Olay yerine gitmek istiyorum," diyerek onun sözün kesti.

Patrick ellerini havaya kaldırıp avuçlarını dışa doğru çevirdi ve "Elbette dostum," dedi. "Arabam ve şoförüm istediğin kadar emrindedir."

"Pekâlâ, bir gün önce neler yaptıkları konusunda bir fikrin var mı?"

Patrick dosyaya dokundu ve "Bu tür şeyleri araştırmak olağan işlerdendir," diye cevap verdi.

Lang masanın üzerinde duran dosyayı kendine doğru çekerek aldı, açtı ve yaşlardan ve uykusuzluktan yanan gözlerle okumaya başladı.

3

Lang arkadaşının bürosundan çıkıp doğruca Place des Vosges'e gitti. Janet ve Jeff'in sağ olarak en son bulundukları Vosges Meydanı denen bu yere gidince kendini onlara biraz daha yaklaşmış gibi hissetti. Daha önce 26 No.lu ev olan simsiyah enkazın önünde uzun süre sessizce durdu. Başını eğdi ve ayaklarının altında yangında sararmış, kavrulmuş olan eski çimlere baktı. İçindeki hırs, katilleri bulup cezalandırma arzusu her geçen dakika biraz daha artıyordu. Dişlerini gıcırdattığının, kaşlarını çattığının farkında bile değildi. O bölgede yaşayanlar, evlere sipariş götürenler ve yanından geçenler sanki tehlikeli bir adammış gibi hemen uzaklaşıyorlardı ondan.

Bir süre daha düşündü ve sonra, "Eğer gerekiyorsa o lanet piçleri kendim yakalayacağım!" diye mırıldandı.

O sırada yanından bebek arabasını iterek geçen bir üniformalı bakıcı onun yüzündeki ifadeyi görünce adımlarını hızlandırdı.

Lang bir süre daha orada kaldıktan sonra Patrick'in tavsiye ettiği bir cenaze işleri servisine gitti. Serviste çalışanlar gayet ciddi insanlardı, Amerika'daki meslektaşları gibi sahte üzgün ifadelere gerek görmüyor, çok doğal davranıyorlardı. Cenazeleri Amerika'ya göndermeleri için onlara gerekli ödemeyi yaparken, bu basit metal tabutlara Janet ve Jeff'in ne kadar küçük parçalarının konacağını düşünmekten alamadı kendini.

Kız kardeşinin son saatlerinde neler yaptığını sadece merakını gidermek için bilmek istiyordu. Uçağı akşama doğru kalkacaktı ve arkadaşının misafirperverliğini de zorlamak istemiyordu. Patrick'in kredi kartları harcamalarını izleyerek yaptığı araştırma sonucunda Janet'in son gününde neler yaptığı, nerelere gittiği anlaşılmıştı. Janet, Hermes ve Chanel'de çok para harcamamış, bir eşarpla bir bluz almıştı. Büyük ihtimalle vitrinleri dolaşmış, Paris'in lüks mağazalarındaki pahalı giysileri ve gerçek olamayacak kadar sıska mankenleri seyretmiş olacaktı. Kız kardeşinin gittiği lüks mağazaların önünde duran Ferrari ve Lamborghini marka arabalar alışveriş yapanların kimlikleri konusunda çok iyi bir fikir veriyordu insana, bunlar parayı hiç düşünmeden harcayabilen müşterilerdi.

Patrick'den aldığı kredi kartı fişlerinden sonuncusu onu Ile de St. Louis'e götürdü. Komşusu olan Ile de la Cité'nin ve Notre-Dame Katedralinin gölgesinde kalan St. Louis, Seine'in ortasında hareketli bir yerdi. Lang bölgedeki sayısız küçük otelleri, yirmi sandalyeli birahaneleri ve her şey satan minik dükkânları hatırladı.

Dar sokaklarda çok zor bulunan park yerlerinden birinde Patrick'in arabasından ve şoföründen ayrıldı ve bir pastaneden gelen taze ekmek ve pasta kokularını içine çekti. St Louis en l'Ile Sokağı boyunca güneydoğu yönünde yürüdü ve sokağın darlaşıp Rue (sokak) des Deux Points ile birleştiği köşeye geldi. Kredi kartı fişindeki adresi bulmaya çalışıyordu ama fişte sokak numarası ya görünmüyordu, ya da yoktu. Ama orada sadece bir tek antikacı olduğunu görünce sevindi Lang.

Kapıyı açıp girerken tepedeki çıngırak çaldı. Dükkânda en azından yüz yıllık oldukları tahmin edilen antika eşyalar vardı. Bir kenarda dikiş makineleri üstüne konmuş gaz ve elektrik lâmbaları ile tozlu dergiler ve seramik eşyalar göze çarpıyordu. Zemininde eski kilimler ve Şark halıları olan daracık koridorda bronz ve mermer heykelciklerle imparator ve tanrıça büstleri diziliydi. Lang çevrede örümcek ağları da olabileceğini düşündü ve yüzünü buruşturdu.

Dükkânın içinde toz ve eski eşya kokusu vardı. Lang 1950'lerden kaldığını tahmin ettiği gramofon ve plakları düşürmemeye gayret ederek birkaç adım attı ve dükkân sahibini görebilmek için etrafa bakındı.

Antika bir dolap önünde birden ortaya çıkan biri , "Merhaba" dedi. "Yardım edebilir miyim?"

Parislilerin çoğu gibi bu da Amerikalıları anında tanıma yeteneği olan bir adamdı.

Lang elindeki fişi ona göstererek, "Ben bir şey öğrenmek istiyorum," dedi.

Çift cinsiyetli gibi görünen siyah kıyafetli antikacı ona doğru geldi, elindeki fişi aldı ve tozlu lambaya tutarak inceledi. Gözlerini kırparak Lang'a baktı, cebinden gözlüğünü çıkarıp taktı ve "Nedir öğrenmek istediğiniz Bayım?" diye sordu.

Lang ona bir hikâye uydurmak için birkaç saniye düşündü ve sonra gerçeğe yakın bir şey söylemeye karar verdi. "Janet Holt benim kız kardeşimdi. Birkaç gün önce size geldikten sonra Marais'deki şu patlamada öldü. Şehirde dolaştığı sırada neler satın aldığını öğrenmeye çalışıyordum."

Antikacı, "Çok üzüldüm," dedikten sonra, duvarda on dokuzuncu yüzyıl kıyafetli insanların bulunduğu iki koyu renkli resim arasındaki boşluğu gösterdi. "O hanım bir yağlıboya resim aldı."

"Bir portre mi aldı yani? Kimin resmiydi peki o?" Lang bunun normal olmadığını düşündü.

Antikacı kır saçlı başını iki yana salladı ve "Kimsenin resmi değildi, kırsalda çobanları gösteren bir resimdi, belki de dinsel bir resimdi," dedi.

Lang kardeşinin bu tür resimlerden hoşlandığını hiç sanmıyordu. Antikacıya bir şey daha sormak istedi ama birden vazgeçti. O resme ne olduğu kimin umurundaydı? Böyle bir yerden alındığına göre sanatsal ya da parasal bir değeri de olamazdı.

Siyah kıyafetli antikacı, "O yağlıboya resim buraya kısa bir zaman önce gelmişti," diye devam etti. "Aslına bakarsanız kız kardeşinizden kısa bir süre sonra bir adam geldi ve resmin satıldığını öğrenince canı çok sıkıldı."

Uzun yıllar anormallikleri, bilinmeyenleri ortaya çıkarmak için uğraşmış olan Lang'ın yıllardır kullanılmayan antenleri birden dikildi. "Yaa, demek öyle! Bu adam hakkında bir şeyler hatırlıyor musunuz peki?"

"Yakın Doğuluya benziyordu, Arap olabilirdi, üzerinde temiz ama ucuz bir elbise vardı. Çok güzel Fransızca konuşuyordu."

Lang onun imalı konuşmasına aldırmadı ve "O resmi neden istediğini söyledi mi peki?" diye sordu.

"Hayır, ama gördüğünüz gibi bende çok güzel antikalar vardır Bayım."

"O resmin kısa zaman önce geldiğini söylediniz. Nerden geldiğini hatırlıyor musunuz acaba?"

Antikacı bir defteri karıştırdı ve sonra, "Londra'dan, Antika ve Eski Eserler Şirketinden, Mike Jenson'dan geldi," diye cevap verdi. "Adresi, Old Bone Sokağı No. 12, Londra W1Y 9AF'dir. Biz zaman zaman birbirimizden alışveriş yaparız."

Demek adamlar satamadıklarını başka bir yerde satmaya çalışıyorlardı. "Bana bir kalemle bir parça kâğıt verebilir misiniz acaba?"

Lang antikacının verdiği adresi bir kâğıda yazdı ama bunu neden yaptığını bile bilmiyordu. Belki de Janet'in son günündeki ayrıntıların içinde normal hareketlerin dışına çıkmış olan ilk olay olduğu için ona ilginç gelmişti.

"Teşekkür ederim, büyük bir iyilik yaptınız bana."

Lang antikacıdan çıkıp geldiği yoldan geri dönerken resim olayını düşünüyordu. Demek Janet'in satın aldığı eski resmi başka biri daha istemişti. Janet'in ölümüyle bir ilgisi olabilir miydi bunun? Ama hiçbir anlamı yoktu bu olayın. Patrick'in de dediği gibi, Vosges Meydanındaki ev Fort Knox gibi çok güzel korunuyordu. Janet'in satın aldığı resmi isteyen bir adamın onu ele geçirmek için o kadar korumalı bir eve girmesi ve orayı bombalayıp yakması mantık dışı bir şeydi.

Fakat Lang'ın kafası iyice karışmıştı, beyninde uğultular vardı ve sanki onları net olarak duyuyordu. Ama duyduğu sesin nerden geldiğini bir anda anladı ve ani bir hareketle döndü, şehirde dolaşıp duran ve hız yaparak insanları korkutan motosiklet çılgınlarından birinin hızını artırarak kaldırıma fırladığını tam zamanında gördü. Kafasındaki kasktan dolayı yüzünü göremediği motorlu adam ya sarhoş, ya da deli olmalıydı.

Motosiklet bütün hızıyla Lang'ın üzerine geliyordu. Lang kendini bir kapı aralığına atarken, motorlu adam ona doğru eğildi ve o anda eldivenli elinde bir şey parladı. Lang ondan uzaklaşmaya çalışırken bir şeyin omzunu acıttığını hissetti, yere attı kendini.

Yine de gafil avlandığını düşünerek kendine kızdı, birden ayağa fırladı ve motorlu adamın geri dönmesini umut ederek bir yay gibi gerilip bekledi, adam geri gelirse onu motordan aşağı uçurmaya hazırdı. Ama umduğu olmadı. Motosiklet birkaç saniye içinde sokağın köşesini döndü ve gözden kayboldu.

Antikacı dükkândan fırladı ve ona doğru koşarken, "Mösyö!" diye bağırdı. "Yaralanmışsınız!"

Lang ona baktı ve "Hayır, hayır, iyiyim," diye cevap verdi.

Sonra adamın baktığı yere bakınca gömleğinin kanlandığı yeri gördü. Motorlu adamın elinde gördüğü parıltı demek bir bıçaktı ve adam fırsat bulsaydı onun boğazını kesmek için bir an bile tereddüt etmeyecekti.

Daha sonra buluştuklarında Patrick ona, "Dünyanın her yerinde olduğu gibi burada da motorlu serseriler kol geziyor dostum," dedi.

Omzundaki hafif yara sarılan Lang dişlerini gıcırdattı ve "Evet ama bu adam rasgele bir serseri değildi arkadaşım," diye söylendi. "Bu hergele beni öldürmek istedi."

Patrick onun abarttığını düşünerek, "Hadi canım, tanımadığın bir serseri durup dururken neden öldürmek istesin ki seni?" dedi.

Lang'ın bilmek istediği işte buydu zaten.

Bölüm İki

1

Delta Uçuşu 1074: Paris – Atlanta

Doğu Saati, Gece 10:35.

Lang yorgundu ama uyuyamıyordu. Boeing 777'nin sinema ekranında gösterilen komedi filmine baktı ama sanki bir şey göremedi. Üzüntü, merak ve uçuş korkusu yüzünden birinci sınıfın geniş koltuğunda kıvranıp duruyordu, rahat edememişti.

Gözlerini açsa, kapasa da hep Janet ve Jeff'i görüyordu. Sonra da elinde bıçak olan motorlu adam geliyordu gözlerinin önüne.

Rastlantı mıydı bütün bunlar yani? Daha önce aldığı eğitim birbiriyle ilgisi olmayan olaylara güvenmemesini öğretmişti ona. Peki, ama hayatını evlat edindiği bir yetimle, dünyanın her yerindeki diğer hasta ve fakir çocuklara adamış bir kadını kim öldürmek isteyebilirdi? Sonra Lang'ın ölmesini kim isteyebilirdi?

Eski bir kin, bir kıskançlık olayı mı vardı bu işin içinde? On beş yıldan beri ona olan kinini sürdürecek biri olabileceğini düşünemiyordu.

O sırada güzel hostes yanına geldi ve tatlı bir gülümsemeyle, "İstediğiniz bir şey var mı, efendim?" diye sordu.

Lang başını iki yana salladı. "Hayır, ben böyle iyiyim, teşekkür ederim."

Ama aslında hiç de iyi değildi.

Yaramaz çocuklarını oynamaları için sokağa gönderen bir baba gibi, Janet ve Jeff düşüncelerini kafasından uzaklaştırmaya çalıştı. Uçağın kargo kompartımanında duran iki metal tabutu düşündükçe uyuması mümkün olabilir miydi? Başka şeyler, güzel şeyler düşünmeliydi....

Patrick'in telefonundan birkaç saat öncesine, sadece iki gece öncesine dönebilecek miydi acaba?

O akşam Peder Francis Narumba ile buluşup konuşmuştu. Akşam yemeğini öğrencilerin, politikacı ve aydın oldukları söylenen adamların devam ettiği Manuel'in Birahanesinde yediler. Buradaki eski ahşap localar ve bar tabureleri sevimli bir manzara oluşturuyordu. Buranın yemekleri harika değildi ve atmosferi çok hoş sayılmazdı, ama bir zenci rahiple beyaz bir avukat kimsenin dikkatini çekmeden Latince konuşabilirdi burada.

Lang ve Francis, Virgil ve Livy dilini canlı tutmak için ellerinden geleni yapıyorlardı. Her ikisi de klasiklerde derece almanın kurbanı olmuşlardı. Lang işletme fakültesine gitmemekte direnmiş, rahibin nedeni ise dilin seminerde talep edilmesi olmuştu.

Onların arkadaşlığının temeli ortak ihtiyaçlara dayanıyordu: Tarihi, geçen haftanın People dergisinden daha eski bir şeymiş gibi gören çok az insan vardı etrafta. Lang ilk Roma yağmalaması sonrasında olanları güncel olaylar olarak düşünme eğiliminde olmasına rağmen, Francis ortaçağ dünyasını çok iyi hatırlıyordu. O dünyada Katolik kilisesinin rolü, dostane tartışmalar için çok güzel bir zemin hazırlıyordu.

Lang, Fulton İlçesi savcılığının etkisiz çalışması hakkında öfkeli bir ifadeyle bir şeyler anlatırken rahip onu sakin bir ifadeyle dinledi, iyi bir vatandaşın fedakârlığını konu alan bir meseleydi bu.

Bir avukatın müvekkilinin bir yıldan fazla ceza alması o avukat ve özelikle de müvekkili için iyi bir şey değildi elbette. Suçlanma işleri zorlaştırır, çünkü kamuoyunda suçlanan kişi tersi kanıtlanana kadar suçu işlemiş gibi kabul edilirdi.

Bunu tartışırlarken, Francis tabağında duran biraz yanmış somon balığına bakarak, "Eğer savcı senin dediğin gibi yeteneksizse, nasıl geldi oturdu savcılık makamına?" diye sordu. Manuel'in mutfağı gittikçe kötüleşiyordu. *"Fabas indulcet fames,"* diye Latince söylendi

Lang hamburger ısmarlamıştı ama o bile zor yeniyordu. "İnsan aç olunca fasulyeler bile tatlı gelir ağzına, ama bunu yemek için insanın çok aç olması gerekir doğrusu," dedi. "Senin soruna gelince, savcı makamını kendi yeteneğine değil, tanıdığı bazı kişilere borçlu, *Ne Aesopum quidem trivit.*"

"Aesop'u bile hiç karıştırmamış mı peki o adam?"

Lang sürahiden bardağına biraz ılık bira koyarken, "Bütün o azizlere inanmak insanı gerçeklere yaklaştırır," diye devam etti. "Daha da liberal olmak gerekiyorsa, adam enerjik olmayı bilmiyor."

Rahip de ısınmış olan birasından bir yudum aldı ve yine Latince konuştu. *"Damnant quod non intelligunt."*

Anlamadıklarını kınarlar, suçlarlar.

Yemekten sonra ödeme için yazı tura attılar ve Lang üçüncü kez, yine kaybetti. Bazen Francis'in bu gibi konularda Tanrı'dan yardım aldığını bile düşünüyordu.

O akşam restorandan çıkıp arabaya doğru yürürlerken Francis ona, "Janet ve Jeff nasıllar?" diye sormuştu.

Rahip özellikle Janet'in durumunu hep merak ederdi, çünkü Janet eşinden ayrıldıktan sonra gerçek bir Katolik olmuş ve Francis'in cemaatine katılmıştı. Lang'a göre, kız kardeşi belki de kiliseye devam ederse bir başka kötü evlilik yapmayacağına inanıyordu. Jeff'in bir yabancı olması da Afrika'nın en istenmeyen topraklarından gelmiş olan Francis için ilginçti.

Lang Porsche arabasının anahtarını cebinden çıkarırken, "İkisi de iyiler," diye cevap verdi. "Geçen hafta Jeff'i Braves'in açılışına götürdüm."

Francis spor arabanın koltuğuna oturmaya çalışırken, "Bana göre bu minik şeyin yerine gerçek bir araba alacak kadar paran var herhalde, değil mi?" dedi.

Lang bir kahkaha attı ve "Bu arabadan memnun ol ya da MARTA'ya git dostum," dedi. "Az daha unutuyordum, Janet geçen hafta Jeff'e bir köpek aldı ama hayvanı görmelisin, onun kadar çirkin bir köpek olabileceğine inanmazsın."

"Güzellik sadece dış görünüşe göre farklıdır, Bayım."

Lang motoru çalıştırdı ve siyahî din adamı arkadaşına baktı. "Evet, ama bu köpek kemiklerine kadar çirkin bir hayvan, bunu söyleyebilirim sana. Janet onu güzelliğin değerini anlamak için almış olmalı."

Lang bunları düşünürken derin bir uykuya daldı ve ancak hostesin gelip kolunu hafifçe dürtmesiyle uyandı. Genç kız gülümseyerek ona baktı ve "Lütfen koltuğunuzu doğrultun efendim, biraz sonra inişe geçiyoruz," dedi.

2

Dawn öldüğü zaman bir insanın üzülebileceği kadar üzüldüğünü düşünmüştü Lang. Sevdiği kadının uzun bir hastalık döneminden sonra ölmesini acılar içinde kıvranarak seyretmiş, hayatında bir daha böyle üzülmesinin mümkün olamayacağını düşünmüştü.

Ama yanılmıştı işte.

İki küçük tabutun uçağın kargo kompartımanından kırmızı Georgia toprağına indirilişini seyrederken, güney erkeklerinin o ünlü metanetini kaybetmemek için zorladı kendini. Ama sonunda dayanamadı ve ağladı. Önce gözleri doldu, sonra etraftakilerden utanmaya boş verdi ve gerçekten ağladı. Sadece Janet ve Jeff için değil, aynı zamanda kendisi için de ağlıyordu Lang. Ailesinden geriye kimse kalmamıştı ve hayatta tamamen yalnızdı artık.

Daha önce herkes gibi o da birçok arkadaşını, tanıdığı insanları kaybetmişti elbette. Daha önceki tehlikeli işinde kaybettiği çalışma arkadaşları da olmuştu. Dawn'ı da yitirmişti ama onun gideceğini biliyordu ve kendini bu acıya alıştırmaya çalışmıştı. Fakat kız kardeşi ve kendi çocuğu gibi sevdiği evlatlığı çok ani ve anlaşılmaz bir şekilde ölmüşlerdi.

Cenaze töreni sanki başkasına aitmiş gibi, garip acılar ve duygular içinde, sanki rüya görüyormuş gibi izledi olanları. Ama gördüklerinde garip bir şeyler vardı, kafesinden fırlayıp kaçmak için çırpınan bir hayvan vardı sanki içinde.

Janet ve Jeff'in mezarları Dawn'ın mermer taşlı mezarının yanına kazılmıştı ve her Pazar gelip çiçek koyduğu Dawn'ın mezar taşındaki yazı henüz çok yeniydi. Bundan sonra bu tepenin yamacındaki mezarlıkta ziyaret edeceği mezarların sayısı üçe çıkmıştı.

Lang mezarların başında Francis'in okuduğu duaları dinlemek yerine, Jeff'le oynadığı video oyunlarını, çocuğun okuldan getirdiği yıldızlı ders notlarını hatırladı. Her ikisini de çok özlüyordu ama çocuğun daha hayatı iyice tanımadan, çok genç yaşta ölmesi onu kahrediyordu.

Cenaze töreni bir süre sonra sona erdi, Janet'in dostları, komşuları, onları tanıyanlar ve Jeff'in okul arkadaşlarının ebeveynlerinden oluşan kalabalık ona başsağlığı dileyerek mezarların başından ayrılırlarken, Lang'ın içindeki derin acılar aniden korkunç bir öfkeye dönüştü. Bunu yapan ya da yapanlar cezalarını fazlasıyla çekeceklerdi, bunu onların yanına bırakması mümkün değildi. Bunun için ne kadar uğraşması, nerelere gitmesi gerekiyorsa bunları yapacak, katili ya da katilleri bulacaktı.

O alçaklar yanlış aileye çatmışlardı. Lang'ın polisi ilgilendiren konularda fazla bir deneyimi yoktu ama tanıdığı çok özel insanlar vardı ve onlar polisin bile sağlayamayacağı bazı bilgileri ona verebilirdi. Bu özel kişilerden destek isteyebilirdi ve bunu mutlaka yapacaktı.

İçindeki öfke onu biraz olsun rahatlattı, içindeki anlamsız şeyler anlam kazanmaya başladı. Tanımadığı kişilerden intikam alacağını düşününce huzur bulur gibi oldu ve mezarcıların sabırsızlıkla beklediğini gördü ama umursamadı. Onun mezar başından bir türlü ayrılmadığını gören mezarcılar bir an önce tabutların üzerine toprak atarak işlerini bitirmek istiyorlardı.

Birden omzunda hissettiği hafif el temasıyla düşüncelerinden sıyrıldı Lang. Francis hafifçe onun sırtına dokundu. Rahip burada sadece Janet'in din hocası ve arkadaşı olarak değil, aynı zamanda Lang'ın da dostu olarak bulunuyordu.

"Lang, şu anda intikam değil, Janet ve Jeff'i düşünmelisin, dostum."

Lang içini çekti. "Öfkem ve düşüncem belli oluyor ha!"

"Yüzündeki ifadeyi gören herkes senin neler düşündüğünü kolayca anlayabilir."

"Olanları unutmam, yürüyüp gitmem mümkün değil, Francis. Birisi bu iki masum insanı öldürdü. Bunun da Tanrı'nın emri olduğunu söyleme sakın bana."

Rahip başını iki yana salladı ve mezarlara baktı. "Cenaze törenini icra etmemi isterken sanırım yanında güçlü birinin bulunmasını da istedin, değil mi? Ben burada..."

Lang birden kızdı ve "Oh, lanet olsun!" diye homurdandı. "Senin gücün gerektiği zaman orada değildi işte."

Bunu söylediğine hemen pişman oldu, içindeki büyük acı, öfke ve uykusuz geçirdiği birkaç gece onu bu hale getirmiş, böyle konuşmasına neden olmuştu. Lang dindar bir adam sayılmazdı ama başkalarının dinsel duygularını da küçümsemezdi.

"Özür dilerim, Francis. Şu anda ne yaptığımı pek bilmiyor gibiyim."

Rahip ona gücendiyse bile hiç belli etmedi bunu. "Seni çok iyi anlıyorum, Lang. Sanırım neleri neden düşündüğünü de anlıyorum. Ama bu işi Fransız polisine bırakman daha iyi olmaz mı acaba?"

Lang dişlerini gıcırdatarak, "Senin için bunu söylemek kolay elbette," diye söylendi. "Onlar için bu sadece iki cinayet olayı işte. Ben ise adalet istiyorum ve hemen istiyorum bunu."

Francis iri kahverengi gözlerini açarak bir süre onun yüzüne baktı, onun düşüncelerini aynen okuyabiliyordu. "Riskli bir işi kazasız belasız tamamlamış olman, bunu yapan canilerle başa çıkabileceğin anlamına gelmez ama."

Lang eski işinden hiç söz etmemişti Francis'e. Ama rahip yeterince zeki bir adamdı; otuz yaşında hukuk fakültesine giden ve avukat olan bir adamın geçmişinde yaklaşık on yıllık bir boşluk olduğunu ve bunun gizli kalması gerektiğini anlamıştı. Francis onun geçmişindeki gerçeği ya da ona yakın bir şeyi tahmin etmişti.

Lang sinirli bir ifadeyle, "Başa çıkabilirim ya da çıkamam, ama bunu denemek zorundayım," dedi.

Francis sessizce başını salladı ve hafif meyilli araziden aşağıya doğru baktıktan sonra, "Nasıl istersen," diye mırıldandı. "Senin için dua edeceğim."

Lang kendini zorlayarak hafif bir gülümsemeyle din adamı arkadaşına baktı ve, "Sanırım dualarının zararı olmaz," dedi.

Francis mezarlığın kapısına doğru uzaklaşırken, Lang bir süre onun arkasından baktı, hafifçe başını salladı ve kendi kendine bir söz vermiş olduğunu düşündü. Sadece o anın öfkesiyle, sadece kendini rahatlatmak için verilmiş bir söz değildi bu, gerçek bir taahhüttü.

Ama bu sözünü nasıl yerine getireceği konusunda henüz bir fikri yoktu.

3

Lang mezarlıktan ayrıldıktan sonra Janet'in evine gitti.

Kardeşinin evini satabilirdi ama bunu hemen yapmayı da pek istemiyordu. Janet hayatını kendi kazanan bir kadındı ve bu evi de oğlu için satın almıştı. Bu ev onların anısını yaşatıyordu ve Lang bu nedenle hemen satmayı düşünmüyordu bu evi.

Bahçedeki otların biçilmesi gerekiyordu ki Janet sağ olsaydı bahçe asla bu hale gelmezdi. Evin arkasına geçti ve arka bahçede iki yıl önce Janet'le birlikte kurduğu salıncağı görünce yine doldu gözleri. O yaz günü öğleden sonra bu salıncağı kurarken epey terlemişler, birkaç kutu soğuk bira içmişlerdi. Jeff bir ay kadar önce dayısına gelmiş ve artık salıncakta sallanamayacak kadar büyüdüğünü söylemişti.

Lang kapıyı açtı ve uzun zamandır kapalı olan evin çok havasız kalmış olduğunu anladı. Evin durumunu kontrol etmesi gerektiğini düşünerek önce üst, sonra alt katta dolaştı, en sonra Janet'in oturma odasına ya da salonuna girdi. Kendini tutamadı ve gülümsedi, her şey yerli yerinde ve tertemizdi. Duvarlarda azizlerin resimleri, dinsel yağlıboyalar ve birkaç yerde de kanlı haçlar asılıydı. Janet dinsel antikalar topluyordu ama onu bu işe başlatan da Lang olmuştu.

Yıllar önce bir Balkan ülkesinden iltica eden bir adam, kaçarken antika koleksiyonunun bir kısmını da yanına alabilmişti. Bu dinsel yağlıboyalar büyük ihtimalle Komünistlerin yasakladığı kiliselerden çalınmıştı ve adam artık kapitalist bir ülkede yaşamanın rahatlığı içinde satıyordu bunları. Lang'ın hatırladığı bazı resimlerde John the Baptist'in kesik başı ve oklarla delinmiş kanlı bir beden vardı. Bu kanlı beden Aziz Sebastian olabilirdi. Tablolardaki renkler olağanüstüydü, resimler Bizans dönemine ait olmalıydı ve Londra'da açık artırmayla satılan resimlerden bir kısmı daha sonra Amerika'ya getirildi. Janet Katolik cemaatine girince bunlardan bazılarını almıştı.

Bu antika resimler Janet için çok değerliydi ve onları hayatının sonuna kadar muhafaza etmek istiyordu. Janet Katolik cemaatine katılmıştı ama yine de aşırı dindar bir kadın değildi. Fakat azizlerin portreleri ve dinsel yağlıboya tablolardan büyük zevk alırdı. Empresyonistler ve onların çağdaşlarının eserleri çok pahalı oluyordu, mali gücü yetmiyordu onları almaya. Fakat antika pazarlarında onun ilgisini çekecek çok eser vardı ve onlar da Janet için yeterliydi.

Bazı antika resimlerin üzerinde bulunan Latince yazıları da, her zaman başarılı olamasa bile, Lang'a tercüme ettirir ve bundan da büyük zevk alırdı Janet.

Lang da antika koleksiyonu yapmanın zevkini anlıyordu. O da seyahatlerinde bulabildiği Sezar Augustus kabartmalı Roma sikkeleri, Etrüsk adak kupası, İskender askerlerinden birine ait olması muhtemel bir hançer gibi antikaları bulduğu zaman hemen alırdı.

Lang evde bir süre kaldıktan sonra çıktı ve kapıyı kilitlerken, posta kamyonunun kaldırıma yanaştığını gördü. Postacı elindeki zarfları posta kutusuna bıraktıktan sonra yine arabaya atladı ve uzaklaştı.

Son günlerde postayı almak için Lang'ın sekreteri Sara buraya gelmiş ve kutudakileri alıp ona getirmişti ama postadan çıkanların büyük çoğunluğu reklâmlardı ve şimdiye kadar önemli bir zarf ya da belge çıkmamıştı. Janet'in ölmüş olması nedeniyle posta gelmemesi de aslında bir ironi olarak kabul edilebilirdi. Lang kız kardeşinin kredi kartlarının son borçlarını da ödeyecek ve sonra da iptal edecekti onları.

Posta kutusundan, Neiman'daki bir satışı haber veren bir posta kartı, yerel bir gazete ve üzerinde "Ansley Galerisi" yazılı bir zarf çıktı. Lang meraklandı ve zarfı hemen açtı. Zarfın içinden çıkan kısa bilgisayar mektubunda, telefonla ulaşmanın mümkün olmadığı ama işin tamamlandığı bildirilmişti.

Ansley Galerisi Altıncı ya da Yedinci Sokakta, Lang'ın durduğu yerden birkaç dakikalık mesafede küçük bir dükkândı. Sara'yı oraya göndermesine hiç gerek yoktu.

Tezgâhın arkasında duran genç kızın dimdik saçları mor renge boyanmıştı, dudak ruju da aynı renkti, boynunda bir kelebek dövmesi ve sol kaşına geçirilmiş bir halka vardı. Lang ona bakınca, kendi çocuğu olmadığı için Tanrı'ya şükretti. Kız önce Lang'ın uzattığı mektuba, sonra da yüzüne baktı. "Pekala Beyefendi, siz....?"

"Ben Dr. Holt'un ağabeyiyim, adım Langford Reilly."

Kız tekrar mektuba ve sonra yine ona baktı. "Tanrım! Gazetede okudum olanları... Çok üzüldüm Bayım. Dr. Holt çok iyi bir hanımdı."

Lang günlerden beri duyduğu acı ve üzüntü dolu başsağlığı sözlerinden iyice sıkılmıştı. Ama kız ne de olsa incelik gösteriyordu. "Teşekkür ederim, genç bayan, çok naziksiniz. Ben şimdi onun işlerini halletmeye çalışıyorum. Bu nedenle postasını da aldım ve..."

Lang durdu ve kızın elindeki mektubu işaret etti.

"Oh! Özür dilerim efendim! Hemen getireyim onu size."

Kız tezgâhın arkasındaki rafların arasında kaybolurken, Lang onun yerini ağzında patlattığı çikletin sesinden tahmin edebiliyordu.

Çok geçmeden geri dönen kızın elinde kahverengi kâğıda sarılmış bir paket vardı. "Dr. Holt bunu bize Paris'ten gönderdi, çerçevelememizi ve sigorta için değerlendirmemizi istemişti." Kız sustu ve pakete yapıştırılmış olan küçük zarfı çekip aldı. "Burada tablonun bir Polaroidi ve değerlendirme var. Siz bunları güvenli bir yerde muhafaza ederken, biz de bir kopyasını saklarız." Kız paketi ve zarfı tezgâhın üstüne bıraktı ve yapılan işle ilgili fişe baktı. "Ödenmesi gereken miktar, vergi dâhil iki yüz altmış yedi dolar elli beş sent efendim."

Lang ona kredi kartını uzattı ve kız ödeme için gereken işlemi yaparken o da zarfı cebine koydu. Bu dinsel tabloyla ne yapacağını o anda bilemiyordu. Janet onu ölmeden kısa bir süre önce satın almıştı, satması söz konusu olamazdı. Onu özel bir yerde koruması gerekecekti.

Ödeme işlemi bitince fişi ve kredi kartını alıp cüzdanına koydu ve paketi koltuğuna sıkıştırdı. İçi oldukça loş olan dükkânın kapısında biraz durdu ve gözlerini dışarıdaki parlak güneş ışığına alıştırdı.

Ama o anda dışarıda garip olan bir şeyler varmış gibi geldi ona.

Ona çevresi konusunda uyarı yapan hassasiyeti iyice gelişmiş, onun bir parçası haline gelmişti ve o şimdi adeta, üzerine saldıracak olan bir vahşi hayvanı hisseden bir geyik gibi hassastı, dikkatliydi. Lüks apartmanın kapısında sağda duracağı yerde solda duran kapıcı ve Mercedes ve BMW gibi pahalı arabaların bulunması gereken bir yerde duran külüstür araba hemen dikkatini çekti.

Bir an için orada durup sokağı gözden geçirdiğini düşündü ve sonra da bunu neden yaptığını anladı. Onun dikkatini çeken şey, karşıdaki boş binanın camları kırılmış kapısında oturmuş ve kendinden geçmiş gibi görünen şarapçıydı. Adam Lang'a doğru dönük olarak oturuyordu ve gözleri de kapalıydı. Üzerinde eski bir mont, yırtık blucin ve ayaklarında pis, bağcıkları olmayan eski spor ayakkabılar vardı. Adam aslında şehirdeki binlerce evsiz serseriden biri olabilirdi. Fakat bu serserilerin içinde sakal tıraşı olmuş ve saçları yün takkenin altından görünmeyecek kadar kısa kesilmiş olan kaç kişi çıkardı? Bu serseri sağlık kurallarına dikkat eden bir hapishaneden yeni çıkmış olsa bile, öğle saatinde fakirlere çorba ve sandviç dağıtan kilise biraz ilerdeyken, burada oturmaz, oraya koşardı. Lang dükkâna girerken o adam orada değildi, ama birkaç dakika içinde gelip oraya oturmuş ve ayrıca aceleyle de uykuya dalmıştı. Uyuşturucu alan bir sokak serserisi bile bu kadar çabuk uykuya dalamazdı.

Lang belki de yanılıyordu, şehirde o kadar çok sokak serserisi varken bunun da orada oturup sızmış olması pekâlâ mümkündü. Ama düşündü ve yanılmasının çok az bir ihtimal olduğuna karar verdi.

Lang gözlerini güneşten korumak ister gibi elini kaldırıp yüzüne siper ederek, Porsche arabasını park ettiği yere doğru ilerledi. Bunu yaparken parmaklarını hafifçe araladı ve adamı gözetlemeye başladı. Adam yün takkeli başını yavaşça ona doğru çevirdi. O da Lang'ı gözetliyordu.

Lang arabasına atladı, blok etrafında bir tur atarak biraz önce bulunduğu yerden tekrar geçti. Ama adam gitmişti.

Lang paranoyak olabileceğini de düşündü, ama öyle olsa bile takip edilmediği anlamına gelmezdi bu.

Bölüm Üç

1

Lang herhangi bir kuşkulu durumda sekreteri Sara'nın kendisini uyaracağını biliyordu. Bürosuna giderken zihnini başka konularla meşgul ederek biraz daha rahatlayabileceğini düşündü. Bürosu Atlanta'nın gökdelenlerinden birinde ve yerden oldukça yüksekteydi.

Sara cenaze töreninde çok üzgündü, gözleri sürekli yaş içindeydi ve Lang onun, kendisini görünce yine ağlamaya başlayacağından emindi. Çünkü sekreteri Sara, Janet ve Jeff'i çok iyi tanıyordu. Ama Sara onu görünce ağlamaya başlamadı ve "Kennel telefon etti," dedi. "Janet acil durumlar için bu numarayı bırakmış ona. Köpeği Grumps iki haftadan uzun zamandır oradaymış. Gidip hayvanı almamı ister misin? Köpeğin adı da ne kadar garip öyle, nerden buldunuz Grumps adını? Spot ya da Fino gibi kolay köpek isimleri yetmedi mi size?"

"O adı Jeff buldu galiba, bilmiyorum." Lang o kocaman çirkin köpekle ne yapacağını da bilemiyordu. Fakat Grumps Jeff'in iyi bir dostu olmuştu ve o hayvanı herkese teslim edemezdi. Aslında köpeği yanında tutması bir yerde iyi olurdu, en azından ailenin bir parçası onunla beraber olacaktı. Sekreterinin cevap beklediğini görünce, "Hayır, "dedi. "Eve giderken ben alırım onu."

Lang odasına girdi ve üzerinde dosyalar ve zarflar olan masasına oturdu. Eski işini bıraktığı zaman, Dawn ile birlikte avukatlığın iyi bir ikinci meslek olacağına karar vermişlerdi. Kendi küçük emekli maaşı ve Dawn'ın çalışmasıyla Lang'ın hukuk eğitimini tamamlaması zor olmamıştı. Başkası için çalışma fikri onun hoşuna gitmiyordu. Üniversiteden mezun olunca kendi küçük avukatlık bürosunu açtı ve çalışmaya başladı.

Çok geçmeden müvekkillerinin sayısı arttı, iyi para kazanmaya başladı ve Dawn da işten ayrılıp her zaman istediği butiği açtı. Eski işinde olduğu gibi zamansız çalışmalardan, ani görevlerden kurtulmuştu, hemen her akşam evine gidebiliyordu artık. Geç kaldığı zamanlar da karısı onun nerde olduğunu ve ne zaman eve döneceğini biliyordu.

Jimmy Buffet'ın şarkısında olduğu gibi mutluydular, güzel bir evleri, istediklerini yapabilecek kadar paraları vardı ve birbirlerini seviyorlardı. Beş yıllık evlilikten sonra bile Dawn onu akşamları baştan çıkarıcı bir kıyafetle ya da çıplak olarak karşılar ve yatak odasına bile çıkmadan, çoğu zaman salonda sevişirlerdi.

Fakat Lang bir akşam kafası işiyle çok meşgul olarak, samimi bir müvekkilini eve getirince Dawn'ın yarı çıplak kıyafeti onları güç durumda bırakmıştı.

Evliliklerinde canlarını sıkan tek konu, Dawn'ın hamile kalamamasıydı. Çeşitli testlerden sonra olumlu sonuç alamayınca bir evlatlık edinmeye karar verdiler ama bunun için sırada beklerken, Dawn iştahını kaybetti ve kilo vermeye başladı. Hamileliğini engelleyen hastalık daha da kötüleşti.

Bir yıl geçmeden Dawn'ın iki göğsü de alındı ve kaburgaları sanki dışarı fırlayacakmış gibi görünmeye başladı. Lang karısını hastaneye yatırdı ve ona seven, kendisine yardımcı bir kadın veren Tanrı'nın şimdi de onu elinden almak üzere olduğunu anladı. Dawn hastane yatağında bir deri bir kemik halde sessizce yatıyor, acılarını ancak ve geçici olarak ilaçlarla dindirebiliyordu.

Kanser gittikçe ilerlerken Lang ve Dawn kendilerini avutmak için hastalığın tedavisinden sonra neler yapacaklarını, nerelere gideceklerini konuşuyorlardı. İkisi de birbirini inandırmaya çalışıyor ama bunun yararsız olduğunu da biliyordu. Aslında her ikisi de kaçınılmaz sonun çabuk gelmesi için dua ediyor, bu işkencenin bir an önce bitmesini diliyorlardı.

Lang onun için hiçbir şey yapamadığına yanıyor, çıldırmak üzere olduğunu düşünüyordu. Ama karısının ölümüne hazırlanmak için bir yandan da kendini güçlendirmesi gerektiğine inanıyordu.

Bunları hatırlarken, hangisinin daha kötü olduğunu düşündü; karısının kesin ölümünü bekleme işkencesi mi, yoksa kız kardeşinin ve evlatlığının ani ölüm haberini almak mı daha zor gelmişti ona acaba?

Kız kardeşi ve Jeff'i öldürenlerden intikam alabilme umudu vardı en azından. Ama Dawn'ın ölümüne teselli olabilecek hiçbir şey yoktu elinde. Eski işinden ayrıldıktan sonra eski kaynaklarını kullanma ihtiyacı gittikçe azalmıştı. Masasındaki bir çekmeceyi karıştırırken, işbirliği yaptığı eski arkadaşlarından kaç kişinin eski yerinde kaldığını merak etti. Çekmecenin dibindeki gizli kapağı buldu ve çekerek açtı. Gizli kutudan küçük bir defter çıkardı ve masanın üstüne koydu. Geriye kimler kalmıştı acaba? Daha da önemlisi, ona iyilik borcu olan kaç kişi kalmıştı geride?

Telefonu kaldırıp bölge kodu 202 olan bir numara çevirdi, zilin iki kez çalmasını bekledi ve ahizeyi kapadı. Bir yerde, bir bilgisayar ekranında Lạng'ın telefon numarası görünecekti. Bu numara ile Lang'ın adı ve adresi bir saniye içinde kontrol edilecekti. Yani, aradığı numarada hâlâ görüşmek istediği kişi olduğu takdirde olacaktı bunlar.

Bir dakika sonra Sara dâhili hattan onu aradı ve "Telefonda Bay Berkley adında biri var," dedi. "Senin telefonuna cevap verecekmiş."

Lang hemen kaptı ahizeyi. "Miles? İşler nasıl gidiyor eski dostum?"

Cevap normal bir telefonda olduğundan bir saniye daha uzun sürdü. Çünkü bu görüşme dünyanın her bölgesine ulaşan ve asla izlenemeyen özel kanallardan geçiyordu.

"Her şey iyi gidiyor, Lang. Sen neler yapıyorsun bakalım?" Miles Berkley yıllardan beri hep o Güneyli kovboy aksanıyla konuşur ve bundan zevk alırdı.

"Benim bir sorunum var, Miles. Yardım istiyorum dostum."

Lang konuşmalarının kayda alındığını ve sesinin eski kayıtlardan kontrol edildiğini biliyordu. Belki de sesini onun ayrılmasından sonra geliştirilmiş tamamen yeni bir teknolojiyle kontrol ediyorlardı.

Arada kısa bir sessizlik oldu.

"Yapabileceğim bir şey var mı, Lang?"

"Paris'te üç gün önce bir yangın olayı yaşandı. Bana olayda termit kullanılmış gibi geldi."

"Duydum bunu."

Miles hâlâ yerel gazeteleri okur ve anormal, dikkat ve ilgi çeken olayları inceler, araştırır ve kayda geçirirdi. Demek ki eski görevine devam ediyordu.

Lang bunu anlayınca çok sevindi, şansı açık demekti bu. Eski arkadaşına, "Askeri depolardan çalınmış bir şey var mı acaba?" diye sordu. "Böyle korkunç bir patlayıcı nereden, kimin eline geçmiş olabilir?"

Miles, "Bunu neden öğrenmek istiyorsun peki sen?" diye sordu. "Yoksa müşterilerinden birinden mi şüpheleniyorsun?"

"O yangında kız kardeşim öldü, Miles. Orada bir arkadaşının evinde kalıyordu. Kardeşim ve oğlu o yanan evdeydiler."

Karşı tarafta uzun bir sessizlik oldu ama bu sadece hatlardan meydana gelmiş olamazdı. "Lanet olsun, çok üzüldüm, Lang! Bunun üstüne neden gittiğini anladım, ama bu konuda elimizde bir şey yok şu anda. Bildiğimiz kadarıyla askeri depolarda son zamanlarda hiçbir anormal olay yaşanmadı. Ama henüz anlaşılmamış bir şey olması da ihtimal dışı sayılmamalı tabii. Kız kardeşin bilmemesi gereken bir şey öğrenmiş olabilir mi, ne dersin?"

"Onun oğlu, doktorluğu ve kilisesinden başka şeylerle meşgul olmadığına eminim. Suç sayılabilecek hiçbir şey yapmadığını çok iyi biliyorum."

"Bu durumda olayın nedenini tahmin etmek çok zor olacak. Baksana, eski işine geri gelmeyi düşünmüyorsun, değil mi? Bunu yapan hergelelerin profesyonel olduklarına kuşku yok, zor olacaktır bu iş dostum. Onların kim olduklarını öğrensen bile yalnız başına başa çıkamazsın."

Lang, "Bunu düşünmüyorum zaten," diyerek yalan söyledi arkadaşına. "Bunu neden kurcaladığımı söyledim sana. Bu konuda bir şey öğrenirsen bana haber verirsin, değil mi?"

"Bunu resmi olarak yapamayacağını biliyorsun, Lang. Ama eski dostların yardımlaşması konusunda ne yapabilirim, bakacağım elbette."

Lang telefonu kapadıktan sona uzun süre pencereden dışarıya baktı. Araştırmasına yeni başlamıştı ama şu anda kendisini bir çıkmaz sokakta hissediyordu.

2

Park Place aslında orijinal bir isim değildi ve Lang'ın yaşadığı binanın sahibi binasına bu adı Monopoly kurulundan almış olacaktı. Yakınlarda sahile benzer bir şey de yoktu. Dünyanın her yerinde buna benzer yüksek binalar inşa ediliyordu artık. Fakat kapıya komik opera üniformalı bir kapıcı koymak Atlanta'da bir ilk ve New York'un Yukarı Doğu Yakasının güneyinde herhangi bir yer için biraz fazlaca zengin bir görüntü olmalıydı.

Lang evine gittiği zaman kapıcı Richard engel çıkarmadı ama pek hoşnut olmadığı da belliydi. Grumps'a bakarken, binanın mermer zeminli holünde çöpler görmüş gibi yüzünü buruşturdu. Köpeğin ona kuyruk sallaması ve kahverengi gözlerle adeta yalvarır gibi bakması bile kapıcının yüzündeki hoşnutsuzluk ifadesini değiştirmedi.

Grumps'ın sevimli bir ev hayvanı gibi görünmediğini Lang da kabul ediyordu. Köpek kaba siyah tüyleri ve beyaz yüzüyle hemen her cinse ait olabilirdi. Bir kulağı dimdikti ama diğeri solmuş bir yaprak gibi ikiye katlanmıştı. Köpek bir süre önce tuvalet ihtiyacını dışarıda otların üstüne gidermemiş olsaydı, Lang hiç kuşkusuz bina holündeki halıların üstünde çok daha tedirgin olacaktı.

Lang kapıcıya bir elli dolarlık banknot verirse sorunun çözümleneceğini düşündü ve avucunda katladığı parayı onun avucuna sıkıştırırken, özür diler gibi bir ifadeyle, "Yeğenimin köpeğiydi bu, dostum," dedi. "Onu nereye bırakacağımı bilemedim."

Richard Noel zamanı dışında gelen bu cömertçe bahşişi sırıtarak cebine attı. Janet ve Jeff'in öldüklerini o da öğrenmiş olacaktı. Böyle binalarda çalışanların hepsi gibi, o da hizmet verdiği insanların hayatlarına neler olup bittiğini biliyor olmalıydı.

Lang'a bakarak suç ortaklığı yapıyormuş gibi göz kırptı ve "Bu hayvan elli kiloya yakın galiba," dedi.

Grumps bina kurallarında ev hayvanları için konmuş olan kilo sınırını beş altı kez geçmiş olmalıydı. Ama Lang da adama göz kırptı ve "Sana verdiğim hediyenin amacı değerlendirme gücünü ayarlamaktı dostum," dedi.

"Hiç merak etmeyin efendim, paket için yardım edebilir miyim?"

Lang bir elinde köpeğin tasma kayışını tutarken diğer kolunun altına da resim paketini sıkıştırmıştı ve kapıcı o paketten söz ediyor olmalıydı.

Lang ona teşekkür ederek yardıma ihtiyacı olmadığını söyledi ve köpeği başka komşular görmesin diye hemen hızlı adımlarla asansöre doğru yürüdü. Köpek dairenin içinde dolaşıp bir süre her yeri kokladı, kontrol etti ve sonra bir köşeye kıvrılarak garip bir ifadeyle boşluğa bakmaya başladı. Hayvan belki de Jeff'i arıyordu.

Hayvanın karnı doyarsa belki keyfi yerine gelebilirdi ama Lang köpek yemi satan dükkâna uğramayı bile unutmuştu ve ona ne yedireceğini bilemiyordu. Buzdolabının buzluğunu açtı ve oradan birkaç hamburger alarak mikrodalgada ısıttı. Fakat köpek hamburgerleri birkaç kez kokladığı halde yemedi. Zavallı hayvanın genç sahibini özlediği belliydi.

Lang köpekle dost olmaya çalışarak, "Bunları yemek istemiyorsan bana göre hava hoş," dedi ama sonra da bir köpekle konuşmanın saçmalık olduğunu düşündü.

Grumps sadece başını Lang'a doğru çevirdi ve ona baktı. Lang divana oturdu ve hamburger bile yemeyen bir köpek ve istemediği bir resimle ne yapacağını düşünmeye başladı.

Köpek biraz sonra horlamaya başladı ve Lang, "Bir bu eksikti," diye söylendi. "Bir köpekten daha iyi arkadaş yok doğrusu!"

Lang dudaklarını büzdü ve evin içine göz gezdirdi. Dış holdeki kapı doğruca salona açılıyordu. Salondaki tavandan döşemeye kalın manzara camından hemen bütün Atlanta görünüyordu. Sağda mutfak ve yemek odası vardı. Sol taraftaki kapı da dairedeki tek yatak odasına açılıyordu. Duvarlardaki raflar kitaplarla doluydu. Kalın karton kaplı kitapları koyacağı yeri fazla olmadığı için eskileri muhafaza etmişti ama yeni kitap alırken normal kaplı olanları tercih ediyordu.

Duvarlarda çok az kalan boşluklarda Dawn ölmeden önce onunla birlikte aldıkları manzara resimleri ve tablolar asılıydı. En sevdiği ünlü Herzog tablosunu, zengin yeşil ve sarı renkleriyle sabahlarını aydınlatsın diye yatak odasının duvarına asmıştı.

Dawn ve çocuklarıyla beraber yaşayacağını umduğu evi sattıktan sonra oradan sadece bazı sanat eserlerini almıştı Lang. Bazı antikalar küçük daireye fazla geleceği ve bazıları da fazla kadınsı oldukları için elden çıkarmıştı onları. Karısıyla beraber sevdikleri şeyleri satarsa belki acısı azalır diye düşünerek kendini kandırmıştı.

Eski eşyalardan kurtulması bir anlamda yeni hayatına bir başlangıç yapmasını kolaylaştırmış sayılabilirdi. Eşyalar, kıyafetler ve ev aletleri en fazla bir yaşam boyu kullanılan şeylerdi. Dawn ölünce malın mülkün değersiz olduğuna karar verdi Lang. Sonunda her şeyi bırakıyordu insan. Dünya nimetlerinden, zevklerinden yararlanmayacağı anlamına gelmiyordu bu elbette. Ama güzel restoranlarda yiyebiliyorsa, sevdiği bir evde yaşıyorsa ve hoşuna giden bir araba kullanabiliyorsa gerisi boştu.

Lang antikaları satmış ve onların yerine modern, krom, deri ve cam eşyalar almıştı. Eski olarak sadece karısının zamanından kalan bir televizyon ve müzik seti sehpası ile, on sekizinci yüzyılın ünlü marangozlarından Thomas Elfe'in eseri olan küçük, oymalı bir yazıhane kalmıştı elinde.

Bir ara Grumps'ın horuldamasını unuttu ve kapının yanında duvara dayadığı kahverengi pakete baktı. Birden meraklandı, paketi açıp bakmalıydı içindekine.

Yaklaşık bir metre eninde, yüz yirmi santim boyunda olan yağlıboya tabloda, tahminine yakın bir resim, üzerlerinde entari ve ayaklarında sandal olan sakallı üç adam vardı. Adamlar dikdörtgen şeklinde bir taş levhaya bakıyorlardı. İki adamın ellerinde iki asa vardı ve üçüncüsü de yere diz çökmüş, taş levha üzerindeki oyma "ETINARCADIAEGOSUM" sözcüğünü gösteriyordu. Lang bu Latince sözcüğün bir kısmını, "Arcadia'dayım," diye tercüme debildi ama "sum" ekini çözemedi. Orada neden böyle gereksiz bir sözcük vardı acaba? İlk aklına gelen şey, yanlış tercüme yaptığı oldu. Ama bunu başka nasıl tercüme edebilirdi ki?

Resimdeki dördüncü kişi bir kadındı ve adamların sağında durmuş, elini de yere diz çökmüş olan adamın omzuna koymuştu. İnsanların arkasında, dinsel resimlerin çoğunda olduğu gibi yeşil kırlar değil de dağlar, tepeler vardı. Bulanık geri planda, biraz uzakta pürüzlü bir vadi görünüyordu.

Bu yarıkta ya da vadide bir gariplik var gibi geldi ona... Tabloyu ters çevirdi. Dağlar arasındaki boşluk şimdi aşina bir şekle benziyordu, Washington'un profilini de andırıyordu bu şekil. Küçük bir tepe uzun burun ve yuvarlak bir tepe de çene gibi görünüyordu. Burada biraz abartma olabilirdi ama görüntü buydu işte.

Lang'ın görebildiği kadarıyla bu tabloda İncil ile ilgili bir şey yoktu. Ceketini koyduğu yere giderek cebinden değerlendirmenin olduğu zarfı çıkardı, Polaroidi alarak yazıhanenin üstüne koydu. Ansley Galerisinin notunda, "Les Bergers d'Arcadie, (Arcadie Çobanları), Nicholas Poussin'in (1593 – 1665) orijinal kopyası," yazıyordu. Ne demekti bu? Bu bir Poussin tablosunun kopyası mıydı, yoksa Poussin mi eseri kopyalamıştı? Kopya 1593 ve 1665 yılları arasında mı yapılmıştı, yoksa sanatçı yetmiş iki yıl mı yaşamıştı? Ne olursa olsun, galeri bu tabloya on ile on iki bin dolar arasında bir değer biçmişti. Bu değer gerçek miydi, yoksa uzman müşteriyi memnun etmek için mi vermişti bu değeri, bilemiyordu. Lang.

Ne olursa olsun, bu tablo bu eve uygun olamazdı. Tabloyu kaldırmadan önce geriye çekilerek bir kez daha dikkatle baktı ona, ama küçük dairede onu nereye kaldırabileceğini bir türlü bilemedi.

Onu alıp yazıhanenin katlanabilir taburesi üzerine koydu ve tekrar gerileyerek baktı ona. Berger Fransızca çoban demekti. Adamların ellerindeki değnekler de bunu gösteriyordu ama kadın bir çoban olamayacak kadar iyi giyimliydi. Arcadie? Acadia mı demekti bu peki? Acadia on sekizinci yüzyılda Kanada'ya göç eden Fransızların o toprakların bir kısmına verdikleri isimdi. İngilizler onları kovunca onlar da Louisiana'ya göç etmiş ve Acadianlar ya da Cajunlar adını almışlardı. Fakat İngilizler Kanada'yı 1665'te istila etmemişlerdi, değil mi? Ayrıca Kanada çobanlarının ne işi vardı burada?

Lang merakını gidermek için kütüphanesini karıştırdı ve bir tarih ansiklopedisi buldu. Kanada'daki eyalete Yunanistan'ın bir parçasının adı verilmişti. Harika. Şimdi burada Kanadalı değil de Yunanlı çobanlar var demekti. Çok şey öğrenmişti doğrusu!

Tabloyu orada bırakarak değerlendirmeyi ve Polaroidi yatak odasına götürdü, komodinin çekmecesine koydu ve onları en kısa zamanda bankadaki kasasına koymaya karar verdi. Üzerindeki takım elbiseyi çıkardı, rahat etmek için bir blucin pantolon ve spor gömlek giydi.

3

Lang ertesi akşam evine döndüğü zaman ön kapının sarı pirinç levhasında çizikler gördü, eğitimli olmayan bir göz asla göremezdi bunları. Yere diz çökerek kapıyı iyice inceledi ve bunların dikkatsiz temizlikçiler tarafından yapılmadığını kesin olarak anladı. Birisi kapının kilidini açmak için uğraşmıştı, emindi bundan.

Lang ayağa kalktı ve düşündü. Ile St Louis'deki saldırıyı basit bir sokak suçu olarak kabul etmek ve zihninden uzaklaştırmak üzereydi. Ama olaylar birbirini izlemeye başlamıştı. Bunu yapan ya da yapanlar daha önceki işiyle ilgili kişiler olabilir miydi acaba? Ama ondan intikam almak isteyenlerin bu kadar uzun süre beklemiş olmaları mantığa uygun değildi. Ayrıca o şimdi Avrupa'da değil, Amerika'daydı. Fakat bunun da bir önemi olmayabilirdi.

Burada önemli olan şey, adamların kapıyı açıp içeriye girip girmedikleri ve kaç kişi olduklarıydı. Lang öfkelendi ve sakinleşmek için yutkundu. Bu adam ya da adamlar artık onu gerçekten rahatsız etmeye başlamışlardı. Eve gelip bir ya da birkaç silahlı adamla karşılaşmak bir Bruce Willis filminde çok güzel bir sahne olabilirdi, ama gerçek hayatta pek de arzu edilemezdi herhalde.

Polise haber vermeli miydi acaba? Kemerine takılı olan cep telefonunu almak üzereyken vazgeçti. Atlanta polisinin buraya gelmesi kim bilir ne kadar sürerdi ve polis merkezinde hemen gönderecekleri polis bile olmayabilirdi ki o zaman da kendini bir aptal hissedebilirdi.

Geri döndü ve tekrar asansöre gitti.

Gökdelen lobisinde, resepsiyonda bol üniformalısıyla oturan, yüzü çilli delikanlı telefonda biriyle sohbet ediyordu ve onun konuşmasının bitmesini bekledi Lang.

Delikanlı telefonu kapayınca Lang sırıtarak onun yüzüne baktı ve "Anahtarımı içerde unuttum, dışarıda kaldım," dedi.

Çocuk ona, "Daire numaranız kaç?" diye sordu ve bir çekmece açarak yedek anahtarı çıkardı. Gökdelen çok kalabalık olduğundan bu tür anahtar kaybetme ya da unutma olayları da sık sık olurdu.

Lang tekrar yukarıya çıkarken endişelenir gibi oldu. Hırsızlar eğer hâlâ binada, ya da dairede iseler büyük ihtimalle silahlı da olabilirlerdi. Belki de her şeye rağmen polisi aramalıydı. Bu delikanlıyı da muhtemel bir hırsızlık olayına karıştırmak ve hayatını tehlikeye atmak güzel bir şey değildi elbette. Ama onu yanına alması bir yandan da iyi olmuştu, silahlı hırsızlarla yalnız başına karşılaşması çok daha aptalca olurdu. Kahramanlar genç ölürler, diye düşündü.

Zengin insanların garip, ilginç davranışlarına alışık olan delikanlı bu işin nasıl olduğunu sormadı bile. Elindeki yedek anahtarla kapıyı açtı ve "İşte oldu, buyurun girin Bay Reilly," dedi.

Lang çocuğa bahşiş verirken gözleriyle de dairenin içini taradı. "Yardımına teşekkürler, delikanlı."

"Ben teşekkür ederim, efendim." Çocuğun ifadesi, aldığı bahşişten memnun olduğunu gösteriyordu.

Lang içeri girdi ve resmi bıraktığı yere bakana kadar anormal bir şey fark etmedi. Hırsız ya da hırsızlar tabloyu çalmışlardı, gitmişti o dınsel tablo. Onu başka bir yere koymuş olabileceğini düşünerek etrafına bakındı. Bu kadar küçük bir apartman dairesine öyle büyük bir tablo nasıl kaybolurdu ki? Mümkün değildi bu.

Döndü ve salonla mutfağı birbirinden ayıran tezgâhın önünde durdu. Grumps serin taş zeminde yattığı yerden başını kaldırdı, uzun uzun esnedi ve ona baktı.

Lang yatak odasına doğru dönerken, "Ne harika bekçi köpeğisin ama!" diye homurdandı.

Birden durdu, köpeğin yanında yerde büyük yağlı bir leke vardı. Hırsızlar köpeğe yiyecek bir şeyler vererek meşgul etmişlerdi onu. Grumps da bunu doğrulamak ister gibi geğirdi zaten.

"Seni affettim rüşvetçi köpek. İnşallah sana verdikleri yiyeceğe zehir koymamışlardır."

Grumps tekrar geğirdi ve başını kaldırıp ona baktı yine.

Lang birden, tuvalet masasındaki gümüş kaplama saç fırçasının her zamanki yerinde değil de ters tarafta durduğunu fark etti. Dawn'ın fotoğrafının pozisyonu da değişmişti. Birisi buraları karıştırırken oldukça dikkatli davranmıştı ama yine de küçük bazı hatalar yapmıştı.

Yatağın diğer yanına geçti ve komodinin tek çekmecesini açtı. Yıllarca üzerinde taşıdığı dokuz milimetrelik Browning tabanca yerinde duruyordu. Çekmecede silah ve mermi kutusundan başka bir şey yoktu.

Lang Polaroid ve tablonun değerlendirmesini bankaya götürene kadar, geçici olarak bu çekmeceye koyduğuna emindi. Bir Polaroidi kim çalardı ki? O anda Place des Vosges'deki olayı hatırladı. Bu adamlar etrafta bu resimle ilgili hiçbir iz kalmasını istemiyorlardı. Dudaklarını büzdü ve başını iki yana salladı. Yağlıboya tabloyla beraber Polaroid fotoğrafını da almışlardı adamlar.

Lang evin içinde dolaşarak her şeyi yeniden kontrol etti. Bazı şeylerin yerleri çok az değişmişti ama genelde çalınan başka bir şey yoktu. Hırsız ya da hırsızlar işlerini yaparken hiç de acele etmemişler, ama gümüş eşyaları, bir çift altın kol düğmesini ve tabancayı bile almamışlardı. Demek ki evine sadece o tabloyu ve onunla ilgili Polaroid resim ve değerlendirmeyi almak için girmişlerdi.

Peki, ama neden çalmışlardı tabloyu?

Lang bunu çok merak ediyordu ve öğrenmek için de elinden geleni yapacaktı.

Bölüm 4

1

Lang ertesi sabah hemen Ansley Galerisine gitti ve içeriye girdi. Tezgâhın arkasında yine o garip, mor saçlı kız vardı.

"Bizdeki değerlendirme kopyası mı? Size söylediğim gibi her şeyin kopyasını saklamamız çok işe yarıyor, efendim. İnsanların çoğu onları evlerinde saklıyor ama iyi bir şey değil bu işte. Yangın ya da böyle bir olay olunca her şey birden yok olup gidiyor."

Lang, "Polaroid resmin kopyası da var değil mi? diye sordu.

Genç kız ağzındaki çikleti çıtlatarak başını salladı. "Evet efendim, onun kopyası da var bizde."

Lang hafifçe gülümsedi ama içinden böyle bir ihmalkârlık yaptığı için kendine kızıyordu. "Nasıl yaptım böyle bir şey bilmiyorum," diyerek omuzlarını kaldırdı. "İçinde değerlendirme ve Polaroid olan zarfı nereye koyduğumu bir türlü hatırlayamadım, bulmadım o zarfı. Kopya için gereken ödemeyi yapmaya hazırım."

Çiklet yine patladı. "Sorun yok efendim."

Kız geri çekildi ve bir dakika geçmeden geri geldi. Getirdiği kopya renkli değildi ama çok netti. Lang ona yirmi dolar uzattı.

Fakat kız başını iki yana salladı ve parayı almadı. "Müşteriye hizmetten mutlu oluruz. Ama bunları yine kaybederseniz ikinci kopyalar için bir şeyler alırız."

Lang dışarı çıkınca durdu ve cebinde araba anahtarı arıyormuş gibi yaparak etrafı kontrol etti. Adamlar onu izliyorlarsa bile etrafta görünmüyorlardı.

Sara ona inanamıyormuş gibi, "Yani sanat müzesi gibi olan şu High Müze mi? diye sordu. "Sanat müzesinin numarası mı istediğin?"

Lang masasına oturdu ve açık kapıdan konuşarak, "Ne var bunda şaşacak?" dedi. "Ben müzeye, tiyatroya, baleye, sanatla ilgili her yere her zaman giderim. Seni de Matisse sergisine götürdüğümü ne çabuk unuttun böyle!"

Sara kırlaşmış saçlarını hiç sarsmadan başını iki yana salladı. "Lang, bu dediğin yıllar önceydi. Biletleri de zaten bir müvekkilin hediye etmişti."

"Sen bana müze müdürünün adını bul sadece, tamam mı?"

Lang iki saat sonra beyaz binaların arkasındaki büyük MARTA araba parkına girdi ve bıraktı arabasını. Bu koca bina zaten mimari açıdan pek muhteşem olmayan şehirdeki çirkin yapılardan biriydi. Lang'ın teorisine göre, Sherman yüz elli yıl önce şehri harap ederken Atlanta'da mimari zevkten eser de bırakmamıştı. High Müzesi adını sanat dünyasındaki değerinden değil de, bağışlar yapan High ailesinden almıştı. Aslında beton ve camdan oluşan binada, diğer müzelerle kıyaslandığında oldukça mütevazı bir sanat eserleri koleksiyonu vardı.

Lang müzeye girdi, daire şeklindeki holde ilerledi ve asansöre binerek en üst kata çıktı. Koridor duvarlarında asılı olan tablolar onu oldukça heyecanlandırdı. Ağır adımlarla, portreleri ve manzara tablolarını seyrederek ilerledi ve koridorun sonunda, üzerinde "İdare Büroları" yazan kapının önünde durdu.

Lang bir ara kendini Alice'in aynası içinden geçmiş gibi hissetti. Etrafta insana Star Wars'ı (Yıldızlar Savaşı) hatırlatan renkli saçlar, kıyafetler, farklı yerlerine halkalar geçirmiş gençler vardı. Ansley Galerisindeki genç kız buradaki gençlerle kıyaslandığında oldukça tutucu kalıyordu.

Kafasının yarısını kazıtmış, diğer yarısı yeşil saçlarla kaplı bir genç kadın, başını önündeki bilgisayardan kaldırıp ona baktı ve "Yardımcı olabilir miyim efendim?" diye sordu.

"Merhaba, ben Langford Reilly, Bay Seitz ile görüşecektim, randevum vardı."

Genç kadın siyah ojeli parmağını kaldırıp, "Şu taraftan lütfen," dedikten sonra telefonu kaldırdı ve "Bay Reilly sizinle görüşmek istiyor," diye konuştu.

Karşıdaki kapıda bir adam göründü ama Bay Seitz burada çalışan diğerlerine benzemiyordu, normal görünüşlü bir adamdı müdür. Üzerinde koyu renk bir takım elbise vardı ve kırmızı bir kravat takmıştı. Boyu bir seksene yakın, oldukça zayıf, kırklı yaşların başında bir adamdı. Yüzü güneşte ya da bir spor salonunda hafifçe yanmış, esmerleşmişti.

Müdür onunla tokalaşmak için elini uzatınca Lang onun Rolex kol saatini ve mücevherli kol düğmelerini gördü. "Hoş geldiniz Bay Reilly, ben Jason Seitz."

Lang, "Beni bekletmeden kabul ettiğiniz için teşekkür

ederim Bay Seitz," dedi. "Burada çalışan elemanlarınız çok renkli insanlar."

Müdür çevresine bakındı ve hafifçe gülümsedi. "Bunlar sanat öğrencileri. Çalışanlarımızı güzel sanatlar akademisinden seçeriz genellikle. Lütfen benimle gelin."

Girdikleri büro her yerde görülen normal çalışma odalarından biriydi, dışarıdaki ilginç görünüşlü sanat öğrencileriyle hiç ilgisi yoktu. Lang müdürün gösterdiği deri döner koltuğa oturdu ve duvarlardaki fotoğraflara baktı. Bunlar Seitz'ın büyük işadamları, politikacılar ve ünlülerle tokalaşırken ya da sarılmış halde çekilmiş fotoğraflarıydı. Müdür üzerinde bir sürü resim, tablo, küçük büstler ve daha bir sürü şey olan büyük masasına geçip oturdu.

Seitz koltuğunda geriye yaslandı ve hafif bir gülümsemeyle, "Ben genelde daha önce tanışmadığım kişilerle pek görüşmem," diye konuştu. "Fakat Bayan... neydi adı?"

"Mitford – Sara Mitford, benim sekreterim."

"Evet, Bayan Mitford oldukça ısrarlıydı, konunun çok önemli ve acil olduğunu söyledi. Güzel bir rastlantı olarak bir görüşmem de iptal edilmişti..."

Adamın konuşma tarzından, paraya oldukça düşkün biri olduğunu anlamak için fazla zeki olmaya gerek yoktu. Lang'a bir iyilik yaptığının anlaşılmasını ister gibi konuşuyordu.

"Bana zaman ayırdığınız için size minnettarım Müdür Bey. Böyle bir yeri yönetmek kolay değil elbette, çok zamanınızı alıyordur."

Müdür mükemmel, bembeyaz dişlerini göstererek gülümsedi. "Aslında müzeyi yöneten bir yönetim kurulu var tabii. Ben aslında onlar için çalışan bir görevliyim."

"Evet, şey..." Lang onun bu mütevazı ifadesine ne cevap vereceğini bilemedi ve çantasından çıkardığı Polaroid resmi onun büyük masası üzerine bıraktı. "Bu konuda bana bir bilgi verebilir misiniz acaba diye soracaktım Müdür Bey?"

Seitz kaşlarını çatarak resme baktı ve "Korkarım ki bir şey anlayamadım, "dedi.

"Les Bergers d'Arcadie, Nicholas Poussin. Ya da onun bir kopyası işte."

Müdür başını salladı. "Yanılmıyorsam On yedinci yüzyıl ortaları Fransız ressamı. Bu tablonun orijinali Louvre müzesindedir. Sizin bilmek istediğiniz nedir peki?"

Lang böyle bir soru beklediği için buna uygun bir cevap hazırlamıştı. "Ne bilmek istediğimi ben de tam olarak bilmiyorum Müdür Bey. Yani, ben bir avukatım ve bir müvekkilimin..."

Müdür birden ellerini havaya kaldırdı ve "Bir dakika Bayım!" dedi. "Müzemizin görevi kişiler için sanat danışmanlığı yapmak değildir. Siz de bir avukat olarak sorumluluk konusunu iyi bilirsiniz."

Lang hemen başını iki yana salladı, hukuki konulardan çekindiği açıkça belli olan bu adamın endişesini hemen yok etmeliydi. "Çok özür dilerim, ne demek istediğimi iyi anlatamadım. Benim istediğim sadece bu resmin neyi ifade ettiğini öğrenmekti."

Seitz biraz sakinleşti ama yine de endişeli görünüyordu. "Korkarım bu konuda size fazla yardım edemeyeceğim." Koltuğunu geriye çevirerek arkasındaki dolaptan kataloga benzer bir kitap çıkardı, birkaç sayfasını karıştırdı ve "Size elinizdeki resmin bir kopyadan çekildiğini söyleyebilirim," diye devam etti. "Ve pek gerçek bir kopya da sayılmaz aslında bu. Hah, işte burada... Tam olarak aynı değil, öyle değil mi?"

Adamın gösterdiği resim Lang'ın elindekine benziyordu. Ama Lang biraz daha dikkatli ve yakından bakınca onun gösterdiği resimde arka planın daha yumuşak olduğunu gördü, Washington'un o tersten bakınca belli olan görüntüsü bunda yoktu.

Müdür elindeki katalogu kapadı ve "Rönesans sonu dinsel sanatlar benim uzmanlık alanıma girmiyor," dedi. Sonra Lang'ın resmini gözlerine biraz daha yaklaştırdı. "Buradaki şu yazı Latinceye benziyor."

Lang da ona yaklaştı ve adamın omzu üzerinden resme baktı. "Ben de öyle sanıyorum, evet."

"Bunun bir anlamı olduğu belli. Aslında bu tablo sembolik bir şey olmalı. O dönemin sanatçıları tablolarında çoğu zaman bir anlam belirtirlerdi."

"Yani şifre gibi bir şey mi demek istiyorsunuz?"

"Onun gibi bir şey, ama o kadar karmaşık da değil elbette. Örneğin çiçekler ya da sebzeler ve birkaç böcekten oluşan cansız resimler görmüşsünüzdür."

Lang bu tür resimler konusunda bir şey hatırlamıyordu ve hafifçe omuz silkti.

"Poussin döneminde bu tür resimler popülerdi. Pek çok ressam sebze meyve resimleri yapmaktan zevk alırdı. Herhangi bir böcek eski Mısırlıların kutsal böceğini temsil edebiliyordu ki bu da ölüm, ölüm sonrası ya da benzeri kavramlar anlamına gelebilirdi."

Lang gidip koltuğuna oturdu. "Yani sizce bu resim de bir şeyler mi anlatmak istiyor?"

Bu kez Müdür omuzlarını silkti. "Bunun mümkün olabileceğini söylemek istiyorum."

"Kim bilir? Olabilir tabii!"

Müdür koltuğunu çevirip bir süre sessizce arkasındaki pencereden dışarı baktı ve sonra, "Bu konuda hiçbir fikrim yok," diyerek saatine göz attı. "Sanırım size daha fazla bir şey söylemem mümkün değil."

Lang yerinden kımıldamadı ve "Bana Poussin ve bu resmin anlamı konusunda bilgi verebilecek bir uzman adı söyleyebilir misiniz acaba, Müdür Bey?" diye sordu. "İnanın bana, benim için çok önemli bu. Sadece akademik bir araştırma sayılmaz bu konu."

Müdür onun gitmek için hiç de acele etmediğini görünce kaşlarını çatarak ona baktı. Bu tür davranışlara alışık olmadığı belliydi. Sonra tekrar arkasına dönerek biraz önce katalog aldığı raftan bir başka kitap çıkardı ve bir süre onu da karıştırdı. Aradığını bulunca, "Burada yazılana bakılırsa Poussin ve Rönesans sonu dinsel sanat eserleri konusunda uzman olan kişi Guiedo Marcenni imiş," dedi. "Bu adam Poussin konusunda birkaç kitap yazmış."

Lang çantasından bir not defteri çıkardı ve "Peki, nerde bulabilirim bu Bay Marcenni'yi?" diye sordu.

Müdür alaycı bir ifadeyle ona bakarak hafifçe gülümsedi ve "Ona Bay değil Peder Marcenni demeniz gerekir," diye konuştu. "Marcenni Roma'da, Vatikan Müzesinde görevli tarihçi bir rahiptir." Bunu söyledikten sonra yerinden kalktı ve "Çok özür dilerim ama artık bana izin vermenizi rica edeceğim Bay Reilly, dışarıdaki çalışanlardan biri sizi kapıya kadar götürür," diye ekledi.

Lang ona teşekkür etmeye hazırlanırken adam aniden çıkıp gitti. Lang onun bu ani davranışı için ne düşüneceğini şaşırdı.

3

Lang o akşam derin düşüncelere öylesine dalmıştı ki, kalabalık asansör kendi katında durunca nerdeyse inmeyi bile unutacaktı. Yine dalgın bir halde, ağır adımlarla yürüyerek daire kapısının önüne geldi ve Atlanta Journal gazetesinin kapı önüne bırakılmış olan akşam baskısını alıp içeri girmeden önce şöyle bir göz attı. Ama anahtarını kilide sokmak üzereyken birden donup kaldı.

Gazetenin ilk sayfasındaki kalın yazılı başlıklardan biri, "ŞEHRİN MERKEZİNDE YANGIN," şeklindeydi. Havadan çekilmiş fotoğrafta, tek katlı ve düz teras çatılı bloklardan yükselen duman sütunu görülüyordu. Yanan bu tek katlı binalardan biri Ansley Galerisiydi.

Lang şaşkın ve öfkeli bir halde dairesine girdi ve dışarı çıkarılmayı bekleyen Grumps'a hiç aldırmadan, bitkin bir halde ilk bulduğu sandalyeye çöktü.

Gazete haberi şöyleydi:

> Bugün öğleden sonra, Atlanta İtfaiyesi Şefi Jewl Abbar'a göre arızalı bir gaz ocağından çıktığı söylenen bir yangın, On Yedinci Sokaktaki bütün bir bloğu yakmıştır.
>
> Üç dükkân, Ansley Galerisi, Dwight Interiors ve Afternoon Delites tamamen yanmıştır.
>
> Şehrin merkezindeki alışveriş merkezine yakın olan diğer bazı dükkânlar da oldukça büyük hasar görmüşlerdir.
>
> Abbar'a göre ciddi yanık vakaları yoktur ama dumandan zehirlenen çok sayıda insan Grady Memorial Hastanesinde tedavi altına alınmışlardır.
>
> Bir vejetaryen restoranı olan Afternoon Delites'in müdürü Maurice Wiser'ın verdiği ifadeye göre, mutfakta-

ki fırınlı ocak yakılacağı zaman aniden patlamış ve yangına neden olmuştur.

Lang haberin son kısmını okuyamadı ve gazeteyi yere bırakıp boş gözlerle karşıdaki duvara baktı. Mutfaktaki ocak gerçekten de gaz kaçağı yapmış ve yakılırken patlamış olabilirdi, olağandı bu tür kazalar. Ama ortada Paris'te çıkarılmış korkunç bir yangın, boğazını kesmek için üzerine saldırmış bir adam ve evinden çalınmış değerli bir antika tablo olayı vardı ve bunlar hep birbirini izlemişti. Şimdi bu tablonun kopyasını muhafaza eden bir galeri de yakılmıştı.

Eğer bütün bu olaylar bir rastlantı ise, Umut Elmasının lâneti, Poussin'in tablosu yanında çocuk oyuncağı gibi kalacaktı.

Bütün bunların bir tesadüf olması mümkün değildi, bunlar birileri tarafından tertip edilen ve gerçekleştirilen basit ama korkutucu olaylardı. Lang da dâhil olmak üzere, o tabloya sahip olan ya da onunla ilgili bir şeyler bilen herkes tehlikedeydi.

Peki ama bunun nedeni ne olabilirdi ki? Louvre Müzesindeki orijinal Poussin tablosunu milyonlarca insan görmüş olmalıydı. O halde bu olayların nedeni, Janet'in resmiyle orijinal arasındaki küçük fon farkı olacaktı. Bu kopya tabloyu ele geçirmek için yangın çıkaran ve insan öldürmekten çekinmeyen kişiler...

Lang uzun süre düşündü ve ona göre, bu adamlar kimin canı yanarsa yansın, kim ölürse ölsün, bu tabloyla ilgili bütün izleri silmek istiyorlardı; bütün ülke polislerinden daha etkili uluslararası bir istihbarat sistemine sahiptiler ve bu işi tamamlamak için çok iyi hazırlanmışlardı.

Bu kadar iyi bir istihbarat sistemi ve hazırlık durumu, onların korkunç bir güce ve profesyonel bir organizasyona sahip olduklarını gösteriyordu. Bir Poussin kopyasını yok etmek için nasıl bir organizasyon böyle yakıp yıkabilir, kolayca insan öldürebilirdi? Bu tablonun sakladığı gizemle yakından ilgilenen bir organizasyondu bu.

Köpeği kalkıp homurdanarak dolaştığını fark edince, "Tamam, tamam," diye söylendi. "Bir dakika bekle bakalım."

Yatak odasına gitti ve komodinin çekmecesinde duran tabancasını aldı, namluda ve şarjörde mermi olup olmadığını kontrol etti. Emniyete de baktıktan sonra silahı kemerine sıkıştırdı. Bundan sonra bu tabancayı da kredi kartı gibi yanından eksik etmeyecekti. Bunu yapmak zorundaydı.

Yarın gidip bir silah ruhsatı çıkarması gerekecekti. Ama şimdi ruhsatı olmasa bile bu tabancayı yanında taşımak zorunda olduğunun bilincindeydi. Köpeğin tasmasını takıp onu dışarıya çıkarırken bazı önlemler almayı da ihmal etmedi. Kapıyla kenar pervazı arasına küçük bir plastik şerit sıkıştırdı ama bunu herhangi bir profesyonel kolayca bulabilirdi. Sonra avucunu ıslattı ve kapı tokmağına sürerek onun üzerine bir saç kılı yapıştırdı. Bu kılın görülmesi mümkün değildi ve birisi tokmağa dokunduğunda kıl hemen yere düşecekti.

Tahmininde yanılmıyorsa, çok yakında mutlaka bir ziyaretçisi olacaktı.

4

Lang köpeği dolaştırıp eve dönünce, dolaptan bir donmuş pizza çıkarıp fırında pişirdi ve Grumps'a da hatırlayıp aldığı köpek mamasından verdi. Köpeğin mamayı zevkle ve iştahla yediğini görünce sevindi, demek onun hoşlandığı bir mamadan almıştı.

Pizza oldukça lezzetliydi ve karnı doyunca kendine gelir gibi oldu Lang. Fakat köpek tabağına konan mamanın sadece bir kısmını yedikten sonra bir köşeye çekildi ve yere uzandı. Lang onun mamayı önce iştahla yediğini görünce sevinmişti ama bu kadar az şeyle nasıl doyduğunu anlayamadı.

Lang minderi çok ince olan çelik borulardan yapılmış bir sandalye alarak koridora açılan dış kapının hemen kenarına dayadı. Kapı dışardan açılır açılmaz sandalye yere devrilecekti. Sonra bir fener alarak ışığını minimuma getirdi ve dış hole yerleştirdi onu, fener ışığını dış hole vermeyecek ama içeri sessizce girecek olan birini yeterince gösterecekti. Browning'i de kucağına koydu, silahı zorunlu olmadıkça kullanmayacaktı ama yanında durmalıydı o, onun amacı gelen kişi ya da kişileri öldürmek değil, canlı yakalayıp konuşturmak, merak ettiklerini öğrenmekti.

Böylece silahı kucağında beklemeye başladı.

Odada bir şeyler okuyabileceği kadar ışık olmadığı için pencereden Atlanta manzarası seyretmeye başladı. Güneyde Hartsfield-Jackson Havaalanının ışıklarıyla inip kalkan jetlerin parlak lambalarını rahatça görebiliyordu. Lang'ın bulunduğu yerle, uzaktaki havaalanı arasındaki boşlukta gecenin karanlığını delen ve gökyüzünde dolaşan arama ışıldakları da görülüyordu. Bir süre sonra canı sıkılmaya başladı ve saatinin ışıklı kadranına baktı. Bir şey beklerken zaman çok yavaş geçiyordu.

Belki de yanılıyordu ve tehlike içinde değildi. Fakat zayıf bir ihtimaldi bu. Paris'te ve burada yangın çıkaran insanlar onu canlı bırakmak istemeyeceklerdi, emindi bundan. Sorun sadece ona ne zaman saldıracaklarını bilememesiydi.

Lang genelde gece yarısından önce ışıkları söndürür ve yatardı. Yatma vakti gelmiş, geçmek üzereydi ki yan tarafından, döşemeden garip bir ses duyar gibi oldu. Grumps homurdanıyordu ve Lang onun kocaman başını okşayınca sustu hayvan.

Hırsızlık olayından sonra Lang'ın kendisini azarladığını sanki unutmamış gibiydi Grumps.

Lang ayağa kalktı ve oturduğu sandalyeyi yavaşça kenara çekerek tabancayı tekrar beline sıkıştırdı. Ensesinde sanki böcekler dolaşıyormuş gibi bir his vardı içinde, sinirliydi. Bu duyguyu unutalı yıllar olmuştu ve sanki özlemişti onu.

Kapıda birkaç kez tekrarlanan hafif tıkırtılar duydu. O anda, yeni bir kilit taktırmak için vakit bulamadığına sevindi. Kilidini değiştirmiş olsaydı adamlar onun durumu öğrendiğini bilecekler ve hem daha dikkatli, hem de daha tehlikeli olabileceklerdi. Ama kilit eski olunca, adamlar Lang'ın, hırsızın yeniden geleceğini düşünmediğini sanacaklardı.

Lang ayakta gerildi ve derin nefesler alarak gevşemeye ve düşünmeye çalıştı. Eski deneyimleri ve eğitimine göre, gerginliğin insana hata yaptırabileceğini iyi biliyordu. O bunu düşünürken dış kapı sessizce açıldı ve holdeki soluk ışıkta, kapı eşiğinde bir karartı, bir insan silüeti belirdi.

Lang birden atılıp adamı kapı aralığında kıstırmayı düşündü ama vazgeçti. Bunu yaparsa adam kolayca geri çekilip kaçabilirdi. Adamın kapı dışından ona ateş etme ihtimali de vardı. Lang bunun için bekledi ve adam içeri girip kapıyı sessizce kapadı. Adamın elinde parlayan bir şey vardı.

Adam silahlıydı. Lang kardeşi Janet ve oğlu Jeff'i hatırladı, adamın üzerine atılıp onu paramparça etmemek için zor tuttu kendini. Beklemesi gerekiyordu.

Adamın kapıyı sessizce kapatarak içeriye doğru dönmesini bekledi. Ancak ondan sonra onun üzerine atıldı ve şaşkınlığına bakmadan, sol elini bir balta gücüyle onun sağ bileğine indirerek ince bilek kemiklerini kırmak istedi, bunu yapamasa bile elindeki silahı düşürmüş olacaktı. Bunu yaparken aynı anda sağ elini açıp onun boğazına hızla vurdu. Bu darbe hatasız vurulduğu zaman rakibin nefesini keser, onu saf dışı bırakırdı.

Fakat Lang'ın saldırısının ancak bir kısmı başarılı oldu. Adamın elindeki silah yere düştü ve kendisi de soluğu kesilmiş gibi geriye doğru sendeledi. Lang onun kendisini toparlamasına fırsat vermeden bütün gücüyle göğsüne bir yumruk atarak onu ikiye katlamak istedi. Ama yumruğu ancak onun kaburgalarına isabet etti.

Adam kenara doğru sıçradı ve biraz önce Lang'ın oturduğu sandalyenin üzerine çarparak yere yuvarlandı. Lang hemen atıldı ve odanın ışıklarını yaktı.

Yere düşen adam çabuk toparlandı ve ayağa fırladı, üzerinde siyah blucin pantolon, siyah gömlek ve ellerinde deri eldivenler vardı. Lang'ın boyunda ve cüssesindeydi ama yaşını tahmin etmek güçtü. Adam gerilerken elini cebine attı ve kapıyla arasındaki mesafeyi ölçtü.

Lang tabancayı belinden çekerek bir hamlede emniyeti açtı ve iki eliyle kavrayarak adama doğrulttu. "Sakın kımıldama serseri!" diye bağırdı.

Adamın elinde bir sustalı parladı ve madeni bir ses duyuldu. Adam Lang'a doğru atıldı ama aldığı yumruğun etkisiyle hâlâ sallanır gibiydi.

Lang bir boğadan kaçınan bir matador gibi aniden yana çekildi ve Janet ve Jeff'in öldüğü geceden beri içinde birikmiş olan kin ve öfkenin gücüyle ağır tabancayı onun ensesine indirdi. Onu öldürmek istemiyordu, sadece konuşturmak ve neler olduğunu anlamaktı amacı, ama bir an için her şeyi unutup onun canını almayı da düşündü.

Lang tabancayı adamın ensesine öyle büyük bir hırsla ve güçle indirdi ki kendi elleri bile titredi. Adam ipleri kesilmiş bir kukla gibi yere yayıldı. Lang topuğuyla onun bıçağı tutan eline basarak parmaklarını açtı ve bıçağı bir tekmede odanın diğer ucuna gönderdi. Adamı sırtüstü çevirdi, tabancanın namlusunu onun şakağına tuttu ve ceplerini aradı.

Adamın ceplerinde ne cüzdan vardı, ne para, ne anahtar ne de kimlik kartı gibi bir şey. Profesyonel caniler kendileri ya da kendilerini çalıştıran kişilerin kimlikleriyle ilgili hiçbir şey taşımazlardı üzerlerinde.

Adamın üzerindeki tişörtte bile bir etiket yoktu. Ama boynunda bir gümüş zincir vardı ki onun ucundaki küçük kutucuktan bir şeyler öğrenebilirdi. Fakat adam o anda kendini hızla yana doğru attı ve Lang'ı kenara doğru fırlattı.

Fakat Lang hemen dizlerinin üzerinde doğrulup tabancayı yine iki eliyle ona doğrulttu ve "Hadi, kımılda da geberteyim seni pis herif!" diye bağırdı.

Adam titreyen bacakları üstüne doğruldu ve Lang'ın arkasında kalan kapıya baktı. Lang onun kapıya doğru bir hamle yaparak kaçmak isteyebileceğini düşündü. Ama adam onun hiç beklemediği bir şey yaptı ve salonu dışarıdaki dar balkondan ayıran cam kapıya doğru attı kendini.

Lang aniden dizlerinin üzerinde doğrulup ayağa fırladı ve "Hey, ne yapıyorsun sen? Dur biraz!" diye haykırdı.

Fakat adam onun hiç beklemediği şeyi yaptı, camı parçalayarak dar balkona fırladı ve oradan aşağı uçtu. Lang camı parçalanan sürgülü balkon kapısını açmaya çalışırken ne yapacağını bilemiyordu. Aslında kapıyı açmasının hiçbir yararı olmayacaktı ona. Kapı tamamen camdı ve paramparça olmuştu. Lang adamın geçtiği parçalanmış camdan geçti ve aşağıdaki caddeye baktı. Yirmi dört kat aşağıdaki caddeden her zamanki trafiğin uğultusu geliyordu sadece.

Aşağıda bir kalabalık toplanmıştı ve Lang, meraklıların bakışları arasında kendini aşağı atan adamın kırılarak garip bir şekil almış bacağını görebildi sadece. Gece kapıcısı parmağıyla üst katları gösteriyordu.

Lang içeriye girip acil polisin 911 No.lu telefonunu açtı ama bir polis arabasıyla bir ambulansın oraya gönderildiğini öğrendi. Tabancasını çekmeceye koydu ve salonda etrafı kontrol etti. İki sandalye devrilmiş, girişteki halının bir ucu ters dönmüştü. Adamın sustalı bıçağı kenarda, sehpanın altında duruyordu. Divanın önünde, yerde geniş, kıvrık ağızlı ve sapı dar ve süslü olan daha büyük bir hançer vardı. Arapların bellerinde taşıdıkları ve jimbia denen hançerlerden biriydi bu.

Kıvrılmış halının kıvrımı arasındaki parlaklığı gördüğünde kapının zili de çalmaya başladı.

Parlayan o cismi almak için eğilirken, “Geliyorum!” diye seslendi kapıdakilere.

Halının kıvrımı içinde parlayan şey adamın boynundaki gümüş zincirdi, Lang’ı üzerinden attığı zaman kopup düşmüş olacaktı. Zincirin ucunda yirmi beş sent büyüklüğünde daire şeklinde bir pandantif sallanıyordu. Pandantifin üzerinde iki çapraz çizgiyle ayrılmış dört tane üçgen vardı. Lang bu şekli bir şeye benzetti ama o anda bunun ne olduğunu hatırlayamadı.

Ne olabilirdi ki bu?

Fakat o anda yapabileceği bir şey yoktu, zinciri cebine attı ve gidip kapıyı açtı.

Kapının önünde, ikisi üniformalı polis olmak üzere üç kişi duruyordu. Sivil olan üçüncü kişi bir siyahîydi ve kimliğini kaldırıp Lang’a gösterdi.

“Atlanta polisinden Frankli Morse. Siz Langford Reilly misiniz Bayım?”

Lang kapıyı iyice açtı ve "Evet, buyurun girin içeri," dedi.

Morse mücadelenin yaşandığı salona bir göz attı ve "Neler olduğunu anlatır mısınız bize?" dedi.

Lang iki üniformalı polisin birbirlerinden oldukça ayrı yerlerde durduklarına dikkat etti. Kötü niyetle davranır ve onlara saldırırsa, aynı anda ikisine birden ulaşamaması için yapıyorlardı bunu. Sorguya çekilen kişinin kimliği konusunda kuşkulu oldukları zaman hep böyle yaparlardı polisler.

Lang kapıyı kapadı ve "Oturmaz mısınız?" dedi.

Morse başını iki yana salladı ve "Hayır, oturmayalım, biraz sonra cinayet masası detektifleri gelecekler. Şimdi bize anlatır mısınız neler olduğunu?"

Lang olanları ayrıntılı olarak anlattı onlara ama bulduğu gümüş zincirden söz etmedi elbette. Yerel polisin anlayamayacağı bir organizasyona ait olduğunu düşündüğü tek ipucunu onlara vermeye hiç niyeti yoktu. Saldırının öncesi hakkında konuşmayı da istemiyordu pek. Yaşadığı olayların bir fantezi gibi görünme olasılığı vardı ve her şeyi polise anlatarak işi daha fazla karıştırmak iyi olmazdı.

Olayı anlatması sona erdiğinde kapı vuruldu. Morse kapıyı açtı ve elinde fotoğraf makinesi olan saçları dökülmüş orta yaşlı bir adamla, çantalı genç bir siyahî kadın girdiler içeri. Polisler sanki kendi evlerindeymiş gibi rahat davranıyorlardı ve onların ortama bu kadar çabuk alışmaları Lang'ı şaşırttı.

Morse onun anlattıklarını doğrulamak ister gibi başını salladı ve "Yani adam iki bıçakla buraya girip size saldırdı ve sonra da çaresiz kalarak kendini sokağa attı, öyle mi Bay Reilly?" diye sordu.

"Evet, tamamen öyle oldu."

"Yakalanıp hapse girmek yerine kendini böyle öldürmesi inanılması güç bir olay. Mahkemeye çıksa bile fazla bir ceza almazdı herhalde. Adam neden durup dururken kendini atsın bu kadar yüksekten? Siz ona bir Japon oyunu filan yapmış olmayasınız, ha? Anlattığınız gibi buraya girmesi de pek normal değil aslında."

Lang başını iki yana salladı. "Bakın, size anlattığım gibi adam bana saldırdı, onun eline vurup bıçağını yere düşürdüm, biraz mücadele ettik, koşup balkonun cam kapısını kırdı ve kendini aşağı attı, hepsi bu kadar işte."

Morse elini kaldırıp yüzünü sıvazladı ve "İyi yalan söylemeyi beceremiyorsunuz Bayım. Nerede çalışıyorsun sen? Paris Adasında mı yoksa? Elinde bıçak olan bir adamla boğuşmayı nerde öğrendin sen?"

"Deniz kuvvetleri SEAL ekibinde." Adamlar bunu araştırabilirlerdi, aslında yalandı bu ama onlara bunun doğru olduğu söylenecekti.

Morse kuşkulu gözlerle onun yüzüne uzun süre baktı. "SEAL, öyle mi? Onlar çok sert askerlerdir. Ama sen emekli olacak kadar yaşlı görünmüyorsun?"

"1990'da Çöl Fırtınası olayına katıldım, Kuveyt City limanını temizlerken vuruldum."

Morse'un araştırma ekibi salonun her yerini arıyor, ipuçları bulmaya çalışıyorlardı. Lang onların ne aradığını tahmin bile edemiyordu. Grumps ise bir köşeye çekilip yere uzanmış, polislerin çalışmasını sessizce izliyordu.

Morse elindeki not defterine baktı ve "Pekâlâ, şunu bir daha deneyelim," dedi. "Köpek homurdandı ve sen kapının kurcalandığını duydun. Ama 911 acili arayacak yerde adamın içeri girmesini bekledin. Yani onu kendin halletmeyi düşündün, öyle mi?"

Lang halının köşesini ayağının ucuyla düzeltti ve "Söyledim ya, vakit yoktu. Kendimi ona karşı hazırlamayıp telefon etmeye çalışsaydım ölen o değil de ben olabilirdim."

Morse gözleriyle salonu bir kez daha taradı. "Yatak odasında bir telefon var. Oraya girip kapıyı kilitleyebilir ve polisi arayabilirdin."

Lang güldü ve "Sen olsaydın öyle yapardın Bayım," dedi. "Geçen ay kimin bölgesinde olduğunu tartıştıkları için kalp krizi geçiren bir zavallının ölümüne neden olan 911 operatörlerinin ellerine teslim ederdin hayatını. Ben onları arayacak yerde San Francisco polisini aramayı yeğlerim."

Morse elini kaldırıp, "Pekâlâ," dedi. "Buralarda herkes henüz iyi çalışmıyor olabilir."

Lang ona inanamıyormuş gibi, "Henüz mü?" dedi. "Bu sistem 96'da kuruldu Bayım. Ve bunu belediye başkanına satanlar da onun arkadaşlarıydı."

Dedektif Morse, "Silahın var mı?" diye sordu.

Onun aniden konu değiştirmesi Lang'ı bir anda şaşırttı ama çabuk toparlandı ve Atlanta polislerinin buldukları silahlara her fırsatta el koyduklarını ya da mümkün olduğunca uzun zaman merkezde tuttuklarını bildiği için, "El koyma izniniz var mı?" diye sordu.

Morse içini çekti. "Sen sadece tehlikeli değil, aynı zamanda fazla akıllı bir adamsın," dedi. "Şu anda yok ama izni alabilirim."

"Kimden alacaksın bunu? Muhtemel bir neden bulman gerekir."

Morse yine uzun süre baktı onun yüzüne ve sonra başını salladı. "Pekâlâ, silahın sende kalsın bakalım. Bu şekilde bir yere varamayacağız galiba. Bu adamı daha önce görmüş müydün peki?"

Lang yere yan yatmış sandalyeyi kaldırıp düzeltti ve oturdu, sonra diğer sandalyeyi de ona gösterdi ve "Hayır," dedi. "Daha önce gördüğüm biri değildi."

Dedektif sandalyeye otururken başını iki yana salladı ve "Emin misin?" diye sordu. "Adam durup dururken hiç tanımadığı birini öldürmek için neden buralara kadar çıksın ki? Sen bana her şeyi olduğu gibi anlatıyor musun acaba?"

"Elbette anlatıyorum. Polisimize yardımcı olmak vatandaşlık görevimizdir."

"Gerçekten de çok zeki bir adamsın sen. Ama ben de bir adamın tanımadığı birini öldürmek için buralara kadar çıktığına ve sonra da kendini aşağıya attığına inanacak kadar saf değilim herhalde, değil mi? Polise yalan söylemenin de suç olduğunu biliyorsun, değil mi?"

Lang elini hafifçe zinciri koyduğu cebine değdirdi. "Yani samimi olduğuma inanmıyor musunuz siz?"

Morse ona doğru eğildi ve gözlerine baktı. "Anlatmadığın şeyler olduğuna eminim."

Saçsız fotoğrafçı ile eli çantalı siyahî kız araştırmalarını bitirmişler, kapının önünde bekliyorlardı.

Lang kapıya gidip açtı ve "Dedektif, polise bildiğim her şeyi anlatım ben," dedi. Elini ona uzattı. "Sizinle tanıştığıma sevindim ama bu tanışmamız bu koşullarda olmasaydı daha da mutlu olurdum."

Morse da onun elini Lang'ın beklediği gibi kuvvetle sıktı. Bu siyahi adamın iyi bir polis olduğunu anlamak için çok zeki olmak da gerekmiyordu.

"Yine gelebiliriz buraya."

"Ne zaman isterseniz buyurun Dedektif."

5

Lang o gece uyuyamayacak kadar gergindi ve kafasının içinde sanki bir sürü şeyler dönüp duruyordu. Adamın yerde bulduğu gümüş zinciri bir ipucu olabilir miydi, yoksa sadece basit bir kolye miydi? Lang farkında olmadan başını hayır anlamında salladığını son anda anladı. Cebinde bir cüzdan bile taşımayan bir adam, kendisi hakkında bilgi sağlayacak bir zincir takar mıydı boynuna hiç?

Lang peşinde olanların birden fazla olduğuna da inanıyordu. Bir adam tek başına yirmi dört saat sürekli gözetleme ve askeri bir malzeme olan termit hırsızlığı yapamazdı. Peki, ama çok önemli olmayan bir ressamın eseri neden ona sahip olanların ölümüne neden oluyordu? Bu adamlar öyle çılgındı ki, en küçük bir hata işlediklerinde kendilerini kolayca ölümün kucağına atabiliyorlardı.

Her şey çok garipti. Belki de bu işin içinde o resme ve ona sahip olanlara karşı bilinmeyen bir nedenle kin duyan, onlardan intikam almak isteyen bazı kaçıklar vardı.

Janet ve Jeff'in ölümünden sorumlu olan kişi sadece aşağıda, binanın dibinde ölü olarak yatan adam değil de bir organizasyon ise, bunu öğrenmek zorundaydı, aksi takdirde ömrünün sonuna kadar korunmak durumunda kalacaktı. Bu adamlar korkunç caniler olduklarına ve kendilerini de hiç düşünmeden öldürdüklerine göre, onun işini de kısa zamanda bitirebilirlerdi. Ayrıca Janet ve Jeff'in intikamlarını almak için bir an önce harekete geçmesi gerekiyordu.

Lang bu konuda çok az şey bildiğinin bilincindeydi ama kafasındaki soruların cevapları da Atlanta'da değildi, bundan da emindi. Uzun zamandır tatil yapmadığı için işine biraz ara verebilirdi.

Bürosuna gitti ve Sara'ya, elindeki bütün davalar için mahkemeye zorunlu süre uzatması için gerekli talepleri yapmasını söyledi. Ama bu tür dava süresi uzatmalarda sürenin sonunu da belirtmek gerekirdi ki o da kendine bir ay zaman tanıdı. Talep ettiği bu süre içinde nerede olacağını belirtmedi ama bunu o anda zaten kendisi de bilemiyordu.

Nereye gideceği, ne yapacağı, kimi ya da kimleri araştıracağı konusunda en küçük bir fikri yoktu. Ama bildiği bir şey vardı; intikam hareketi başlamıştı.

TAPINAK ŞÖVALYELERİ BİR TARİKATIN SONU

Sicilyalı Pietro'nun Hikâyesi

Ortaçağ Latincesinden Dr. Nigel Wolffe Çevirisi

1

HAÇ VE KILIÇ

Adamın cüppesi üzerindeki kızıl haçın boyu, ancak iki elle kullanılabilen uzun ve ağır kılıcın boyuna yakındı, ama onun aziz tuttuğu haç, boynundaki gümüş zincirin ucunda bulunan yuvarlağın içindeki, dört eşit üçgenin oluşturduğu ve kolları eşit olan küçük haçtı.

Ama ben son notlarıma bakarak bunları yazarken sırayı şaşırır gibi oluyorum. Bu kez yeniden ve en başından başlayacağım.

Ben Sicilyalı Pietro bunları Efendimizin Yılına göre 1310'da (1) yazıyorum. Yani, Solomon Tapınağı Fakir Şövalyeler Birliğindeki kardeşlerimin iftirası ile tutuklanmamdan ve bütün Hıristiyan kralların toprağımıza, malımıza, mülkümüze Kutsal Clement V adına el koymasını emreden Papal Bull'un Pastoralis praeminentia'sının ilanından üç yıl sonra yazıldı bunlar.

Sonraki yıllarda kendim hakkında yazmak gurur verici olurdu ama Tanrı katında günah sayılırdı. Şimdi günah olup olmadığını bilmiyorum ve eğer bir Tanrı varsa ve günah işliyorsam af dilerim. Burada yazdığım olayları Tanrı'nın kulu olan ben sadece not olsun diye değil, kardeşlerimin mahvolmasına neden olanların gerçekten güçlü olduklarını anlatmak için yazdım.

Benim önemli olmadığım gibi bu da önemli değil, ama ben Sicilya Kralı Aragonlu James II'nin dördüncü iktidar yılında, küçük bir Sicilya lordunun toprak kölesi ailede, bir serf olarak doğdum.(2) Altı çocuğun en küçüğüydüm ve annem beni doğururken öldü. Babam aileye bakamadığı için beni alıp Benedictine rahiplere götürdü, onlar beni büyütüp dindar bir insan olarak yetiştirecek ve aynı zamanda çalıştıracaklardı.

Ben onların öğütlerini dinleyecek, onların yaptıkları gibi, dindar bir insan olarak yalnızlığı arayacak, oruç tutacak, akşam ve gece ibadetlerini yapacak, kutsal kitap okuyacak ve benzeri dinsel görevlerimi yerine getirecektim.(3)

Manastırda tarımla uğraşıyor ve şehre yakın olduğumuz için putperestlerin harabeleri üzerine inşa edilen yeni şatonun üç kulesini görebiliyorduk. Benzer bütün din kurumlarında olduğu gibi, bizler de yardıma ihtiyacı olanlar ve fakirler için dualarla beraber onlara yardım ediyorduk.

Benimle beraber doğan ve benim düzeyimde olan insanlardan daha iyi eğitim alıyor, okuma, yazma, Latince ve Fransızca dilleri ile matematik ilmi öğreniyordum. Bunların içinde en çok sevdiğim ders matematikti ve bu alanda çok iyiydim. On iki yaşıma bastığımda kiler sorumlusunun hesaplarına bakıyor,(4) üzüm ve zeytin ürünlerinin, fırında yapılan ekmeklerin, manastıra yapılan bağışların ve tuğla ocağında pişirilen çanak çömleklerin hesabını tutuyordum.

Rahip adaylık devremin sonu da o yaz geliyordu (5) ve sonbaharda manastırın gerçek elemanı oluyordum. Eğer hırsıma kapılmayıp günah işlemeseydim hâlâ orada olacaktım ve başıma da böyle berbat şeyler gelmeyecekti.

Guillaume de Poitiers'yi Ağustos ayında gördüm; muhteşem bir beyaz at üzerinde, çok yakışıklı bir şövalyeydi. O sırada manastır duvarlarının dışında gübre olarak kullanacağımız koyun gübrelerinin miktarını ölçüyordum ve bir ara başımı kaldırıp ileriye bakınca onu gördüm.

Hava çok sıcak olmasına rağmen o zırhlar içindeydi, (6) beyaz cüppesinin altından göğüs zırhı görünüyordu, cüppenin önünde ve arkasında, Kutsal Topraklara gitmiş ve dönmüş bir şövalye olduğunu gösteren kırmızı haç işareti vardı. Kıyafetinden anlaşıldığına göre, bu adam Solomon Tapınağı Fakir Şövalyeler Birliğinin bir üyesi olacaktı, kilisenin en çok korkulan kutsal askerleriydi bunlar.

Sol kalçasında şimdiye kadar hiç görmediğim, geniş ve eğik bıçaklı uzun bir hançer takılıydı ve daha sonra bunun dinsiz Arapların kullandığı bir silah olduğunu öğrendim. Sağ tarafında ise kısa bir hançer vardı.

Şövalyenin arkasından bir eşek üzerine binmiş olarak gelen yardımcısı iki iri atın yularından tutmuş çekiyordu onları. İkisinin de sırtlarında birer mızrak, iki ağzı da keskin bir kılıç, bir Türk gürzü ve üzerinde yine kırmızı haç bulunan birer üçgen vücut kalkanı vardı.

Şövalye manastırın kapısından içeri girdi, atından indi ve sanki papanın önündeymiş gibi, bizim fakir rahiplerden birinin önünde diz çöktü. Rahipten kendisi, yardımcısı ve atları için gece kalmak için bir yer ve yiyecek istedi. Burada hepimiz Tanrı kulları olduğumuz için, önce yardımcısının ve atlarının ihtiyaçlarını söyledi ve kendisini en sona bıraktı.

Şövalyenin saçları iyice uzamış, zırhları paslanmaya başlamıştı ve her tarafı toz içindeydi. Daha sonra öğrendiğime göre uzun yoldan geliyordu. Benim doğumumdan bir yıl sonra, Kutsal Topraklardaki son Hıristiyan şehri olan Acre'nın düşüşünde oradan zor kurtulmuştu. Jaffa, Tyre, Sidon ve Ascalon gibi yerlerde yaşadıktan sonra Büyük Efendi Theobald Gaudin ve sağ kalan arkadaşları ile birlikte Venedik gemilerine binerek oradan ayrılmışlar ve Birlik gibi onlar da yanlarında bazı değerli şeyler getirmişlerdi.

Guillaume bir süre Kıbrıs'ta Boniface VIII'in papalık tahtına çıkışını beklemişti. Papalık belki onları Kudüs'teki kâfirleri temizlemeleri için tekrar Kutsal Topraklara göndermek isteyebilirdi.(7)

Ama bir süre sonra yeni bir Haçlı seferi yapılmayacağı anlaşılmış ve ona Burgundy'deki kendi manastırına dönmesi emredilmişti. Ben onu gördüğümde manastırına gitmek için yola çıkmıştı yine.

O akşam kıskançlık günahını işlemeyi göze aldım ve onun üzerindeki kıyafeti ve silahları daha yakından görebilmek için Vespers'de yanına diz çöktüm. Şövalyenin yüzü güneşte çok yanmış, iyice esmer olmuştu, boynunda yıldız şeklinde bir yara izi vardı, söylediğine göre, bir dinsizin oku açmıştı o yarayı ama Tanrı onun ölmesine izin vermemişti işte.

Daha önce dört üçgen gibi gördüğüm boynundaki o gümüş zincir ucundaki küçük yuvarlağı da o zaman daha iyi gördüm. Bana söylediğine göre, o üçgenler Templar'ın eşit kollarını, bütün Solomon Tapınağı Fakir Şövalyelerinin eşitliğini simgeleyen Kutsal Haçı temsil ediyordu. Birlik üyelerine süs olarak sadece bunu kullanma izni veriyordu.

Şövalye onun yara izini merak ettiğimi de anlamış olacak ki, son duadan sonra parmağıyla ona dokundu ve "Sadece alçaklar uzaktan öldürür genç kardeşim," dedi. "Şövalyeler düşmanlarının ruhunun tam içine bakarlar."

"Ruhunun mu?" diye sordum. "Tanrı'yı tanımayan dinsizlerin de ruhu oluyor mu yani?"

Şövalye benim bu sözüme güldü ve manastırım başrahibi Peder Larenzo da meraklanarak ona baktı. "Kâfir de bir insandır genç kardeşim. Unutma ki senin hesaplarında Romen rakamları yerine kullandığın o şekiller de mevsim hesaplamaların gibi o insanlardan geliyor. Kâfir değerli bir düşmandır. Onlar en azından şimdilik Hıristiyanları oradan kovdular ve Outremer'i(8) ellerinde tutuyorlar."

Peder Larenzo da dikkatle bizim konuşmamızı dinliyordu. Vespers sonrası sessizlik ve derin düşünme gerektiği için bana kızmış olmalıydı. Ben bazı küçük suçlarım için birkaç kez dayak yemiştim ondan. Onun için, "Ama Hz. İsa Kilisesi sonunda galip gelecektir," dedim.

Guillaume tekrar güldü ve başrahip yine kaşlarını çattı. Manastırda zenginlik gibi gülmek de yasaktı. "Sorun Hz. İsa'nın Kilisesinde değil, onun krallarında, prenslerinde evlat. Onlar dinsizlere karşı birleşecek yerde birbirleriyle savaşıyorlar. Hz. İsa topraklarının düşman eline geçmesine karşı koyacaklarına, rakiplerinin güçleriyle uğraşıyorlar." Şövalye bunu söyledikten sonra elini kaldırdı ve göğsünde haç işareti yaptı. "Bu kralların çoğu da biz Fakir Tapınak Şövalyelerinden korkarlar."

Onun söylediği bu son sözü çok daha dikkatli dinlemem gerekirdi! Bunu yapsaydım ve onun söylediklerini uygulasaydım başıma bunlar gelmeyecek, bunları yaşamayacaktım.

Akşam yemeği için yemekhaneye giderken, Şövalye başrahiple değil de benimle birlikte gelince yine çok gururlandım. Başrahibin masası arkasında duran haçın önünde diz çökerek verdiği nimetler için Tanrı'ya şükrederken, herkesin gözü bendeydi, farkındaydım bunun.

Masaya oturduğumuz zaman misafirimiz önündeki lapa kâsesine tiksinir gibi baktı ve "Et yok mu yani?" diye sordu.(8) Kürsüde dua okuyan rahip bile sustu bunu duyunca.(9)

Yemekhanede herkes şaşırmış, bütün mırıltılar kesilmişti. Soyluların dışında insanlar, hele hafta ortasında hemen hiç et yemezlerdi. Başrahip yaşlı bir din adamıydı ve dişlerinin çoğu döküldüğü için hafif sesle konuşması da zor anlaşılırdı. Kendini tutamadı ve manastır yöneticisi olan diğer rahiplerle beraber oturduğu masada yüksek sesle öksürdü.

Başrahip sonra sesini yükselterek, "Sevgili din kardeşim," diye konuştu. "Hz. İsa'nın son yemeği sadece ekmek ve şaraptı. Bunu bulduğumuza da şükredelim. Bu basit yemeği bile bulamayan çok fakir insanlar var dünyada."

Şövalye yine güldü ve sulandırılmış şarap dolu toprak kupasını kaldırıp, "Haklısın Başrahip," dedi. "Hz. İsa'nın hizmetinden dönen bu fakir şövalyeye yiyecek ve yatacak yer verdiğiniz için çok teşekkür ederim size."

Başrahip onun bu konuşmasından memnun oldu ve hemen her gün yediğimiz lapadan bir kaşık alıp ağzına attı.

Guillaume gözlerini kâsesinden ve kaşığından ayırmadan bana, "Ben de et yemek için sığır kesmelerini beklemiyordum zaten," diye mırıldandı. "Ama en tembel insan bile civardaki tavşanlardan birkaç tanesini kolayca avlayabilir, ayrıca yakındaki ormanda bir sürü karaca gördüm."

Onun bu sözleri beni şaşırttı, daha çok hayran oldum bu adama ve bunları ben söylesem günaha gireceğimi ve dayak yiyeceğimi bilerek, "Peki siz Tapınak şövalyeleri hafta arasında akşam yemeklerinde tavşan ya da karaca eti yer misiniz?" diye sordum.

"Öğle yemeklerinde bile yeriz. Onlar olmasa bile sığır ya da domuz eti yeriz. Bunun gibi lapa yemekle güçlü olamaz ki insan."

Onun diğer yanında oturan rahip, "Evet ama lapa hiç olmazsa ruhumuzu kurtarır," diye fısıldadı.

Guillaume lapa kâsesini hemen hiç dokunmadan geriye doğru itti. Yemek beğenmemek için zengin ya da deli olmak gerekirdi. "Kâfirlerle savaşan ruhlar değil, bedenlerdir kardeşim."

Kurallara göre akşam yemeğinden sonra kiliseye giderek tövbe etmek ve sonra da Compline(10) öncesi dua etmek için herkesin kendi hücresine çekilmesi gerekiyordu. Bana manastırın küçük çalışma odasında hesaplara bakmam söylenmişti. Zeytinler olgunlaşmış, toplama zamanı yaklaşmıştı ve satış için kaç boissel zeytinyağı üretmemiz gerektiğini hesaplamalıydım.(11) Hesaplarımı tamamladım ve parşömen yapraklarına geçirmek üzereydim ki Guillaume'un yanıma geldiğini fark ettim.

Şövalye beyaz dişlerini göstererek gülümsedi ve omzumun üstünden yaptığım hesaplara bakarak, "Bu kâfir rakamlarını biliyor musun sen?" diye sordu.

Başımı salladım. "Sen bilmiyor musun yoksa?"

Kaşlarını çatarak rakamlara bir sağdan, bir de soldan baktı. "Bir şövalye rakamlarla uğraşmaz," dedi. "Bu işler rahipler ve keşişler içindir."

"Ama sen de bir manastıra üyesin."

Şövalye yine güldü. "Bu doğru, ama bizimki özel bir birliktir. Dikkat edersen benim üzerimde kokmuş ve bitlenmiş çuval elbise yok. Üzerimdeki tozlar da uzun yolculuğun eseri, yıkanınca gider bunlar. Tapınak Şövalyeleri diğer keşişler gibi yaşamazlar."

Onunla konuşurken birden cesaretlendim ve "Hz. İsa'nın diğer yanağını da çevir emrine de pek uymuyorsunuz galiba siz," dedim.

"Sabırlı ve uysal insanların dünyaya hâkim olacağına da inanmam ben. Peygamberin böyle bir şey söylediğini de sanmıyorum aslında. Köleleri ve hizmet edenleri kontrol etmek, itaate zorlamak için söylenmiş bir söz o."

Bu tür konuşmalar insanı dalalete sürüklerdi ve rahatsız ediyordu beni. Ama bu adam bir şövalyeydi ve boynundaki yara izi de onun kilise ve Tanrı adına ölmeye hazır olduğunun açık bir kanıtıydı.

"Tarikatımızın temellerinden biri de itaat yeminidir," dedim.

Şövalye, "Elbette, itaat olmazsa kargaşa çıkar," diye karşılık verdi. "Birden fazla emirle harekâta katılan bir ordu zafer kazanamaz. Benim sevmediğim şey fazla uysallık, uyuşukluktur, itaatsizlik değil."

Bunu duyunca biraz daha rahatlar gibi oldum.

"Sen bu rakamlardan başka okumayı da bilir misin?"

"Yazılar Latince ya da Fransızca ise ve anlaşılır gibi yazılmışsa okuyabilirim tabii."

Şövalye bir süre düşündü ve sonra, "Sen burada son yemini henüz etmedin, değil mi?" diye sordu.

Bunu neden sorduğunu bilmiyordum ama hiç düşünmeden, "Hayır, etmedim," diye cevap verdim.

"Bizim şövalye örgütünün senin gibi gençlere ihtiyacı var."

Birden şaşırdım. "Şey, ama ben soylu bir aile çocuğu değilim ve senin üzerindeki silahlar konusunda hiçbir şey bilmem."

"Sen konuyu bilmiyorsun, her şövalyenin ihtiyaçlarını karşılayacak bir yardımcıya ihtiyacı vardır. Bir şövalyenin yanında hesap yapmasını ve okuma yazma bilen bir yardımcısı olmalı. Sen bu işi çok iyi yapabilirsin. Benimle beraber Burgundy'ye gelmeni istiyorum."

Adam bana Ay'a seyahat teklif etseydi ancak bu kadar şaşırabilirdim. Hayatım boyunca şimdi bulunduğum yerden yaya olarak bir günlük yoldan daha uzağa gitmemiştim.

"Yapamam," dedim. "Buradakiler benim yardımımı bekleyen kardeşlerimdir, ben onları bırakamam."

Alaycı bir gülümsemeyle yüzüme baktı ve "İnsan ne yaparsa yapsın, Tanrı'nın dediği olur, ben bunu iyi öğrendim evlat," diye konuştu. "Sana günde üç öğün yemek vaat ediyorum ve bunların ikisinde mutlaka et olacaktır. Tertemiz bir yatakta uyuyacak, üzerinde bit ya da pire olmayan temiz elbiseler giyeceksin. Şimdiye kadar görmediğin hesaplarla, büyük rakamlarla çalışacaksın. Ama eğer istiyorsan burada, pislik içinde ve açlıkla boğuşarak kalabilirsin. Her iki şekilde de Tanrı'ya hizmet edeceksin, tercih hakkı senin."

O anda Tanrı sanki beni aptallaştırdı, ona hemen cevap veremedim. Ne yapmam gerektiğini Tanrı'ya sorsaydım O bana belki de burada kalmamı söyleyecekti. Fakat her gençte olacağı gibi, şövalyenin söylediği güzel sözler benim de başını döndürmeye yetti.

Guillaume, "Ben Prime'dan (12) hemen sonra ayrılacağım buradan," dedi. "Yıkanmayacağım bile ve gün ağarmadan gideceğim. Sen istersen yardımcımın eşeğini onunla paylaşabilirsin. Ama istersen burada kalabilir ve Tanrı'ya hizmet etmeye burada devam edebilirsin."

Ertesi sabah evim olarak tanıdığım, içine ancak saman yatağımın sığdığı ve alçak tavanı yüzünden ayakta dik duramadığım minik hücremi terk ederek ayrıldım oradan.(13) Fakirlik dindarlar için doğal bir şey olduğu için yanımda hiçbir şey yoktu, sadece üzerimdeki çuval kumaşından yapılmış elbiseyle çıktım yola. Burada alıştığım hayata devam etmeli miydim, bilemiyordum.

Çevirmenin notları:

1. Okuyucu uygunluğu için bütün tarihler Gregorian takvimine çevrilmiştir.
2. 290.
3. Aslında bu direktif St. Cassian'dan geldi. St. Benedict (ca. 526) yalnız değil de toplum içinde yaşayan ilk keşişler örgütünü kurdu.
4. Manastırın ihtiyaçlarını karşılayan keşiş.
5. Pietro tarafından kullanılan sözcük Orta Latin, noviciatus'tur ve rahip adaylarının eğitim gördüğü yer anlamına gelir. Kırsalda bir manastırda rahat bir hayat olamazdı.
6. Zincir örmeli bir elbise. Bir Tapınak şövalyesinin savaş kıyafeti Fransızca Rule'nin korunmuş kopyalarında anlatılmıştır. Bu kıyafette Pietro'nun anlattıklarından başka miğfer ile omuzları ve ayakları koruyan zırhlar da vardır.
7. Kudüs 1243'te Baybarların Sultanı tarafından alındı. Guillaume ya da arkadaşlarının Kutsal Şehri görmüş olmaları kuşkuludur, ama 1307'de dağılmalarına kadar Tapınakçıların hedefi bu oldu.
8. Haçlıların ve Tapınakçı Şövalyelerinin Kutsal Topraklara verdikleri isim. Onlar bu toprakları Papaya bağlı bir

ülke olarak kabul ediyorlardı.

9. Her yemekte İncil okunuyordu.
10. Günün son duası, genellikle yatmadan önce edilen dua.
11. Bu Fransızca sözcük İngilizce bushel'den (kile) türemiş olabilir. Miktarı artık bilinmiyor.
12. Genellikle sabahın beşinde yapılan ibadet. Günün ilk ibadetleri Matin ve Laud genelde gece yarısından sonra yapılır. Prime'dan sonra Terce, Nones, Sext, Vespers v.s. olmak üzere günde on ibadet vardır.
13. Manastır hücreleri, rahiplere tevazu duygusu aşılamak için, girdikler zaman eğilmelerine neden olacak şekilde çok alçak tavanlı yapılırdı.

Kısım İki

Bölüm Bir

Dallas, Teksas

Ertesi Gün

Lang uçak seyahatinden hoşlanmaz, bir uçak koltuğunda oturup emniyet kemerlerini bağladığı zaman çok rahatsız olurdu.

O gün de Dallas Forthwort Havaalanında, American Havayolları terminalinde, yirmi iki numaralı kapının önünde oturup suratını astı ve yanında küçük bir çocuk olan adama baktı.

Kırklı yaşlarında, kır saçları başının ortasında açılmaya başlamış, hafif göbekli, adam aslında kalabalık bir bekleme salonunda kimsenin dikkatini çekmeyecek olan bir tipti, ama Lang'a eğitimi sırasında bu tipleri iyi gözetlemesi öğretilmişti. Adamın yanındaki çocuk güzel bir örtü olabilirdi.

Adam Atlanta'da Delta bilet kontuarına gelip acele uçması gerektiğini, bir aile meselesi nedeniyle acele ettiğini söyleyip uçak bileti alırken Lang önce pek dikkat etmedi ona. Ama hemen sonra kafası onun aceleci tavırlarına takıldı.

Lang Dallas biletini kredi kartıyla ödedi, sonra American Havayolları bilet kontuarına giderek Dallas'tan Fort

Lauderdale'e uçak biletini nakit parayla aldı. Yanında eski işinden kalma, süresi dolmuş eski bir pasaport vardı, gerektiğinde kimlik olarak onu kullanacaktı. Lauderdale'den Miami Havaalanına taksiyle gidecek, sonra da JFK Havaalanı yoluyla Roma'ya uçacaktı. Böyle karmaşık bir yol izleyerek peşindekileri atlatmış oluyordu.

Atlanta'daki çiftten belki de boşuna kuşkulanmıştı. Ama Dallas'ta Delta terminalinden American terminaline giderken onunla aynı tramvaya bindikleri zaman yine kuşkulandı onlardan. Atlanta'da uçağa teslim ettikleri valizi orada bıraktılar. Onlar üzerinde fazla durmak istemedi, delikanlının sırtında parlak sarı bir sırt çantası vardı. Ama onları Lauderdale uçuşu için orada yine görünce kuşkusu arttı.

Havayolları arasındaki rekabet yüzünden uçak biletleri ucuzlamıştı ama Dallas yoluyla Atlanta Lauderdale uçuşu yine de oldukça pahalı sayılırdı.

Lang delikanlının terminalin kenarındaki telefonlara doğru gittiğini gördü. Genç adam hiç kuşkusuz Florida'daki arkadaşına haber verecekti. Cep telefonu kullanmadığına göre, ya Amerika'da sayıları pek fazla olmayan telefonsuzlardan biriydi, ya da bunu garip bir güvenlik önlemi olarak yapıyordu. Lang telefonların yanındaki büyük camdan park yerinde yolcu almak için hazır bekleyen bir uçağı seyrediyormuş gibi yavaşça yaklaştı delikanlıya, onun konuşmasını duymak istiyordu ama delikanlı telefona bir şeyler homurdandı ve ahizeyi aniden yerine bırakarak uzaklaştı oradan.

Yanında çocuk olan adam çocuğu tuvalete götürünce Lang kitapçıya girdi ve bir USA Today gazetesi aldı. Gazeteye kısaca göz attı, sonra adamın arkasından tuvalete gitti ve bir tuvalet kabinine girdi. Dışardan bakan biri, onun, işini yaparken gazete okuduğunu düşünecekti. Ama Lang genç adamın o tuvalette iken yine telefonla konuşabileceğini düşündü.

Lang tuvaletten çıktı ve kalabalık bekleme salonunda oturacak boş bir yer arar gibi çevresine bakındı. Elindeki elektronik aletle oynayan küçük çocuğun yanındaki yer boştu ve Lang hemen gidip oturdu oraya. Çocuğun diğer yanında da babası gibi duran adam oturuyordu. Lang çocuğun oynadığı oyunu merak etmiş gibi eğilerek onun elindeki alete baktı ve "Nedir o oynadığın evlat?" diye sordu.

Çocuk başını aletin ekranından kaldırmadan, "In-ig-ma," diye cevap verdi.

Çocuğun diğer yanındaki adamın da dikkatle onu dinlediği belliydi. Lang yine çocuğa doğru eğildi ve "Nasıl oynanıyor bu oyun peki?" diye sordu.

O yaşta bir çocuğun elektronik bir oyun konusunda bu kadar çok şey bilmesi ve yapılması gerekenleri ayrıntılı olarak anlatması Lang'ı şaşırttı.

"Anlattığına göre iki kişi de oynayabilir bunu, değil mi evlat?"

"Evet, ama burada bunu yapmak biraz zor olur Bayım."

Lang, birden üzülmüş gibi çocuğa baktı ve "Benim oğlum da senin yaşındaydı ve bunlarla oynardı hep, ama lösemiden öldü," dedi.

Lang'ın diğer yanında oturan beyaz saçlı kadın onu duydu ve dolan gözlerini sildi. Lang da dolan gözlerini sildi ve çocuğa, "Çok merak ettim evlat, şuna bir bakabilir miyim?" diyerek elini ona doğru uzattı.

Çocuk babasından izin almak ister gibi adama baktı ve sonra oyun aletini Lang'a verdi.

Lang aleti alırken birden yere düşürdü ve almak için eğilirken pantolon paçasından bir şeyi kaydırıp avucuna aldı.

Sonra birden ayağa fırladı ve kalabalığa doğru, "Hey, Mel Gibson değil mi şu adam?" diye bağırdı.

Herkes başını onun baktığı yere doğru çevirirken Lang elindekini çocuğun yerde duran sırt çantasına attı ve "Ben bu aleti pek anlayamadım evlat," dedi. "Şunu bana bir kez daha göstersene bakalım."

Lang oyun aletiyle uğraşırken biraz sonra uçağa yolcu alındığı anons edildi.

Lang birinci mevki yolcusu olarak öne geçti ve uçağa biniş kapısında kartını gösterip geçerken yer hostesine doğru eğilip alçak sesle bir şeyler söyledi. Genç kızın tepkisini görenler onun hostese uygunsuz bir şeyler söylediğini, sarkıntılık yaptığını sanabilirlerdi.

Hostes yerini bir erkek çalışma arkadaşına bıraktı ve acele adımlarla uzaklaştı oradan. Lang küçük çocuğa el salladı ve uçağa bindi.

Lang birinci mevkide koltuğuna oturmuş ikram edilen viskiyi yudumlayarak elindeki romanı açmaya hazırlanırken, bir kadın elindeki küçük çantayı baş üstündeki dolaba koydu ve onun yanındaki koltuğa oturdu. Üzerinde gri bir etek ceketten oluşan şık bir takım vardı, bir iş kadını gibi giyinmişti. Sarı saçlarını tepesinde bir topuz olarak toplamıştı. Orta parmağında kocaman elmas bir yüzük vardı ki Teksas dışında biraz kaba karşılanabilirdi. Yirmili yaşlarındaydı, ama sanki üç kat merdiven çıkmış yaşlı bir kadın gibi derin nefesler alıp veriyordu.

Lang elindeki içki bardağını küçük sehpaya bırakarak gülümsedi ve "Uçağa yetişmek için epey koştunuz galiba," dedi. Genç kadın yine derin bir nefes aldı ve "Bu seferin iptal olacağını söylemişlerdi ama sonra her şey değişti. Ben de Fort Lauderdale'e mutlaka gitmeliyim."

Parmağındaki yüzük onun Teksaslı olduğunu gösteriyordu ama aksanından herkes kolayca anlayabilirdi bunu.

Lang onun söylediğine çok şaşırmış gibi bir ifadeyle, "İptal mi dediler?" diye sordu.

Genç kadın elini alnına götürüp alnına düşen saçları yukarı attı ve başını salladı. "Birisi uçağa gizlice silah sokmak istemiş."

"Olamaz!"

"Evet, bir adamın oğlunun sırt çantasında tabanca varmış. Çocuğun çantası röntgen cihazından geçerken görmüşler silahı."

Lang çok şaşırmış gibi gözlerini açarak, "Siz gördünüz mü silahı?" diye sordu.

"Hayır, ama güvenlik görevlileri adamla çocuğunu götürürlerken gördüm. Onu herhalde polise teslim edeceklerdi. O küçük çocuk için gerçekten çok üzüldüm."

Lang başını iki yana salladı ve ellerini havaya kaldırıp, "Küçük bir çocuğu böyle bir işte kullanmak çok alçakça bir şey doğrusu!" diye söylendi.

Lang o anda parmağına bulaşmış olan çikolata lekesini gördü. Aslında küçük çocuğun sırt çantasına gerçek bir tabanca değil, tuvalete oturduğu zaman kalaylı çikolata kâğıtlarından yaptığı taklit tabancayı koymuş ve kalaylı kâğıtlar da röntgende görülünce paniğe neden olmuşlardı. Birden ayağa kalktı ve "Uçak kalkmadan gidip şu ellerimi yıkamalıyım," dedi.

Bölüm İki

1

Leonardo Da Vinci Uluslararası Havaalanı, Roma

Ertesi Sabah

Lang uçaktan indiğinde uykusuzluktan ve saat farkından gözleri yanıyordu, ama havaalanındaki serin ilkbahar havası onu biraz olsun kendine getirdi. Burnuna gelen uçak egzozu kokusundan rahatsız olsa bile artık uçakta olmadığına seviniyordu. Havaalanında bir sürü uçak ve araç hareket halindeydi.

Uçaktan inen yolcular gelen otobüslere doldular. İtalyan havaalanlarında Poussin'in tablosunda olduğu gibi anlaşılmaz bazı şeyler vardı; uçaklar terminallere yanaşmıyor, oldukça uzağa park ederek yolcularını terminale otobüslerle gönderiyorlardı. Belki de otobüs şirketinin de para kazanmasını istiyorlardı.

Roma havaalanında geçmiş yıllarda pek çok inşaat çalışması olmuştu ama şimdi her yer düzene girmiş gibi görünüyordu. Beyaz beton duvarlar ve isli camlar uluslararası terminal binasına adeta büyük bir yolcu gemisi görüntüsü veriyordu. Lang binaya girince tekrar şaşırdı. Yürüyen merdivenler, yolcu koridorları ve her şey çok yeniydi ama her yana giden insan kalabalıkları pek değişmemişti.

Gümrüğe göstereceği hiçbir şey olmadığı için, canı sıkılmış gibi görünen gümrükçünün önünden hiç beklemeden geçti ve hemen erkekler tuvaletine girerek izlenip izlenmediğini kontrol etti. Onun uçağından inerek peşinden gelmiş hiç kimse yoktu etrafta.

Valizini açarak üzerindeki takım elbiseyi blucin pantolon ve bir spor gömlekle değiştirdi. Oxblood Cole Haan makosenleri çıkarıp onların yerine daha basit ve göze çarpmayacak ir çift ayakkabı giydi. Aynanın karşısına geçerek kendini kontrol etti, bu kıyafetiyle tam bir Avrupalı olmuştu. Dışarı çıkınca terminal bankasına gitti ve dolarlarından bir kısmını Euro ile değiştirdi.

Daha sonra kalabalığın arasına karışarak yürüdü ve son gelişinden beri değişmeyen yerlerden biri olan tren istasyonuna gitti. Yaşlı bir kadının kahve sattığı küçük arabadan kahve ve otomatik bilet makinesinden de tren bileti aldı.

Biraz sonra havaalanı ile Roma arasında çalışan tren geldi. Trenin eski çirkin koltukları da yeni ve rahat koltuklarla değiştirilmişti. Bu yeni vagonların pencereleri çok genişti ve yolculara çevreyi rahatça seyretme olanağı sağlıyordu.

Lang aslında Roma gibi çok eski, tarihi bir şehirde böyle bir tren yolculuğu sırasında kırsal kesimde eski tapınak harabeleri, yıkılmış kemerler ve benzeri tarih manzaraları görmek isterdi ama ne yazık ki etrafta binadan ve inşaattan başka bir şey görünmüyordu.

Dawn'ı buraya getirdiği zaman o Roma'yı çok sevmiş, her sokak başında durup etrafı hayranlıkla seyretmişti. Trenle şehre giderlerken gördüğü binalar, inşaatlar ve fabrikalar bile ona farklı görünmüş, zevk vermişti.

Daha sonra Lang'a trendeki değişik kokuyu bile ilginç bulduğunu söylemişti Dawn. Küçük bir otelde kalmışlar ve şehrin bütün ilginç ve tarihi yerlerini gezmişlerdi. Roma o zaman çok daha romantikti, her köşesine hayran olmuşlardı. Ama Lang şimdi bu şehirde sadece kalabalıklar görüyor, ancak eski anılarla teselli bulmaya çalışıyordu.

Tren son durak olan Tiburtina istasyonuna yaklaşırken tekerleklerini gıcırdatarak yavaşladı ve çok geçmeden durdu. Lang nerede kalacağına henüz karar vermemişti. Dawn ile birlikte kaldıkları küçük otel fazla turistikti ve onu arayanlar böyle küçük bir otelde kolayca bulabilirdi. Ama Amerikalıların genellikle aldıkları Hassler ve Eden gibi büyük oteller daha da tehlikeliydi. Roma'nın eski bir semtinde, Borghese Bahçelerine bakan ve orta halli turistlerin kaldığı küçük oteller belki daha uygun olurdu onun için. Ama kalacağı yer büyükelçiliklerden de uzak olmalıydı. Eski bir tanıdığa rastlayıp sorulara muhatap olmak istemiyordu.

Aradığı adamların İtalyan olmadıklarını farz ederse, yabancıların fazla olmadığı bir yerde kalması daha mantıklı olurdu, peşinde olan adamları fark etmesi daha kolay olurdu böylece. Via del Corso civarında küçük ama fiyatları pek de ucuz sayılmayan motel benzeri yerler vardı, Milano ve Venedik gibi yerlerden gelen işadamları buralarda kalırlardı.

Trenden inince istasyonda bir süre daha düşündü ve sonunda Trastavere bölgesinde kalmaya karar verdi. Şehrin kalabalığında bir nehirle ayrılmış olan bu semt oldukça farklı bir yerdi. Brooklyn halkının kendilerini herkesten çok New York'lu saydıkları ya da Rive Gauche'luların en büyük Parisliler olduklarını söyledikleri gibi, bu semtin insanları da en büyük Romalılar olduklarını söylerlerdi.

On altıncı yüzyılda Roma'da katedralleri inşa edenlerin, fresk ressamlarının ve heykeltıraşların yaşadığı semt olmuştu burası. Michenangelo ve Leonardo Trastavere'de yaşamışlardı. Modern zamanlarda bu semt bohem yaşamının cenneti olmuş, müzisyenler, sanatçılar burada kalmışlardı.

Piazza Masti'de bir mezeci vardı ve Lang bir gün orada bir Çek sürgünle buluşmuş ve konuşup makarna yemişlerdi. Fakat adamın spagettisi iyi değildi ve dükkânın dekoru daha da kötüydü; duvarda İtalyan-Amerikalı ünlülerin, Sinatra ve Stallone'nin resimleri asılıydı. Dükkânda bir piyano vardı ve piyanist ellili yılların Amerikan müziğini çalıyordu.

Mezeci ya da makarnacının yanında bulunan birkaç odalı küçük pansiyon lüks arayan Amerikalıların hoşlanacağı bir yer değildi. Evet, orada rahatça kalabilirdi. Lang İtalyanca bilmiyor ve sadece adres soracak ya da pazarlık yapabilecek kadar birkaç sözcük tanıyordu. Özellikle "acele"den "bir şey değil"e kadar birkaç anlama gelen "prego" kelimesini hiç unutmamıştı. Ne yazık ki Latincesi de bugünün İtalya'sında fazla işe aramıyordu. İstasyondan bindiği taksinin şoförü ise yabancıydı ve İtalyancayı o da bilmiyordu.

Sokakların çoğu sadece motosikletle ve bisikletlerin geçişine izin verecek genişlikte oldukları için, gidecekleri yere varana kadar bir sürü yer dolaştılar. Lang bu şehirde daha önce yaşadığı için, taksi şoförlerinin akrobatik hareketlerine ve İtalyanca ya da yabancı dillerde ettikleri küfürlere alışıktı.

Araba bir ara ani bir fren gıcırtısıyla sarsılarak durunca Lang gözlerini kapadı ve çarpışma sesi duyacakmış gibi bekledi. Ama arkalarından gelen İtalyanca küfürleri duyunca doğrulup gözlerini açtı. Taksi Ponte Palatina denen köprünün üstünde durmuştu, iki kıyısı ağaçlarla kaplı olan Tiber nehrinin yeşil suları altlarından ağır ağır akıyordu.

Lang o anda Dawn'ın bir gözlemini anımsadı; Dawn'a göre, Roma şehri, Paris, Londra ya da Budapeşte gibi en güzel yüzünü nehir kıyısında göstermiyordu. Tiber şehrin arka bahçesi gibiydi, üzerinde güzel, büyük binalar yoktu ve nehir eski ve modern Roma'nın merkezinden uzaktı.

İlerde ve sağda St. Peter'in muazzam kubbesi kahverengi bir duman perdesi arasından hafifçe görünüyordu. Bir sağ dönüşten sonra nehirden ayrıldılar ve üç, dört katlı binaların arasında gitmeye başladılar. Lang biraz ilerde Romanesk kilisesiyle Piazza di Santa Maria di Trastavre'yi tanıdı. Küçük meydanda torunlarının arabalarını iterek ağır adımlarla dolaşan büyükanneler ve evlere mal getiren kamyonlar vardı. Gece saatlerinde bu meydan adeta Bourbon Sokağına döner, yaşlılar evlerine kapanırken caz müzisyenleri, pandomimciler ve gençler çıkardı ortaya.

Opel taksi dar bir sokağa girdi ama fazla ilerlemeden durdu. Önlerinde parke taşları döşenmiş küçük bir meydan ve etrafında da eski evler vardı. Lang arabadan indi, şoföre parasını bahşişiyle beraber ödedi ve böyle bir yere geldiği için iyi edip etmediğini düşündü. Hatırladığı makarna ve pizza restoranı henüz açılmamıştı ama yanındaki pansiyonda boş oda olduğunu gösteren bir levha vardı. Lang pansiyonun kapısına gitti ve büyük tokmağı birkaç kez kaldırıp kapıya vurdu. İçerden üç sürgü çekildi ve kapı gıcırdayarak yavaşça açıldı.

Lang bu sürgüleri unutmuştu. Şehirde ya çok fazla hırsızlık oluyordu ya da halk kapı sürgülerini çok seviyordu. Resepsiyonunda gece elemanı olmayan küçük oteller ve pansiyonlar ancak bu kadar çok sayıda sürgü ile korunuyorlardı demek. Kapıyı açan ufak tefek yaşlı adam, "Si?" diye sorunca Lang onun bu küçücük haliyle kocaman ağır kapıyı nasıl açıp kapadığını düşündü.

Adamın yüzüne baktı ve "Una kamera?" diye sordu. Odanız var mı?

Yaşlı adam dikkatle süzdü onu. Lang bu tür bakışları çok iyi bilirdi. Adam onun oda kirası olarak ne ödeyebileceğini tahmin etmeye çalışıyordu. Ama bu bakış fazla uzun sürmedi ve yaşlı adam kenara çekilerek ona girmesini işaret etti. "Una camera. Si."

Lang Amerikan aksanını saklamaya çalışarak sordu, "Con Bagno?" Banyolu mu?

İhtiyar uyanık onun öğrenci ya da fakir bir turist olmadığını anlamıştı. Başını iki yana salladı, odada banyo yoktu. Ama ona, "Benimle gel," der gibi bir işaret yaptı. Lang onun arkasından gitti, loş bir merdivenden üst kata çıkıp koridorda açık bir kapının önünde durdular. Odada örtüsü toplanıp ayakucuna konmuş iki kişilik bir yatakla kapağında sigara yanıkları bulunan eski bir şifoniyer ve onun üstünde plastik kenarlı bir ayna vardı. Karşı duvarda yine aynalı ve eski bir gardırop duruyordu.

Lang pencereye gitti ve dışarıya bakıp sokağın pisliğinden ve gürültüsünden uzak bir arka avlu görünce sevindi. Bu tür yerlerin çoğunda olduğu gibi, burası da bir sebze bahçesine dönüştürülmüştü. Henüz Nisan ayındaydılar ama yeşillikler arasında olgun, kırmızı domatesler rahatça görülüyordu. Arada mor patlıcanlar da vardı. Bir yanda İtalyanların çok kullandığı fesleğen ve farekulağı ile Lang'ın tanıyamadığı başka yeşillikler büyümüştü.

Adam ona bir şeyler söyledi ama Lang İtalyanca bilseydi bile onun bu hızlı konuşmasından bir şey anlamayacağından emindi. Yaşlı tilki belki de ona odadaki eşyaları sayıyor ve burada çok rahat edeceğinden söz ediyordu.

Lang ona baktı ve üzgün bir ifadeyle, "Non parlo Italiano," dedi. "Sprechen Sie Deutsch?"

Lang ona Almanca bilip bilmediğini sorarak, aynı zamanda çok az İtalyanca bildiğini de açıklamış oluyordu. Lang Bonn, Frankfurt ve Munih'te uzun yıllar görev yaptığı için çok iyi Almanca konuşurdu.

Adama kendisinin Alman olduğunu söylemek istiyordu ki bunun da birden fazla nedeni vardı onun için. Yaşlı adam başını iki yana salladı ve onu bir kez daha dikkatle süzdü. Lang'ın tahminine göre, adam Alman-İtalyan ve Hitler-Mussolini işbirliğini hatırlayacak kadar yaşlı olmalıydı. İtalyanlar Il Duce denen Mussolini'nin ülkeye yaptığı iyilik ve kötülüklerle beraber Hitler'in tahribatını da unutmuş olamazlardı. Aslında İtalyanlar Nisan ayında Faşizmin çöküşünü Kurtuluş Günü olarak kutlarlardı. Halk 2. Dünya Savaşına girmek istemediğini, zorla savaşa sürüklendiğini söylerdi. Bu yaşlı pansiyoncu da herhalde ülkesini savaşa sokan adamın dilini konuşmak istemezdi.

Son yılların barış havası ve Avrupa Birliği bile İtalyanların Almanlara bakış açısında fazla bir değişiklik yapmış olamazdı herhalde. Almanların ekonomisi ve hükümeti İtalyanlarla kıyaslandığında daha iyi çalışıyordu ve onlar daha rahat yaşıyorlardı.

İtalyanların alışverişlerde pazarlık alışkanlığına karşın Almanlar pazarlık nedir pek bilmezlerdi. Koridora çıktıklarında yaşlı adam ona hayal kırıklığına uğramış gibi bakınca Lang şaşırdı. Adam ona hemen banyonun yanındaki odayı vermiş, ama Lang'da bir sevinç belirtisi göremeyince üzülmüş olacaktı.

Yaşlı adam işaretle ona banyoyu göstermek istediğini söyleyince Lang buna gerek olmadığını belirtti. Banyoyu görmesine hiç gerek yoktu, çünkü pis küvetin içine girip oturacak değildi, sadece duşu kullanmak yeterli olacaktı onun için. Adamın kendisine baktığını görünce başını salladı. Odayı tutacaktı.

"Quotidano?" Pansiyoncu ona oda kirasını günlük olarak mı ödeyeceğini soruyordu.

"Si."

Yaşlı adam oda kirasını söyledi ama Lang'ın hiç itiraz etmediğini görünce rakamı düşük tuttuğunu düşünerek pişman oldu. Elini uzatarak Lang'ın pasaportunu istedi. Pek çok Avrupa ülkesinde olduğu gibi, İtalya'da da otel ve pansiyonlarda kalan yabancıların kimlik bilgileri bilgisayar kanalıyla polise gidiyor ve o kişinin arananlar arasında olup olmadığı belli oluyordu. Polis bu kanalla evlilik dışı ilişkisi olan çiftleri de hemen öğrenebiliyordu.

Lang çapkın bir ifadeyle adama bakarak göz kırptı ve gülümseyerek, "Ho una ragazza," dedi. Bir sevgilim var. Adamın beklediğini görünce, cebinden gecelik ücretin oldukça üstünde olan birkaç banknot çıkarıp ona uzattı.

Adam onun verdiği parayı görünce sırıttı ve başını salladı. Çok memnun olduğu yüzündeki ifadeden hemen belli oluyordu. Bu müşterinin zengin bir Alman olduğunu düşünüyor olmalıydı. Adam hiç kuşkusuz burada metresiyle birkaç mutlu gece geçirmek istiyor ama bunun polis kayıtlarında görülmesini engellemek istiyordu. Bu konu ahlâki değil, sadece ekonomikti. Polis bu durumu öğrense bile rüşvet yasaları her yerde olduğu gibi burada da geçerliydi.

İtalyan iş hayatında bu tür işlemler olağandı, her zaman görülen şeylerdi.

Lang adamın daha başka bir talepte bulunmasını önlemek için sesini çıkarmadan merdivene doğru ilerledi. Dışarı çıkmak ister gibi yaptı. Yaşlı adam ona birkaç anahtar verdi ve yine o hızlı konuşmasıyla İtalyanca anlaşılmaz bir şeyler söyleyerek ayrıldı onun yanından.

Lang dönüp odaya girdi, kapıyı kilitledi ve yatağın üzerine sırtüstü uzandı. Açık olan pencereden sokaktaki trafiğin uğultusunu rahatça duyabiliyordu. Aşağıdaki bahçeden gelen sebze ve otların kokusunu birkaç derin nefes alarak ciğerlerine çekti.

Bir süre Janet ve Jeff'i düşündü ama çok geçmeden yorgunluğu etkisini gösterdi ve derin bir uykuya daldı.

2

Portekiz

Aynı gün, saat 08.27

Lang'ın uçağı yüzlerce mil uzakta, havaalanında tekerleklerini piste koydu ve hafif sisli havada pist üzerinde terminale doğru gitmeye başladı. Hafif sis uçağın penceresinde yoğunlaşıyor ve minik su damlacıkları haline geliyordu.

Lang uçaktan indikten sonra önünde bilgisayar olan gümrük memurunun karşısında durdu ve adamın yüzüne hafifçe gülümseyerek baktı. Adam onun pasaportuna bakarak bilgisayara bazı bilgiler girdi ve ekrana çıkan yazıları okuduktan sonra gözlerini uzun süre onun yüzünden ayırmadı.

Sonra ekranda gördüğü yazılar onu tatmin etmiş gibi başını hafifçe salladı, karşısındaki adamın adı Langford Rielly idi ve adam Miami'den Roma'ya, oradan da buraya uçmuştu. Lang'ın pasaportundaki bilgiler polis bilgisayarına girdikten sonra onun hakkında daha fazla bilgi alacaklardı elbette.

Pasaport kontrolü yapan memur beklemekten sıkılmış gibi kaşlarını çattı, suratını astı. Bilgisayar denen bu aletlerin daha hızlı çalışmaları gerekiyordu aslında, ama onlarınki nedense biraz yavaştı. Havaalanında hafif bir rüzgâr çıktı ve sisi ya da pusu parçalayıp dağıtmaya başladı ama gümrükçünün umurunda bile değildi bu elbette.

Adam ekranda beliren sözcükleri okurken dalgın bir tavırla boynundaki gümüş zincirle oynuyordu. Zincirin ucunda dört üçgenli bir pandantif sallanıyordu. Gümrükçü onun yüzüne bir kez daha baktı ve sonra önündeki bilgisayarın ekranına şunu yazdı: Reilly'yi bul. Onun Roma'da kimlerle temas ettiğini öğren. Yakında yetkililer de onu aramaya başlayacaklar. Onu öldürmeden önce ne bildiğini, kimlerle konuştuğunu öğren.

Bölüm Üç

1

Roma
Saat 13.00

Lang uzun ve rahat bir uykudan sonra uyandığında kendini çok daha iyi hissetti, eski yorgunluğu tamamen yok olmuştu. Dışarıda trafik uğultusu da kaybolmuş gibiydi. Saatine bakınca sessizliğin nedenini anladı. Öğleden sonra saat birde dükkânlar, müzeler ve hatta kiliseler bile kapılarını üç saat için kaparlardı.

Lang yataktan indi ve kapının kilidini açtı. Boş koridora çıktı ve bütün müşterilere açık olan ortak banyonun kapısını vurdu. İçerden ses gelmeyince kapıyı açıp banyoya girdi, tahmin ettiği gibi pislik içindeydi burası. Çatlak lavaboda yüzünü yıkadı, tuvalet ihtiyacını giderdi ve sonra pansiyondan çıktı.

Kapı eşiğinde biraz durdu ve küçük meydanı kontrol etti, etrafta onunla ilgilenir gibi görünen hiç kimse yoktu, ilerde küçük çocuklar bağrışarak küçük bir topla futbol oynuyorlardı. Siyahlar giymiş birkaç yaşlı kadın bir manavın önünde sebzeleri karıştırıyorlardı. Karşı taraftaki meyhanenin önünde, birkaç masaya oturmuş yaşlı adamlar kahve ya da meyve suyu içerek etrafı seyrediyorlardı. Bu çocuklarla yaşlı adamların arasında olan orta yaşlılar ise işlerine gitmeden önce evlerinde yemek yiyor olmalıydılar.

Meydanın karşı tarafına geçmek için yürürken, pansiyonun yanında bulunan, yıllar önce spagetti yediği ama beğenmediği lokantada birkaç müşteri olduğunu gördü.

Lang yürürken çok geçmeden bir sürü kedi toplandı etrafına. İtalya'da sokak kedisinden bol bir şey yoktu aslında, onları her yerde görebilirdiniz. Ama bu hayvanların hepsi de iyi beslenmiş ve sağlıklı görünüyorlardı. Lang etrafta fazla fare görünmemesinin nedenini şimdi anlıyordu. Meydanlarda ve sokaklarda bolca bulunan yalaklı çeşmeler de sokak kedilerinin ve köpeklerinin susuz kalmalarını engelliyor olmalıydı.

Etrafta kedilerden sonra en çok görünenler ise, zorla gül satmaya çalışan, fal bakmak isteyen ya da sokak ortasına bebeklerini emziren siyah saçlı çingene kadınlarıydı. Bunlar kendilerinden çiçek almayanlara ya da fal baktırmayanlara da rahatça küfür ederlerdi. Romalılara sorarsanız, size çingenelerin gerçek geçim kaynağının yankesicilik ve hırsızlık olduğunu söylerlerdi. Lang bunu hatırlayınca arka cebinde duran cüzdanını iç cebine aktardı.

İtalya'da kilisesi, heykeli ya da çeşmesi olmayan meydan bulmak kolay değildi. Her mahallenin de kendine göre bir kokusu var gibiydi. Bir yerden geçerken en çok kahve kokusu duyulurdu ama açık hava pazarlarının sebze meyve kokuları da hiç eksik olmazdı.

Biraz yürüdükten sonra taze ekmek kokusu duyarak yavaşladı. Karnı açtı ve uçakta verdikleri berbat şeyden beri bir şey yememişti. Sağa saparak daracık bir sokağa girdi, yanından hızla geçen bir Japon motosikletinden zor sıyrıldı ve Piazza San Apollonia'daki Osteria den Berlli adlı restorana geldi. Bu restoran deniz ürünleriyle ünlüydü ve onun yine hatırladığı kadar iyi olmasını umut ediyordu.

Lang restoranda sarımsaklı deniz ürünleri yedi ve çok beğendi. Çok güzel bir yemek yemiş, orada bir saat kadar kalıp dinlenmişti. Restorandan çıkıp kuzeye doğru yürümeye başladı ve bir süre sonra Vatikan'a giden ve trafiği yoğun olan Via Della Concilazone'ye, geldi. Nisan ayında olmalarına ve henüz turist akını başlamamış olmasına rağmen kaldırımlar insan almıyordu. Bazı dükkânların vitrinlerinde dinsel süsler, kolyeler, küçük Papa büstleri ve ucuz haçlar gibi şeyler sergileniyordu. Lang buralarda küre içinde St. Peter Baziliği bile görebileceğini sanıyordu.

Lang Atlanta'dan ayrılmadan önce Miles'ı bir kez daha aramış ve Roma'da eski arkadaşlardan kimse kalıp kalmadığını sormuştu ona.

Miles biraz tedirgin olmuş ve ona, "Roma'ya tatil yapmaya gidiyorsun ve bu arada eski dostları da görmek istiyorsun, değil mi?" diye sormuştu. "Kız kardeşinin ölümü ya da termit yangınıyla ilgisi yok bu gidişinin, değil mi?"

"Çok kuşkucu bir adamsın, Miles."

"Kuşkucu olmak işimizin bir parçası, bilirsin. Roma'daki teşkilat elemanlarının kim olduğunu sana söylersem canıma okurlar benim. Belki de vurulurum."

Lang ona, "Artık böyle şeyler yapılmıyor dostum," demişti. "Sadece emekli maaşını filan kesiyorlar, hepsi o kadar."

"Yıllarca çalıştıktan sonra emekli maaşının kesilmesi aslında vurulmaktan da beterdir ama."

"Dinle beni dostum, ben sana Roma'daki ajanın kim olduğunu sormadım ki, Roma'da tanıdık arkadaş olup olmadığını sordum sadece."

"Tipik avukat şaşırtmacası, değil mi, Lang? Bunu neden öğrenmek istiyorsun peki?"

"Vatikan'ı ziyaret etmeyi düşünüyorum da, teşkilattaki arkadaşlar bu konuda bana yardımcı olurlar belki dedim."

Miles'ın, onun bu yalanına inanması mümkün değildi elbette. "Hani şu Papa'nın yaşadığı Vatikan mı demek istiyorsun yani? Adının azizler arasına yazılmasını mı isteyeceksin yoksa?"

"Miles, sen hep böyle kuşku içinde yaşamaya devam edemezsin dostum, bu kuşkuculuk öldürür seni. Ben sadece sanat tarihiyle ilgilenen rahiplerden biriyle görüşmek istiyordum."

Lang onun homurtusunu hattın diğer ucundan bile rahatça duymuştu. "Elbette, ben de Sharon Stone ile birlikte ıssız bir adada kalsaydım onunla sadece bilimsel konularda konuşurdum, değil mi?"

Lang rolünü mükemmel oynamış ve derin bir iç çektikten sonra ona, "Miles, Miles, ben çok ciddiyim, dostum," demişti. "Dinsel sanatla ilgili olarak büyük bir servet harcayacak bir müvekkilim var. Bu konuda en büyük uzmanlar da Vatikan'da bulunuyor. Sana neden yalan söyleyeyim ki?"

"Karım gömleğimin yakasında ruj lekesi bulsa ben de senin gibi bir yalan uzmanı olurdum Lang. Pekâlâ, sana bu konuda bazı şeyler söyleyebilirim ama Roma'daki ajanların adlarını açıkça veremem. Sadece bir süre önce Gurt Fuchs'un Roma büyükelçiliğine ticaret ataşesi yardımcısı olarak atandığını duydum."

Lang bunu öğrenir öğrenmez kapamıştı telefonu, şu anda Miles'a teşekkür edip etmediğini bile hatırlamıyordu. Gurtude Fuchs adı ona her şeyi unutturmuştu.

Lang çalışma hayatına başladığında önce Teşkilat ajanı olarak görev yapmıştı. İstihbarat ajanlarının çoğu gibi ilk eğitimini Williamsburg, Virginia yakınlarındaki Camp Perry'de aldı. Teşkilat mensuplarının Çiftlik adını verdiği eğitim merkezinde, şifreleme ve çözme, gözetleme ve ateşli silahlardan bıçaklara ve adam boğmaya, zehirlemeye kadar her türlü öldürme yöntemini öğrendi. İlk görevi olarak Frankfurt tren istasyonu yakınındaki Üçüncü Direktörlükte, İstihbaratta çalışmaya başladı. Orada silah kullanmak yerine, bilgisayarlar, uydu fotoğrafları, Orta Avrupa gazeteleri ve benzeri donanımları kullanmasını, onlardan bilgi sağlamayı öğrendi.

Lang 1989'da teşkilatta parlak bir geleceği olacağı konusunda kuşkuya düştü ve önceliklerini değiştirmeye karar verdi. Arapça ve Farsça öğrenip çok sıcak iklimli başka yerlere atandığı zaman Frankfurt garını gören sıkışık büroyu bile özlemeye başladı. Yeni evlendiği karısı Dawn da o zaman çeyizine uzun entariler katmak zorunda kalmıştı.

Lang orada daha fazla dayanamadı ve emeklilik haklarını alarak teşkilattan ayrıldı, hukuk fakültesine devam etmeye başladı. Bir Doğu Alman mültecisi olan Gurt birkaç dil bilen bir Demokratik Alman Cumhuriyeti uzmanıydı ve o da teşkilatın Üçüncü Direktörlüğüne atanmıştı.

Gurt ve Lang bir süre sonra, bir hafta sonu tatili için kayak merkezi Garmish – Partenkirchen'e gittiler. Gurt Post Otelini, Bavarya yemeklerini ve Zugspitze yamaçlarını hep hatırlardı. Ama aralarındaki ilişkiye rağmen Lang birkaç ay sonra kısa bir görev için Amerika'ya gittiğinde Dawn ile tanıştı ve âşık oldu ona.

Gurt olanları öğrenince çok fazla üzülmedi ve mesele yapmadı bunu. Ondan sonra da arkadaş olarak kaldılar. Görevleri gereği birkaç kez Frankfurt'ta birbirlerini gördüler, birlikte bir şeyler içtiler, bir kez Lizbon'da birlikte yemek yediler ve bu arkadaşlık ilişkisi Lang teşkilattan ayrılana kadar sürdü. Gurt'un terfi zamanı gelmişti ama bazı yetkililerin kıskançlığı bunu geciktirdi. Gurt sadece mükemmel bir yabancı diller uzmanı değil, aynı zamanda bir bilgisayar, kripto uzmanı ve çok iyi bir nişancı, harika bir atıcıydı.

İlişkileri bittiği zaman Gurt'un bunu fazla ciddiye almaması ve üzülmemesi de çok iyi olmuştu elbette.

Lang Saint Peter'e birkaç blok yaklaştığında ve kuzey yönünde Michelangelo'nun yüksek kubbesini görünce, etrafına bakınarak bir sokak telefonu aradı. İtalya'da sokak telefonları boldu ve bu konuda zorluk çekmeyeceğinden emindi. Ama bazen bu bol telefonlardan çoğu da çalışmazdı, o da ayrı bir konuydu. Telefon etmek için şehrin bu bölgesini seçmesinin bir nedeni vardı; burada sokak telefonları bol ve telefon eden de çok olduğu için, yapılan bir iki dakikalık kısa konuşmaları izlemek zordu.

Büyükelçiliğin numarasını tuşladı ve sistemdeki aktarmaların çıkardığı özel tıkırtı ve sesleri sabırla bekledi. Kısa bir süre sonra telefona İtalyanca cevap veren sese, ticaret ateşeliğinden Bayan Fuchs ile görüşmek istediğini söyledi.

Hattın diğer ucundaki ses hemen İngilizceye döndü ve "Ona kimin aradığını söyleyebilir miyim efendim?" diye sordu.

"Evet, ona Lang Reilly'nin Roma'da olduğunu ve onu yemeğe davet ettiğini söyleyin."

Birkaç saniye sonra hattın diğer ucunda, "Lang!" diye bağıran Gurt'un sesi duyuldu. Sesinin tonundan onun sesini duyduğuna çok sevinmiş olduğu hemen belli oluyordu. "Ne işin var senin Roma'da?"

"Ne işim olacak, seni görmeye geldim işte!"

Hattın diğer ucundan genç kadının çocuk gibi kıkırdadığı duyuldu. "Hâlâ eskisi gibi numaracısın, değil mi Lang?" Lang onun bir kaşını kaldırıp düşündüğünü görür gibi oldu. "Pekâlâ, beni görmeye gelirken karını da getirdin mi bari?"

Lang onunla uzun konuşamayacağının bilincindeydi. Kısaca, "Artık evli değilim, diye kestirip attı. "Akşam yemeği için vaktin var mı?"

"Senin için vakit yaratırım, biliyorsun."

Daha önce Roma'da hiç buluşup görüşmediklerinden, Lang dinleme ihtimali olanları atlatmak için ona şifreli bir yer adı veremiyordu. Ya ikisinin de izlenmeden gidebilecekleri sakin bir yerde, ya da kolayca görülemeyecekleri çok kalabalık bir yerde buluşmalıydılar. Aslında etrafta ne kadar çok tanık olursa o kadar güvende olurlardı.

"Piazza Navona'yı biliyor musun?"

"Elbette, çok ünlü yerlerden biridir ve..."

"Üç Nehir Çeşmesi, saat on sekiz iyi mi?"

"Akşam yemeği için biraz erken değil mi o saat?"

İtalyanların büyük çoğunluğu akşam yemeği için saat dokuzdan önce oturmazlardı masaya. Ama aperatif içmeye çok önceden başladıkları da bilinen bir gerçekti.

"Seni gün ışığında görmek istiyorum Gurt. Sen gündüz vakti daha bir güzel görünürsün."

Lang bunu söyler söylemez, onun cevabını beklemeden telefonu kapadı.

Avukatların çoğu gibi Lang da bürosuna göbek bağını andıran telefon hattıyla bağlanmıştı ve bürosunu uzun süre aramazsa yaşayamayacağını düşünürdü. Bu yolculuğa başladığı günden beri bir türlü vakit bulup uluslararası bir telefon kartı satın alamamıştı ve bu yüzden kıtalararası telefon santralinde çalışan memurların nazlarını çekmek zorundaydı.

Neyse ki ikinci denemesinde Sara'nın, "Bay Reilly'nin bürosu, buyurun efendim?" diyen sesini duydu. Saatine baktı ve zamanı beş saat geriye alınca Atlanta'da saatin dokuzu birkaç dakika geçe olduğunu anladı.

"Merhaba Sara, benim, Lang. Bana söylemek istediğin bir şey var mı?"

"Lang?" Sara'nın sesi biraz gergin gibiydi. "Bay Chen aradı."

Lang şaşırdı ve kaşlarını çattı, Chen adında bir müvekkili yoktu.... Bir dakika! Birkaç yıl önce Lo Chen adında bir müvekkili olmuştu. Adam Atlanta bölgesindeki bazı suç örgütleriyle işbirliği yapmakla suçlanmıştı. Chen o zaman, avukatının telefonlarının dinleneceğini düşünerek ondan, kendisiyle konuşurken sokak telefonlarını kullanmasını istemişti. Lang da o günlerde onun bu talebi üzerine, onunla konuşurken binanın girişindeki sokak telefonunu kullanmıştı hep.

Sara gerçekten de ağlayacakmış gibi konuşuyordu. "Bay Chen'in numarasını hatırlıyor musun, Lang?"

"Sanmıyorum...."

Sara bir şeyler söyledi ama sanki telefona değil de orada bulunan biriyle konuşuyormuş gibiydi. O sırada hattın diğer ucunda bir erkek sesi duyuldu. "Bay Reilly?"

Lang bürosuyla konuşması kesildiği için birden sinirlendi ve "Sen de kimsin be adam?" diye bağırdı.

Karşıdaki kişi güldü ve "Beni tanımamanıza şaşırdım doğrusu, Bay Reilly," dedi.

Lang birden yüzünü ateş bastığını hisseti. İstemediği bazı şeyler oluyordu galiba.

"Morse?"

"Elbette, benim ya, Bay Reilly. Ee, nerelerdesin sen bakalım?"

"Senin ne işin var benim büromda?"

"Seni arıyorum, Bay Reilly."

"Bana soracağın başka sorular varsa eve dönünce cevap veririm sana. Şimdi çekil telefonumdan bakalım."

"Peki ama eve ne zaman döneceksin sen?"

Adamın sesinde onu tehdit eder gibi bir ifade vardı. Sanki, "Bana bak, hemen buraya dönmezsen sana dünyayı dar etmek için elimden gelen her şeyi yaparım," der gibiydi.

"Ne yani, oraya geldiğimde beni bandoyla mı karşılayacağını söylüyorsun yoksa?"

Adam bir süre sessiz kaldı ama bu sessizlik hiç de hayra alamet gibi görünmüyordu. O sırada telefonu tekrar Sara aldı ve "Seni tutuklamaya geldiler buraya, Lang!" dedi.

"Tutuklamak mı? Telefonu Morse'a versene sen."

Dedektif telefonu alınca Lang öfkeyle bağırdı. "Nedir bu saçmalık? Senin araştırmanı engellediğimi nasıl kanıtlarsın ki?"

Aslında Fulton İlçesi savcılığının suçlama ve hüküm oranına bakılırsa, dedektifin mahkeme jürisini ikna edecek bir kanıt göstermesi mümkün değildi. Ama Dedektif Morse yine güldü ve "Kanıt bulmak benim görevim değil Bay Reilly," diye konuştu. "Benim görevim zanlıları tutuklamaktır. Elimde senin adına çıkarılmış bir tutuklama emri var, cinayetle suçlanıyorsun, bu da seni şaşırtmamalı. Dün öğle saatlerinde nerdeydin bakalım?"

Lang içinden, "Kimlik kartı olarak kullandığım geçersiz, sahte bir pasaportla Dallas yolundaydım," diye söylendi. Ama Lang Reilly'nin o uçakta olduğunu kimse kanıtlayamazdı.

"Cinayet suçlaması mı? Kim öldürülmüş, kim öldürmüş peki?"

"Richard Halvorson adında biri öldürülmüş."

"Kimmiş bu adam?"

"Kimdi diye sormalısın. Şu senin yaşadığın gökdelenin kapıcısıydı bu adam."

Lang kapıcı Richard'ın soyadını bilmiyordu. "Saçmalık bu! Bir kapıcıyı neden öldüreyim ki?"

"Bunu ben bilemem. Belki arabanı garajdan yeterince hızlı çıkarmamıştır." Morse biraz düşündü ve sonra, "Dün nerde olduğunu henüz söylemedin bana," diye ekledi.

Lang, "Ben o adamı tanınmazdım bile," diye bağırdı.

"Tam aksine, onu iyi tanıyor olmalısın, köpeğini ona bırakmışsın ve adam senin çekmecendeki Browning gibi bir tabancayla vurulmuş."

Lang elindeki ahizeyi fırlatıp oradan kaçmamak için zor tuttu kendini. Ama kendini bu saçma suçlama karşısında iyi savunması için neler olduğunu daha iyi öğrenmeliydi. "Yatak odama girip araştırma yaptığına göre elinde bir arama izni vardı herhalde, değil mi?"

"Elbette, hem de çok yasal bir izindi. Şarjörde parmak izlerin de vardı. Silah kısa süre önce ateşlenmiş ama balistik raporunu ancak yarın alabileceğiz. Fakat ben adamın o silahla öldürüldüğüne yemin edebilirim. Söyleyecek bir şeyin varsa buraya dön ve söyle. Meseleyi FBI ele alırsa onlardan kaçamazsın, biliyorsun bunu."

Lang telefonu hemen kapayarak bu saçmalığa bir son verebileceğini biliyordu ama bunu henüz yapamazdı. "Köpeğimi Richard'a mı bırakmışım ben?" diye sordu.

Sara da konuşulanların en azından bir kısmını duyuyor olmalıydı ki birden ahizeyi aldı ve "O bende Lang, sen sakın..." diye bağırdı ama başka bir şey söyleyemedi.

Lang bunu duyunca biraz rahatladı ve telefonu hemen kapadı. Adamlar bunu da yapmışlardı işte – Lang'ın doldurup çekmeceye bıraktığı tabancayı alıp Richard'ı onunla öldürmüşler ve sonra silahı yine eski yerine bırakmışlardı. Şimdi dünyanın bütün polisleri onun peşine düşeceklerdi.

Lang telefonda oldukça uzun süre konuşmuştu, izini bulmuş olabilirler miydi acaba? Bilgisayarlar şimdi bu telefon izleme konusunda çok hızlı çalışabiliyorlardı. Fakat kıtalararası telefonlarda uyduların kullanılması söz konusuydu ve her telefona hemen bağlantı yapılamıyordu. Bazı durumlarda bilgisayar sadece telefonun kullanıldığı bölgeyi belirleyebiliyordu. Fakat Lang o kadar çok uçuş yapmıştı ki yerini bulmaları o kadar da kolay olamazdı ve ayrıca bazı uçuşlarda sahte pasaport, bazı yerlerde de kredi kartını ve gerçek adını kullanmıştı. Hatta nakit para kullandığı da olmuştu ki bu bile dikkat çekmiş olabilirdi.

2

Dedektif Franklin Morse daha önce de dikkatle gözden geçirdiği iki sayfalık faks mesajını bir kez daha okudu. Bilgiler pek açık sayılmazdı ama bir Miami – Roma uçak biletinin kâğıttaki kopyası net olarak görülüyordu. Biletteki yolcu ismi Langford Reilly idi. Biraz kumlu olan fotoğraf da net sayılırdı.

Resimde Reilly bir havaalanında, pasaport kontrol ya da gümrük memurunun önünden geçer gibi görünüyordu. Reilly Roma'ya gittiyse bu fotoğraf da onu havaalanında gösteriyordu ve Morse ile yarım saat önce konuştuğunda da hâlâ Roma da olması büyük ihtimaldi.

Fakat iki kâğıt parçası onun kafasını karıştırıyordu. Bunlar East Poncede Leon'daki Atlanta Belediye Binasında sadece dedektiflerin kullandığı makineden çıkmışlardı. Bu bir devlet sırrı değildi ama tam olarak her yere yayınlanmış bir bilgi de olamazdı. Sayfaların tepesindeki numaralar, bunların Roma'daki halka açık bir faks makinesinden gönderildiğini gösteriyordu.

Pekâlâ, o halde Lang Reilly Roma'daydı ve birileri de Morse'un bunu bilmesini istemişti. Peki, ama bunu kim ve neden yapmış olabilirdi?

Bir tutuklama emrinin çıkarılması herkes tarafından hemen öğrenilen bir bilgi değildi. Morse avukatın kulağına gitmemesi için bunu çok gizli yapmıştı. Yani o zaman onun ülkeden kaçtığını zaten bilmiyordu. Her şeye rağmen bu faks mesajını gönderen kişi ya da kişiler Lang için bir tutuklama emri çıkarıldığını medyadan öğrenmiş olamazlardı.

O halde poliste bu faks mesajını gönderenlerin adamı olmalıydı. Morse birden sinirlendi ve kalabalık salonda kuşkulu gözlerle çevresine bakındı. Belediye polisinin merkezinde herkes işinde gücündeydi, kadın ve erkek polisler ellerinde dosyalarla sağa sola gidip eliyorlar, bilgisayarlar durmadan çalışıyordu.

Burada güvenliğin çok sıkı olduğunu kimse söyleyemezdi elbette. Atlanta polisinin Langford Reilly adındaki avukatı aradığını bu büroda herkes biliyordu ve bu haber dışarıya da rahatlıkla sızmış olabilirdi.

Morse bu bilginin dışarıya sızmış olabileceğini kabul ediyordu ama eski ve deneyimli bir polis olduğu için isimsiz ihbarlara da hiç değer vermezdi. Bir suçlu hakkında uyarı yapanlar vatandaşlık duygusundan ziyade tanınmak arzusuyla yapardı bunu. Bazen de bir suçlunun yakalanması için polise yardımcı olanlar, bunu o adamdan intikam almak, ondan kurtulmak için yaparlardı. Polise bilgi verenlerin çoğu bunun karşılığında para ya da bir iyilik isterlerdi.

Fakat Morse'a göre bu olayda bunlardan hiçbiri geçerli değildi. Buradaki tutuklama emri bilgisi Roma'ya kadar gitmiş olamazdı. Hayır, bu olayda şimdiye kadar hiç aklına gelmeyen bir takım bilinmeyenler söz konusu olacaktı.

Peki, ama ne olabilirdi bunlar?

Morse koltuğunu masasından geriye doğru itti, canı sıkılıyordu. Ortada bilinmeyen birtakım şeyler oluyordu ama bunları düşünerek çözmesi mümkün değildi. Birisi ona cinayetten aranan bir adamın Roma'da olduğunu haber vermişti. Kurallara göre durumu FBI'a bildirmesi gerekiyordu, onlar da zanlının bulunduğu ülke polisiyle temasa geçecek, o adamın yakalanarak Amerika'ya teslim edilmesini isteyecekti. Zanlının kaçtığı ülkede savaş ya da olağandışı bir hal yaşanmadığı takdirde, o ülke polisi de hemen kaçağın peşine düşecek, zanlının adı arananlar listesine konacaktı.

Yabancı ülkeye kaçan bir zanlının yakalanıp suçu işlediği ülkeye iade edilmesi her zaman mümkün olmayabiliyordu. Ama kaçaklar çoğu zaman ya arandıkları ülkede de bir suç işleyip orada hapse atılıyorlar, ya da bir havaalanı ya da tren istasyonunda yakalanıyorlardı.

Morse FBI'a mesaj göndermek için muhabere odasına giderken Lang'ın yakalanması konusunda pek iyimser değildi. Reilly aslında adam öldürecek bir tipe de benzemiyordu ama yine de kapıcıyı öldürmüş olabilirdi. O adamı balkonundan aşağı atıp öldürmüştü ve kapıcı da onun bunu neden yaptığını bildiği için öldürmüş olabilirdi.

Dedektif masasına döndüğünde hâlâ düşünüyordu. Kafasını kurcalayan en büyük soru, o adamların yaptığı ihbardı, Lang'ın Roma'da olduğunu Atlanta polisine neden bildirmişlerdi acaba? Adamlar hiç kuşkusuz Lang'ın yakalanmasını istiyorlardı ama bunun nedeni neydi?

Morse koltuğuna yaslandı ve gözlerini yere dikerek derin düşüncelere daldı. Ama bu işe nerden başlaması gerektiğini bilemiyordu. Adam bir avukattı ve onu hapiste görmek isteyen bazı güçlü kişiler olabilirdi. Mahkeme kayıtlarını inceleyerek, Lang'ın kazanması gerekirken kaybettiği davalar olup olmadığını araştırabilirdi.

Ama hayır, bu saçmalık olurdu. İçinden bir ses Lang'ın askerlik kayıtlarını araştırmasının daha doğru olacağını söylüyordu. Adamın askerlik yaşamında bazı bilinmeyenler olabilirdi. Lang ona Donanma SEAL ekibinde görev yaptığını söylemişti. Küçük ve çok güçlü bir ekipti SEAL. Avukat Bay Langford Reilly ülkesine hizmet ederken kimin ya da kimlerin canını sıkmıştı acaba? Morse etrafına bakındı ve silahlı kuvvetlerdeki özel timlerin kayıtları ve telefonlarının kimde olabileceğini düşündü.

3

Lang Piazza Navona'ya erken gitti ve etrafı iyice gözden geçirdi, kendisine bir tuzak kurulduysa bunu en azından hissedebileceğini sanıyordu. Lang'a göre bu meydan, güzellikler ve tarihi eserlerle dolu olan bu şehrin en güzel ve en çok tarih kokan yerlerinden biriydi. Uzun oval şekli eskiden burada bulunan Diocletian stadyumunu hatırlatıyordu insanlara. Romanesk, Gotik ve Barok mimari tarzı her yerde görülüyordu. Ortada Bernini'nin Üç Nehir adlı en büyük mermer çeşmeleri vardı. Burası ayrıca turistlerin, sanatçıların ve yerli halkın en kolay ulaştığı ve sevdiği meydandı.

Lang bir tavernanın dışındaki boş masalardan birine oturdu, birinin bıraktığı bir gazeteyi aldı ve yüzüne doğru kaldırarak, onun üzerinden, fotoğraf çeken turistleri, tablo satan ressamları ve insanlardan bahşiş bekleyen oyuncu çocukları seyretmeye başladı. Orada onu gören yabancılar, sadece kahve içerek dinlenen bir İtalyan sanacaklardı.

Güzel Gurt'u görmemek mümkün değildi. Bir seksene yakın uzun boyu, çıplak omuzlarını örten bal rengi saçlarıyla bütün erkeklerin gözlerini üzerinde topluyordu. Uzun, güzel bacaklarıyla yaklaşırken akşam güneşini yansıtan güneş gözlükleriyle çevreyi tarıyor, Lang'ı arıyordu.

Genç kadın biraz daha yaklaşınca, Lang onun uzun güzel yüzünün, köşeli çenesinin ve çıkık elmacık kemiklerinin yaklaşık on yıldan beri hemen hiç değişmemiş olduğunu görüp sevindi. Gurt'un öyle bir havası vardı ki en cesur ve çapkın erkekler bile kolay yaklaşamazdı ona. Belki de ülkesinin erkeklerindeki kibirden birazı ona da bulaşmıştı.

Lang onu Alman turizm afişlerindeki mankenlere benzetti. Gurt biraz daha yaklaşınca güneş gözlüklerini hafifçe indirerek mavi gözlerini onun gözlerine dikti, uzun süre kımıldamadan baktı. Lang'ın ilk hareketi yapmasını bekler gibi bir hali vardı.

Lang üzerindeki şaşkınlığı atarak oturduğu yerden kalktı ve ona doğru giderken aptalca bir sırıtışla yüzüne baktı. Sonra hafifçe eğildi ve onu yanağından öptü.

"Harika görünüyorsun, Gurt."

Genç kadın da onun yanağını öptü ve hafif bir gülümsemeyle, "Öyle diyorlar," dedi.

Gurt'un sol elini tuttu ve parmağında alyans olmadığını görünce birden heyecanlandı, elinden hafifçe çekerek onu masasına götürdü. Henüz boşalmamış olan kahve fincanı ve bir başkasından kalmış olan gazete masada durduğu için kimse oturmamıştı oraya. Gurt erkeklerin bakışları altında muhteşem bir hareketle masaya oturdu ve büyük çantasından çıkardığı Marlboro paketini masanın üstüne koydu.

Lang, "Demek hâlâ sigara içiyorsun, öyle mi?" diye sordu.

Gurt paketten bir sigara çekip dudakları arasına sıkıştırdı, kibritle yaktı ve "Nasıl içmeyeyim ki?" dedi. "Sizin sigara şirketleri Amerika'da yapamadıkları reklâmları burada yaparak beyin yıkıyorlar."

"Tam olarak doğru değil bu. Avrupa'da da pek çok ülke sigara reklâmlarını yasakladı. Sigara sağlığına zararlı Gurt, çok iyi biliyorsun bunu."

Gurt sigarasından derin bir nefes çekerek dumanı burnundan çıkardı ve güldü. "Benim bildiğim, seni son gördüğümde yaptığın işler de sağlığa zararlıydı, öyle değil mi?"

Lang da güldü. "Üçüncü Direktörlük, İstihbarat mı? En büyük risk de şu bizim kötü restoranın yemeklerinden zehirlenme riskiydi, değil mi?

"Ya da bir kızı sıcak şey gibi bırakmak... ne gibiydi o? Lahana mıydı?"

"Patates."

"Evet, sıcak patates gibi bırakmak deniyordu ona." Gurt mavi gözlerinin onun yüzüne dikerek uzun uzun bakınca Lang gözlerini kaçırmak zorunda kaldı.

"Keşke buna pişman olduğumu söyleyebilseydim Gurt. Ama o zaman Dawn'a gerçekten âşık olmuştum."

"Ya ben, bana âşık değil miydin yani?"

"Sana karşı müthiş, önüne geçilmez bir arzu vardı içimde."

Gurt garsonun gelip sipariş almasını bekledi ve sonra, "Eğer büyükelçilikte çalışanlar benim hiç kuşkusuz bir şeyler isteyecek olan eski bir istihbaratçıyla buluştuğumu öğrenirlerse mahvolurum," dedi.

Garson biraz sonra onların siparişi olan iki kadeh kırmızı şarabı getirip masaya bıraktı ve çekildi. O sırada bir Japon turist grubu başlarında rehberleri olduğu halde konuşup gülüşerek kaldırımdan geçtiler. Bir kısmı geride kaldı ve Bernini çeşmesinin fotoğraflarını çektiler.

Gurt kadehinin yarısını içtikten sonra daha fazla dayanamadı ve "Boşandınız mı yoksa?" diye sordu.

."Hayır, boşanmadık."

Lang onun meraklı bir ifadeyle yüzüne baktığını görünce Dawn'ın hastalığını anlattı ve ölümünden söz ederken yeniden acı çektiğini gizleyemedi. Bazen erkek olmak, erkeklik göstermek de kolay olmuyordu. Gurt da onun durumunu yüzündeki acı ifadesinden anladı ve dolan gözlerini sildi. Almanlar da duygusal insanlardı. Sabahları kadınları, çocukları öldüren SS subayları, aynı günün akşamı Wagner operası izlerken ağlayabiliyorlardı.

Gurt gözlerini kurularken, "Çok üzüldüm, Lang," dedi. "Gerçekten üzüldüm, başın sağ olsun arkadaşım." Bunu söylerken elini Lang'ın elinin üstüne koydu.

Lang elini çekmedi ve onun yüzüne baktı. "Sen evlenmedin mi, Gurt?"

Genç kadın yüzünü buruşturdu. "Evlenecek adam bulmak kolay mı sanıyorsun sen? İnsan bizim meslekte sadece çılgın adamlarla tanışıyor, aklı başında adam bulmak çok zor."

"Hiç merak etme, hukuk ve ceza sistemi daha da berbat."

"Böyle bir sistem var mı sanki Lang?"

"Özür dilerim, Amerikan hapishane sistemi demem daha doğru olurdu galiba."

Gurt için çekti ve hafifçe gülümsedi. "Her neyse, bırakalım şimdi bunları. Ben evlenmedim diye gelmedin sen buraya herhalde, değil mi? Sanırım benden bir şeyler isteyeceksin."

Lang derin bir iç çekti ve başını hafifçe salladıktan sonra, Janet ve Jeff'in ölümlerini, evindeki hırsızlık ve saldırı olaylarını ayrıntılarıyla anlattı ona.

"Peki, ama senin kız kardeşinle evlatlığını öldüren bu adamlar kim? Bunların nedeni nedir sence?"

"Ben de bunu öğrenmeye çalışıyorum işte."

Bir süre konuşmadan etrafı seyrettiler ve garson boşalan şarap kadehlerini tekrar doldurdu. Garson gidince Lang cebinden Polaroid resmi çıkardı ve masanın üzerinden Gurt'a uzattı. "Bu resim hakkında bir şeyler öğrenebilirsem, bu işin içindeki adamlar konusunda da bir şeyler öğrenebilirim belki, en azından onlara biraz daha yaklaşmış olurum sanıyorum."

Gurt sanki bir şifre çözmeye çalışır gibi, dikkatle inceledi resmi. "Amerikan polisi bu konuda yardımcı olamıyor mu sana peki?"

Lang resmi ondan aldı ve başını iki yana salladı. "Pek sanmıyorum. Ayrıca bu benim kişisel sorunum."

"Teşkilatta uzun süre çalıştın, intikam duygusunun insanı sonunda ölüme götürdüğünü sen de çok iyi bilirsin, değil mi?"

"Ben intikamdan söz ettim mi sana? Sadece bu adamların kimler olduğunu öğrenmek istiyorum. Ondan sonrasını polise bırakabilirim."

Gurt, "Evet, evet, tabii," diyerek başını hafifçe salladı. Ama ona inanmadığı her halinden belliydi.

"Dinle beni, Gurt. İşin aslına bakarsan benim Guiedo Marcenni adında bir keşişle tanışmam gerekiyor, bu adam Vatikan Müzesinde bulunurmuş. Teşkilatın Vatikan'da tanıdıkları mutlaka vardır, değil mi?"

Lang Vatikan'ın kendi istihbarat teşkilatı olduğunu ve bunun da sır olarak gizlendiğini biliyordu. Kilise yönetiminde Papa'nın direktiflerini izlemekle yükümlü olan Curia adlı teşkilatta istihbaratçı olarak görev yapan çok sayıda misyoner, rahip, keşiş ya da başka elemanlar vardı. Bu teşkilat devlet istihbaratı gibi şiddete başvurmaz, cinayet işlemezdi, ama Orta Çağdan beri Roma Katolik kilisesine gösterilen dinsel sadakat, en önemlisi de dinsel itiraf ve ifşaatlar yoluyla pek çok ülke casuslarının öğrenemediği bilgileri elde etmişti.

Gurt paketten bir sigara daha alıp yaktı ve "Peki, ben patronuma nasıl anlatacağım bu konuyu, söyler misin?" diye sordu. "Eski bir teşkilat arkadaşımı bir keşişle tanıştırmak istiyorum diyeceğim ama bunun için nasıl bir neden göstereceğim?"

"Eski ve sevdiğin bir arkadaşına bir iyilik yapmak istediğini söyleyebilirsin elbette. Ben senin eski bir arkadaşınım ve bir avukat olarak, bir müvekkilimin ilgilendiği bir sanat eseri konusunda araştırma yapıyorum, bundan doğal ne olabilir ki?"

"Şey, bunu bir düşüneyim bakalım."

Bir süre konuşmadılar ve sonra Lang onun yüzüne bakarak hafifçe gülümsedi. "Şey, bilmen gereken bir şey daha var, Gurt."

Gurt rujunu tazeliyordu ve başını elindeki küçük aynadan kaldırıp muzip bir ifadeyle ona baktı. "Amerikan polisinin seni aradığını mı söyleyeceksin? Şaşırmış gibi ağzını öyle açık tutma, çirkin görünüyor. Bülteni bu sabah gördüm."

Teşkilatın görevlerinden biri de, yabancı ülke polisleri ve Interpol ile işbirliği yaparak, yurt dışına kaçan Amerikalı zanlıların yakalanıp Amerika'ya iade edilmelerini sağlamaktı. Özellikle FBI bu konuda çok etkiliydi. Lang bunu duyunca midesine aniden bir kramp girer gibi olduğunu hissetti.

"Yani Teşkilat benim durumumu biliyor, öyle mi?"

Genç kadın başını hafifçe çevirip çevreye bir göz attı ve sonra, "Henüz bilmiyorlar," dedi. "Bülten yanlış dosyaya konmuş. Senin durumunu ancak bir iki gün sonra öğrenirler sanıyorum."

"Peki, ama neden....?"

Gurt küçük aynasını çantasına attı ve "Seni uzun zamandan beri tanırım, Lang Reilly," diye konuştu. "Bunca yıl sonra araman meraklandırdı beni. Benden isteyeceğin bir şey olmasaydı beni aramazdın herhalde, diye düşündüm. Sonra Amerika'dan gelen mesajları karıştırdım ve yanlış düşünmediğimi anladım."

Lang şaşırdı. "Evet, ama benim durumumu bildiğin halde üstlerine haber vermezsen başın derde girebilir..."

Gurt yavaşça ayağa kalktı ve hafifçe gerinerek, güzel göğüslerinin onda yaptığı etkiyi görmek ister gibi yüzüne baktı. "Sen benim çok eski bir arkadaşımsın Lang. Senin gibi fazla dostum yok."

Lang kendini tutmayıp sırıttı. "Ülkede aranan bir kaçak olsam da mı?"

"Neden olmasın? Beni aradığın zaman sana yardım etmeye hazır olduğumu hissettim ve senin bir avukat olduğunu da biliyordum."

Lang ayağa kalkıp masanın üzerine para bıraktı ve "Sen taksiye binmeden önce biraz yürüyelim mi, Gurt?" diye sordu.

Gurt ona iyice yaklaştı ve Lang onun sigara kokan nefesini hissetti. "Artık senin ilgilenmeyeceğin kadar yaşlandım mı acaba, Lang?"

Lang şaşırdı. Daha önce onun bu tür koketçe davranışını hiç görmemişti.

"Aslına bakarsan biraz yaşlanmak seni çok daha güzelleştirmiş Gurt. Şarap da eskidikçe daha güzel olur, bilirsin. Seninle ilgilenmemem mümkün mü, ilgilenmek sözcüğü duygularımın yanında çok hafif kalır aslında."

"Güzel, o zaman taksiye beraber binip senin kaldığın yere gidebiliriz."

Lang bir Güneyli olarak, tekliflerin kadınlardan gelmesine pek alışık değildi. Burada da aslında onun Gurt'a iltifat etmesi ve onu baştan çıkarmaya çalışması gerektiğini biliyordu. Gülümseyerek onun elini tuttu ve "O halde bu taraftan, Fraulein," dedi. "Haa, beni cinayetle suçluyorlar, ama ben masumum."

Gurt çantasının kayışını omzuna astı ve "Ben bunu buraya gelmeden önce biliyordum zaten," dedi.

O gece geç bir saatte Lang terleyip üzerindeki örtüyü atarken, Gurt yanında mutlu ve derin uykudaydı. Pansiyona gelip Lang'ın odasına girince hiç beklemeden çılgınlar gibi ve hem de mutluluk kahkahaları atarak sevişmişlerdi. Pansiyoncu onların sesini duyunca Lang'ın pasaportunu neden vermek istemediğini hemen anlamış olacaktı.

Lang cinayet suçlamasından kolay kurtulacağına emindi. Morse onun sahte pasaportunu görüp yaptığı uçak yolculuklarında uçak yolcu listelerini inceledikten sonra onun masum olduğuna inanacaktı. Teşkilat eski bir ajanının sahte pasaport kullandığını duyunca pek memnun olmayacaktı belki, ama onun sorunu şimdi Teşkilat değildi. Şimdi Atlanta'ya dönerek kendini temize çıkarması gerekiyordu, asıl sorunu buydu. Ama şimdilik hazır değildi buna.

4

“Senin Peder Marcenni Vatican’da değil, Lang.”

Lang elindeki pizza dilimini tabağına bıraktı, yutkundu ve “O halde nerdeymiş?” diye sordu.

Gurt o sabah gidip çalışmış ve öğle yemeği için İspanyol Merdivenlerini gören bir noktada, Via del Babulno’da bir açık hava masasında buluşmuşlardı. Merdiven basamakları her zaman olduğu gibi turistler, gençler, öğrenciler ve sanatçılarla doluydu. Bu insanlar bütün gün güneş altında bu basamaklarda oturuyor, sigara içiyor, fotoğraf çekiyor, sohbet ediyorlardı.

Gurt Lang’ın endişesinden zevk alıyor gibiydi. Elindeki çatalla bir parça salata alıp ağzına attı, çiğneyip yuttu ve sonra, “Adam Orvieto’daymış,” dedi. “Orada bazı fresklerin restorasyonuna nezaret ediyormuş.”

Lang biraz bira içti ve düşündü. Orvieto Roma’nın kuzeyinde, Floransa yolu üzerinde bir, en fazla bir buçuk saatlik bir mesafedeydi. Bira bardağını masaya bıraktı ve Gurt’un yüzüne baktı. “Bu günü turist olarak geçirmeye ne dersin?”

Gurt salatasını bitirdi ve bir sigara yaktı. “Olabilir tabii. Ama bu rahip İngilizce bilmiyorsa sana ben tercümanlık yapmak zorunda kalacağım.”

Gurt bir yabancı dil uzmanıydı ve bir İtalyan gibi İtalyanca konuşurdu. Rahip Vatikan’da olsaydı orada tercüman bulmak kolaydı ama küçük bir kasabada bu mümkün değildi.

“Gidiyoruz, değil mi?”

Gurt başını salladı ve masanın üzerinde kül tablası göremeyince sigarasının külünü boşalan salata tabağına silkeledi. “Tamam, gidiyoruz.”

"Oraya arabayla gitsek daha iyi olur. Senin gördüğün uluslararası aranan kişiler bülteni burada polisin elindedir mutlaka. Toplu taşıma araçlarını kontrol ediyorlardır."

Trenler, otobüsler ve uçaklar hiç kuşkusuz dikkatle gözetleniyor olmalıydı. Gurt başını hafifçe yana çevirerek sigara dumanını havaya savurdu. "Bana sorarsan bir motosiklet daha uygun olur. Başına kask giydin mi kimse tanıyamaz seni ve bir motosiklete bineceğini de düşünmezler."

Lang onun yüzüne bakarak sırıttı. "Bunu ben bile düşünemezdim doğrusu. Son zamanlarda motora binenlere baktın mı hiç? Her yaştan erkek ve kadınlar biniyor artık motosiklete, herkes seviyor onları. Ama otoyollarda her yanı açık bir motorla yolculuk yapmak da pek güvenli sayılamaz, değil mi?"

"Bir zamanlar sen de bayılırdın motora binmeye ama. Hatta bir Triumph Bonnevile motorun vardı senin ve ona roket adını takmıştın, unuttun mu yoksa?"

Lang hafif bir kahkaha attı ve "Bu on sene önceydi, hayatım, dedi. "Artık yaşlandım ve de akıllandım sayılır."

Gurt sigarasını söndürdü ve "Ya da sakinleştin," dedi.

"Ben biraz nazik olmak için öyle dedim canım."

O sırada garsonun yanı başlarında durmuş merakla onlara baktığını görünce Lang adama, "Bu bir âşıklar tartışması bayım," diyerek güldü.

Gurt kaşlarını çattı. "Biz âşık değiliz."

"Sen bana hayransın işte!"

"Avucunu yala. Bunu ancak rüyalarında görürsün."

Garson başını iki yana sallayarak onların yanından uzaklaşırken ikisi de adamın arkasından bakıp güldüler. Lang birden ciddileşti ve "İyi eğleniyorduk ama değil mi?" dedi. "Baksana, sen biraz önce bilerek mi söyledin bunu?"

"Âşık olmadığımızı mı?"

"Hayır, motosiklet yolculuğu konusunu."

"Elbette, çok iyi bir gizleme olmaz mı sence de? Senin yaşında ve durumunda bir adamın motosikletle otoyollarda yolculuk yapacağını kimse tahmin edemez."

Lang bir an kendisine hakaret edilmiş olduğundan kuşkulanır gibi oldu. Ama sonra güldü ve başını salladı. "Yani sen şimdi bir motosikletin selesinde, benim arkamda Orvieto'ya kadar gelmeyi kabul mü ediyorsun?" diye sordu.

"Neden olmasın? Temiz hava ikimize de iyi gelecektir."

"Pekâlâ, oldu bu iş. Ama ikimizin de rahatça oturabileceği gibi büyük ve yeni bir motosiklet bulabilecek miyiz bakalım?"

Bölüm Dört

1

Lang bir Ducatti ya da Moto Guzi gibi güzel bir İtalyan motosikleti bulabileceklerini pek sanmıyordu. Bunlar orta halli İtalyanlar için çok pahalıydı ve çoğu da Amerika'ya ihraç ediliyordu. Ama Roma'nın dar sokakları için çok daha uygun olan biraz küçük bir Japon motoru bulabilirlerdi.

Fakat yanılmıştı Lang.

Gurt ertesi sabah onu almaya geldiğinde, altında biraz eski ama çok iyi bakılmış büyük bir BMW 1000 motosiklet vardı. Bu makine aşırı süratiyle değil de daha ziyade emniyetli oluşu, rahat kullanımı ve sessiz motoruyla ün yapmıştı. BMW firması, motosikletlerde çok bakım isteyen titreşimli zincir sistemi yerine, artık motorların çoğunda kullanılan şaft sistemini kullanan ilk üretici olmuştu.

Kaskının arkasından uçuşan uzun sarı saçları olmasa Lang motorun üzerinde kaskı ile onu tanımakta oldukça zorlanacaktı. Böyle koca bir motosikleti de ancak Gurt gibi güçlü bir kadın kullanabilirdi. Lang daha önce motosiklet kullanan bir başka kadın da tanımamıştı zaten.

Lang'ın koca motosiklete hayran bir ifadeyle baktığını gören Gurt gülerek, "Nasıl, beğendin mi?" diye sordu.

"Böyle bir makineyle yolculuk zevk olmalı. Üzerindekinin benzeri bir başka deri takımın olamaz, değil mi?"

Avrupa otoyollarında motosikletle yolculuk yapan Avrupalılar, Amerikalılar gibi blucin takımlar değil de, renkli ve iki parçalı deri kıyafetler giyerlerdi. Lang motorun üzerinde deri kıyafet giymediği takdirde dikkat çekebilirdi.

Gurt ona motorun selesi arkasına takılı büyük bagaj kutusunu gösterdi. "Orada bir şeyler var, bir bak bakalım. Selenin altında asılı bir de kask var senin için."

Lang motorun bagajından deri kıyafeti alırken, "Bu koca motoru ve deri kıyafetleri kimden ve nasıl aldın bilemiyorum doğrusu," dedi. "Ama bunu sormayacağım sana."

Gurt güldü. "Neden başkasından alayım ki? Bunların hepsi benim."

Lang başka erkeklerin de giymiş olabileceği deri pantolonu bacaklarına geçirirken, içinde bir kıskançlık duygusu hissetmekten alamadı kendini. "O halde motoru sen kullanmak isteyeceksin herhalde, değil mi?"

"Ve seni bir kadının arkasında oturmak zorunda mı bırakacağım yani? Bu senin ağrına gitmez mi?"

"Gidebilir elbette."

Lang deri pantolonun üzerine tam oturduğunu görünce şaşırdı. Deri ceket biraz bol gibiydi ama fermuarı kapanınca o da tam olacaktı bedenine. Bir vitrin camında kendine bakınca tam bir Avrupalı motorcu gibi durduğunu gördü.

Fakat birden ayaklarındaki normal ayakkabıları hatırladı Lang. "Lanet olsun! Motor çizmeleri!"

Gurt gülümsedi. "Ne yazık ki bende fazla çizme yok."

"Pansiyonda çizme değil ama ona benzer botlarım var benim."

Dar sokaklardan geçerek geriye, pansiyona döndüler, bu aynı zamanda Lang için bir motor kullanma eğitimi gibi oldu. Fakat şehrin dar yollarında sürat yapılamadığı için motorda denge bulmak daha da zor oluyor ve Lang bu nedenle bir an önce otoyola çıkarak sürat yapmak istiyordu.

Lang'ın Cole Haan botları da aslında bir motosiklet için tam olarak uygun sayılmazdı ama yine de normal ayakkabıdan daha iyi görünüyordu. Bir süre sonra Tiber nehrinin köprüsünden geçerek doğuya döndüler ve çok geçmeden otoyola çıktılar.

2

Yaşlı pansiyoncu perde arkasından Lang'ın giriş çıkışını ve kapıdaki motosikletle kadını görmüş, ne garip insanlar şu Almanlar, diye düşünmüştü. Adam sevgilisiyle sevişmek için bu küçük pansiyonda ucuz bir oda kiralıyor, ama fiyatı bir İtalyan işçinin iki üç maaşı kadar olan pahalı bir BMW motor kullanıyordu. Bu pahalı motosikleti nerde tutuyordu bu adam acaba? Pansiyona bu motorla gelmemişti adam. O kadınla birlikte her zaman motor yolculuğu yaptıkları açıktı. İkisinin de üzerinde benzer deri motor kıyafetleri vardı ve adamın karısı bunları öğrenmek için herhalde iyi para verirdi insana.

Adamın kimliğini ve adresini öğrense çok iyi olurdu, odasında belki bazı belgeler bulabilirdi... Ama çok dikkatli olmalıydı. Banyonun yanındaki odada kalan bu adamın tavrından, bakışlarından gerektiği zaman tehlikeli olabileceği belli oluyordu, bu tür adamları kızdırmak hiç de iyi olmazdı.

O sırada dış kapının vurulduğunu duydu yaşlı pansiyoncu ama acele etmesine hiç gerek yoktu o anda. Üç odası da doluydu ve kapıdakiler biraz bekleseler de olurdu. Ama kapı birkaç kez ve daha kuvvetli vurulunca koşar adım kapıya gitti ve açtı.

Kapının önünde duran adamın üzerinde bir işçi tulumu vardı; bir musluk tamircisi ya da kamyon şoförü olabilirdi, yani oda kiralamak için gelmediği belliydi.

"Si?"

İşçi tulumlu adam onu iterek içeri girdi, kapıyı kapadı ve sonra elindeki fotoğrafı gösterdi yaşlı pansiyoncuya. Resimdeki adam üst katta kalan Alman'dı.

Yabancı adam, "Bu Amerikalıyı tanıyor musun?" diye sordu. Adamın aksanından Romalı olmadığı hemen belli oluyordu, belki İtalyan bile değildi.

Yaşlı adam birden sinirlendi ve "Burası turizm bürosu mu bayım?" diye söylendi. Her şey gibi bilgi de bedava satılamazdı, onun da bir değeri vardı elbette. Belki de bu adam Almanın karısı tarafından tutulmuş bir hafiyeydi. "Git sorularını başka yerde sor, eğer polissen o zaman da kimliğini göreyim."

Adam elini tulumun göğsünden içeri soktu ve bir tabanca çıkarıp yaşlı pansiyoncunun şakağına dayayıverdi.

"İşte sana kimlik, sersem moruk! Beynini parçalamadan önce bir kez daha soruyorum sana, bu Amerikalıyı tanıyor musun, çabuk söyle?"

Yaşlı adam korkudan titremeye başladı. Bu tür sahneleri polis filmlerinde çok görmüştü ama kendisi hiç yaşamamıştı. Bu saldırgan da bir Amerikalı, hatta dili katlettiğine bakılırda bir Sicilyalı bile olabilirdi. Her ne olursa olsun, bir müşteri için canını tehlikeye atacak hali yoktu herhalde. Bu adam ona bir zarar vermeden çekip giderse Tanrı'ya uzun süre dua edecekti.

Yaşlı pansiyoncu başını salladı ve "Ben onun bir Alman olduğunu sanıyordum," dedi.

İşçi tulumu giymiş olan adam iyice sinirlendi ve "Senin ne sandığın umurumda değil be ihtiyar!" diye bağırdı. "Burada mı bu adam?"

Yaşlı adam birden donunun ıslandığını ve çişinin paçasından aşağı süzüldüğünü hissetti. Tabancalı adamın bunu görmemesini umut etti. Bu korkunç adamın kendisine zarar vermeden gitmesi için her şeyi yapmaya razıydı.

"Buradaydı ama sen gelmeden biraz önce gitti, yanında da bir kadın vardı."

Adam tabancasını işçi tulumunun içine sokunca yaşlı pansiyoncu birden rahatladı.

"Motorla giden şu çift onlar mıydı yani?"

"Evet, evet efendim. Onlardı ve Floransa yoluna doğru gittiler."

Yabancı adam kuşkulu gözlerle baktı ona. "Bunu nerden biliyorsun sen?"

Yaşlı adam konuşamayacak kadar korkuyordu bu adamdan, buradan bir an önce çıkıp gitmesi için ne yapması gerektiğini bilemiyordu.

"Kadının elindeki haritada sadece Roma'nın Floransa yollarını gösteren kuzey bölümü vardı."

Adam ona yine kuşkulu bir ifadeyle baktı. "Senin yaşındaki bir adam için çok kuvvetli gözlerin olmalı, ihtiyar."

Adam ona öyle bakıyordu ki belki de çıkmadan önce öldürecekti onu. Yaşlı pansiyoncu, "Yarın belki de cesedimi bulacaklar burada," diye düşündü. Eğer adam onu öldürmeden çıkıp giderse, Alman sandığı ama Amerikalı olduğunu öğrendiği adamdan aldığı bütün paraları kilisedeki fakirlere yardım kutusuna atacaktı.

Ama ihtiyarın korktuğu olmadı, işçi tulumlu adam birden geri döndü ve başka hiçbir şey söylemeden çıkıp gitti oradan. Yaşlı pansiyoncu başını salladı ve kendini bir süre önce bir Amerikan polisiye filminde seyrettiği kahramanın yerine koyarak hayal kurdu; hayalinde adamın üstüne atlayıp tabancasını alıyor ve vuruyordu onu.

3

Bir süre sonra otoyoldan çıkıp, iki şeritli ve kenarında bir sürü motel olan bir yolda gitmeye başladılar. Orvieto'nun modern kesimine gelirken birkaç kamyon geçtiler ve birkaç dakika gittikten sonra ana yoldan çıkarak hafif bir yokuştan yukarı çıkmaya başladılar.

Orvieto haritada tepe olarak gösteriliyordu ama aslında tepe bile denemezdi buraya. Şehrin surlar içinde kalan eski kısmı, üzeri düz, masa gibi geniş bir kayalık alanın tepesine kurulmuştu ki Amerikanın Güneybatısında çok görülürdü bu jeolojik oluşum. Küçük şehirde fazla trafik yoktu. Turistler burasını henüz keşfetmemişlerdi, ama aşağıdaki büyük ve boş araba parkı, halkın kalabalık ve trafiği bol olan bir şehir özlemi çektiğini gösteriyordu.

Lang motoru dar sokaklardan geçirdi, Via Maurizo ve sonra da üzerinde katedral bulunan büyük meydana, Piazza Dumo'ya geldiler. Vakit öğleye yaklaşırken, güneş İtalyan Gotik tarzı binanın ön yüzündeki süslü mozaikler üzerinde parlıyordu. Kuzeydeki Toskana'nın ünlü şehirlerine benzemiyordu burası, meydanda sadece birkaç araç vardı. Lang motosikleti durdurup indi ve park ederken Gurt da uzun bacağını uzatıp yere bastı ve motordan aşağı indi.

Kilisenin dış dehlizine girdiler ve gözlerinin loşluğa alışması için orada durup etrafa bakındılar. Biraz ilerde kenarlarda mumlar yanıyor, fresklerin üzerinde gölgeler oynaşıyordu. Daha ilerde kilise korosu için ayrılmış olan platform tarafından bir parıltı geliyordu.

Büyük bir sunak üzerinde çok sayıda mum yanıyor ve Hz. İsa'nın çarmıha gerilmiş resmi bunların ışığında titrer gibi görünüyordu. Döşemeye renkli muşambalar serilmiş ve bunların üzerinde boya kutuları ve fırçalar her yere dağıtılmıştı. Ama bu karışıklıkta bile çevredeki fresklerin güzelliği ve Son Hüküm tablosu hemen dikkat çekiyordu.

Michelangelo, Bernini ya da herhangi bir başka ressam tarafından yapılmış olsa bile, konu Lang'a bir barda son Cuma'yı hatırlatıyordu. Duvarda, oldukça yukarıda bir iskele üzerinde duran üç adam bir resmi inceliyorlardı. İkisinin üzerinde iş tulumu vardı, üçüncüsü ise üzerinde boya lekeleri olan bir rahip cüppesi giymişti.

Gurt başını kaldırıp onlara doğru, "Fra Marcenni?" diye seslendi.

Rahip cüppesi giyen adam dönüp eğildi ve onlara baktı. Başının tepesi kazınmış, ışıkta parlıyordu. O da Lang'ın kaldığı pansiyonun sahibi gibi ufak tefek ve aynı yaşlarda bir adamdı.

"Si?"

Gurt ellerini gözlerine siper ederek yukarı, iskeleye bakarken, "İngilizce biliyor musunuz?" diye sordu.

Rahip başını iki yana salladı, hayır diyordu.

Gurt ona İtalyanca bir şeyler söyledi.

Rahip gülümsedi ve Lang ve Gurt'un arkasında bir yeri göstererek cevap verdi.

"Bir iki dakika içinde aşağı inerek bizimle görüşmekten memnun olacağını söyledi. Beklerken etraftaki resimlere bakabilirmişiz."

Lang sabırsızdı ve etraftaki dinsel resimler o anda onu pek ilgilendirmiyordu. Onun için fresklere bakmak yerine, rahibi beklerken içerdeki birkaç aziz mezarının üzerindeki Latince yazılarla ilgilenmeyi daha çekici buldu. Mihrapta duran küçük bir cam şişe dikkatini çekti. Orada daha önce Gerçek Haçtan alınmış bir çivi ya da St. Paul'ün bir parmak kemiği mi duruyordu acaba?"

O sırada Gurt yanına gelerek onu kolundan çekti. "Hadi gel, Fra Marcenni kendine kısa bir dinlenme süresi verdi, meydanda oturup kahve içeceğiz."

Katedralin büyük kapılarına sadece birkaç metre mesafede, bir kahvenin dışında bir masaya oturdular, ama aziz rahip kahve yerine şarap içmeyi yeğledi. Gurt ve rahip bir süre gülümseyerek bir şeyler konuştular, herhalde yeni tanışan insanların doğal sohbetlerinden biriydi bu.

Bir süre sonra rahip garsondan ikinci şarap kadehini isterken Gurt'a bir şey söyledi ve Lang'a baktı.

Gurt rahibin söylediğini tercüme etti. "Hakkında bilgi almak istediğimiz resmi görmek istiyor rahip."

Lang resmi masanın üstünden din adamına uzattı ve Gurt'a, "Bu resimde görülenler ne anlama geliyor, bunu söylerse sevinirim," dedi.

Rahip Polaroid resmi alıp bir süre dikkatle incelerken, Lang da sabırsızlıkla onun bu konuda söyleyeceklerini bekledi. Çok geçmeden rahip konuştu ve Gurt'un tercümesi de hemen geldi.

"Resimde üç çoban bir mezara bakıyorlarmış."

Lang resimdeki belirsiz yerin bir mezar olduğunu düşünmemişti. "Onların yanında duran kadın kimmiş peki?"

Yaşlı rahip Gurt'un sorusunu dinledi ve elini göğsüne götürerek haç çıkardı.

Gurt, "O kadın bir azizeymiş ve Kutsal Hz. Meryem bile olabilirmiş," diye konuştu. "Kadın mezar başındaki çobanlara bakıyor ve bu mezar rahibe göre, dünyaya yeniden gelecek olan Hz. İsa'nın mezarı da olabilirmiş."

Lang başını hafifçe iki yana salladı. Dünyanın bir ucuna sadece bir dinsel resmin yorumu için gelmişti demek ki! Aslında Hz. İsa'nın mezarı pek çok dinsel resimde bir mağara olarak gösterilmişti ve o mağaradan bir taşın yuvarlanabileceği söylenirdi. Aradaki bu kadar fark için bu kadar uzun ve zor yolculuk yapmak saçmalıktı.

Lang'ın aklına o anda bir hikâye geldi; batan bir gemiden kurtulan iki adam bir kurtarma sandalına binmeyi başarır ve bir süre sonra sise girerler. Sandalda sadece ikisi vardır, çok geçmeden kıyıyı ve orada duran bir adam görürler.

Sandaldaki adamlardan bir, kıyıdaki adama, "Nereye geldik biz?" diye bağırır.

Kıyıdaki adam ona, "Kıyıdan biraz açıkta, denizdesiniz," diye cevap verir.

Sandaldaki diğer adam arkadaşına, "Şuraya bak, buralara kadar geldik ve karşımıza bir avukat çıktı, düşünsene!" der.

Arkadaşı şaşırır. "Avukat mı? Adamın avukat olduğunu nerden çıkardın?"

"Çünkü adamın söylediği tamamen doğru, ama aynı zamanda hiçbir değeri olmayan bir cevap bu."

Yaşlı rahibin cevabı da buna benziyordu.

Rahip Marcenni Lang'ın yüzündeki ifadeden hayal kırıklığına uğradığını anlamış olmalıydı. Cüppesinin cebinden bir pertavsız çıkardı ve resmi iyice inceledikten sonra Gurt'a bir şey söyledi.

"Söylediğine göre mezarın üstündeki yazı Latinceymiş ve eski Romalıların tarzında aralıksız yazılmış."

Lang için bu da çok önemli bilgi sayılmazdı. "Bunu ben de anlamıştım zaten."

Peder Marcenni İngilizce biliyormuş da onun söylediğini anlamış gibi çatlak sesle yazıyı okudu, "Et in Arcadia ego sum."

Lang Gurt'a baktı ve "Saçmalık bu," dedi. "Sum ve ego sözcüklerinin ikisi de birinci şahıstır. Sum ben'im anlamına gelir, ego da birinci şahıs zamirdir."

Gurt şaşkın bir ifadeyle onun yüzüne baktı. Lang onun merakını gidermek için omuz silkti ve "Latin dili benim için bir tür hobidir," dedi.

"Vay canına, bilmiyordum bunu!"

"Her neyse, boş ver şimdi bunu da şu bizim yardımcı rahibimize sor bakalım, sum ve ego sözcükleri bir tekrarlama olabilir mi acaba?"

Gurt kaşlarını çatarak Lang'a battı ve sonra rahibe dönerek bir şeyler söyledi. Rahip de sorunu sanki elleriyle çözecekmiş gibi bazı hareketler yaptı.

Gurt yaşlı din adamını dinledikten sonra başını salladı. "Söylediğine göre, ikinci sözcük anlamı güçlendirmek için söylenmiş olabilir. Bu durumda cümle Arcadia'da 'ben de' şeklinde tercüme edilebilir, bunu yazan belki de kin.... kin...."

"Kinaye yapmak istemiş olabilir."

"Evet, işte öyle bir şey yapmak istemiş olabilir. Sanki, 'Ben de buradayım,' demek istemiş olabilir ki bu da Arcadia'da bile ölüm var, anlamına gelebilir."

"Yani Hz. İsa'nın mezarı Kanada ya da Yunanistan'da mı oluyor bu durumda? Bunu ona sorsana."

Rahip Gurt'un sorusunu dinledikten sonra garsondan bir kadeh daha şarap istedi ve gülerek yine el hareketleri yaptı.

"Peder bu resmi yapan ressamın, yani Poussin'in Fransız olduğunu söyledi. Fransızlar kadınlara ve şaraba fazla düşkün oldukları için coğrafyaya pek önem vermezlermiş. Ayrıca Arcadia da çoğu zaman pastoral barış için simgesel bir yermiş."

Lang'ın gözlemlerine göre başka bir şey de olabilirdi bu.

Lang dönüş yolunda da motosiklet kullanacağı için kahve içiyordu. Fincanındaki kahve azalmış ve soğumuştu, garsondan bir kahve daha isterken, rahip cebinden küçük bir cetvel çıkardı ve Polaroid resmin boyutlarını ölçtü. Resmi birkaç kez sağa sola çevirdi, ters tuttu ve başını salladıktan sonra Gurt'a bir şey söyledi.

"Peder bunun sadece bir resim değil, aynı zamanda bir harita olduğunu söylüyor."

Lang o sırada garsonun getirdiği sıcak kahveye bakmadı bile. "Harita mı? Nasıl yani? Ne haritası?"

Gurt ve rahip arasında geçen hararetli ve rahibin el hareketleriyle desteklenen bir konuşmadan sonra Gurt, "Bu eski tabloların çoğu aynı zamanda harita olurmuş," diye konuştu. "Çobanların değnekleri eşkenar bir üçgenin iki eşit kenarını oluşturacak şekilde duruyor, görüyor musun? Üçüncü kenarı çizersek mezar merkezde kalıyor. Bu durumda tablo, yani harita, ona bakan bir insanı, nerede ise, mezara doğru yönlendiriyor."

"Bizim Peder emin mi bundan?"

Rahip Gurt'un sorusuna hızla başını sallayarak cevap verdi, sonra cetveliyle resmin enini boyunu tekrar ölçtü.

"Peder emin bundan. Bu tablolarda çoban sopaları, asker kılıçları ve düz olan başka şeyler çoğu zaman ipucu olarak kullanılırmış. Üçgenin iki kenarının geometrik olarak doğru açılarda bulunması rastlantı olamazmış."

Lang kuşkulu bir sesle, "Yani bu iki çobanın sopaları arasında bir mezar mı var şimdi?" diye sordu.

Gurt başını iki yana salladı. "Hayır, hayır. Arka planda dağlardan uzaklaşan ağaçlar var ya! O ağaçların sırasını takip edersen yine mezara ulaşılırmış. Ağaçlar aynı zamanda dağlar arasındaki şu çentikli boşluğu da çerçeve içine alıyorlar, görüyor musun? Peder Marcenni'ye göre, eğer orada olsaydın ve dağları tabloya göre sıralasaydın, mezarın bulunduğu noktada olurmuşsun."

Rahip ona bir şeyler söyledi.

Gurt, "Peder'e göre arka planın da farklı olduğunu söylüyor," diye devam etti. "Poussin'in resmini hatırlıyor, orada arka plan daha değişikmiş. Ama bazı dönemlerde ressamlar aynı resmi farklı olarak birden fazla yapabilirlermiş, doğal sayılırmış bu."

Tüm bu duydukları Lang'ı tam olarak tatmin etmemişti. "Yani şimdi onun söylediğine göre, bu tablo Hz. İsa'nın Yunanistan'daki mezarının yerini gösteren bir harita olarak yapılmış, öyle mi?"

Gurt onun bu sorusunu rahibe yöneltince, yaşlı Peder Marcenni başını şiddetle iki yana salladı, haç çıkardı ve sonra resmi, gökyüzünü ve kendini gösterdi.

"Bunu demek istememiş o. Kutsal Mezar Kudüs'te imiş ve Hz. İsa çarmıha gerildikten üç gün sonra cennete yükseldiği için mezar da boş duruyormuş. Resimdeki mezar başka anlama da gelebilirmiş, orada bir hazine olabilirmiş ya da birisi orada bir vizyon görmüş olabilir. Bu tablonun yapıldığı dönemde gizli anlamı olan simgeler, bulmacalar ya da gizemli haritalar çok modaymış. Eğer bu dağların nerde olduğunu bilirsen ki belki Yunanistan'da olabilirler, o zaman bu mezarın neyi simgelediğini de bulabilirmişsin."

Lang şimdi söylenenleri biraz daha mantıklı bulmaya başlamıştı.

"O halde kız kardeşim ve evlatlığı bu yüzden öldüler. O adamlar bu resmin bir hazine ya da değerli bir yeri işaret eden bir harita olduğunu onun anlamasını istemediler."

Gurt, "Çok değerli olmalı ki senin adamın bile o uğurda kendini camdan aşağı attı," dedi.

Bir süre konuşmadan oturdular. Lang, bir insanın kendini pencereden atarak intiharına neden olan değerli şeyin ne olabileceğini düşündü. Rahip boşalan kadehine üzgün bir ifadeyle baktıktan sonra yavaşça ayağa kalktı ve hafifçe eğilirken Gurt'a bir şey söyledi.

"Pederin gidip çalışması gerekiyormuş. O orada olmazsa o tembel işçiler hiçbir şey yapmaz, onu beklerlermiş."

Lang da ayağa kalktı ve "Ona pek de dindar olmayan benim gibi bir adamın kendisine çok teşekkür ettiğini söyle," dedi.

Gurt'un tercümesi rahibi hafifçe güldürdü ve yaşlı din adamı dönüp katedrale doğru yürüdü. Lang masaya oturdu ve yine soğumuş olan kahvesini bitirdi. "Bana öyle geliyor ki, bu resmin ne anlama geldiğini kimsenin anlamasını istemiyor bu adamlar."

Gurt tedirgin olmuş gibi kalabalık meydanı dikkatle gözden geçirdi ve sonra, "Bence sen bundan sonra Amerikalıların dediği gibi, kıçını kolla dostum," diyerek yüzünü buruşturdu. "Başını ters çevirmeden bunu nasıl yaparsın merak ediyorum doğrusu?"

4

BMW'nin önünde siyah bir şerit gibi uzanan virajlı yoldan aşağı doğru indiler. Motorun arkasında Gurt oturduğu halde, Lang her virajda fren yapıp vites küçültür ve sonra tekrar hızlanırken dengeleri biraz bozulur gibi oluyordu. Lang bütün dikkatini yola verdiği için, Gurt'un beline dolanmış kollarını ve sırtına yaslanan güzel göğüslerini unutmuş gibiydi.

Yol kenarında koruyucu parmaklıklar yoktu ve Lang sağ tarafa bakınca, aşağıdaki ağaçların tepe dallarını ve evlerin çatılarını görüyordu. Önlerindeki Umbrian vadisi yemyeşil bir düzlük olarak ufuktaki puslu tepelere kadar uzuyordu. Büyük bir kuş üzerlerinde iki tur attıktan sonra aşağıdaki ağaçlara doğru alçalarak uzaklaştı.

Orvieto'nun surları sol tarafta kalmıştı ve bir süre sonra surlar ve küçük şehir tamamen kayboldu gözden, şimdi önlerinde sadece kenarları toprak ve kayalarla dolu olan asfalt dağ yolu vardı.

Lang bu yolda kendini çok zinde hissediyordu ama bunun nedeni açık hava mı, manzara mı, yoksa arkasında oturan güzel kadın mıydı, bunu bilemiyordu. Fakat bir süre sonra motosikletin dikiz aynasında arkalarından hızla yaklaşan büyük kamyonu görünce kaşlarını çattı. Amerika otoyollarında görülen on sekiz tekerlekli dev kamyonlardan biri değildi bu ama yolun yarısını kaplayacak kadar büyüktü. Kamyonun yükünü örten brandanın kenarları rüzgârda uçuşuyordu.

Kamyonun böyle aniden nerden çıktığını anlayamadı Lang. Belki de motosiklet üstünde bütün dikkatini önündeki yola vermiş ve arkalarından bu kadar yüksek hızla bir başka aracın gelebileceğini hiç düşünmemişti.

Lang sağa keskin bir dönüş yaparken aynadan tekrar baktı geriye. Kamyon bu dar ve virajlı yolda biraz fazla hızlı geliyordu, onları görmüş olması ve hızını düşürmesi gerekiyordu ama şoför ayağını gazdan çekmeyi hiç düşünmüyor gibiydi. Kamyondan hava frenlerinin sesi olan hışırtı duyulmuyordu. Belki de şoför sarhoştu veya frenler arıza yapmış olabilirdi. Böyle dar bir dağ yolunda aklı başında olan hiçbir şoför bir kamyonu bu hızla kullanmazdı, delilikti bu.

Lang yolun ilerisine baktı ve yol kenarında sığınıp durabileceği bir boşluk aradı. Ama yolun sağı uçurum, sol tarafı ise duvar gibi dimdik bir yamaçtı. Kaçabilecekleri hiçbir yer yoktu yakında. Aynadan gördüğü kamyon onlara gittikçe yaklaşırken Lang sırtının buz gibi olduğunu hissetti.

Motosiklet sağa döndü ve Lang önünde yaklaşık iki yüz metre kadar bir düz yol görünce hızını artırdı. Kamyon biraz sonra daha çok yaklaştı onlara ve Lang radyatörün üzerindeki Peugeot simgesi aslanı gördü. Şoförün vites büyüttüğünü çıkan sesten anladı, adam yine hız artırmıştı.

Sersem herifin sürat kesmeye hiç niyeti yok gibiydi.

Lang sol elini gidondan çekti ve Gurt'un bacağına dokunarak arkalarını gösterdi. Gurt Almanca bir şeyler bağırdı ve onun beline daha sıkıca sarıldı. Kamyon onlara iyice yaklaştı, hafifçe çarptı ve Lang plastik arka çamurluğun kırıldığını duydu. Hergele onları ezmek istiyordu. Gazı sonuna kadar açtı ve hızını iyice artırdı.

Peki ama adamlar onu nasıl bulmuşlar, motosikletle Orvieto'ya gittiğini nereden öğrenmişlerdi? Ama şimdi bunları düşünmenin zamanı değildi, şu anda bu belâdan nasıl kurtulacaklarının bir yolunu bulması gerekiyordu.

Bir sonraki viraja kadar ondan kaçabilirse koca kamyon ya hızını düşürecek, ya da hız kesmediği takdirde savrulup yoldan çıkacaktı. Altındaki BMW'nin bir yüksek sürat motoru olmadığına o anda çok üzüldü Lang.

Kamyonun ön tamponunun onlara bir metre kadar yaklaştığını görünce birden motoru yana yatırdı ve viraja girdi. Motosiklet büyük bir hızla dönemece girince savruldu ve yolun karşı tarafına geçti. Diğer yoldan o sırada yukarı doğru gelen bir araç olsaydı burun buruna gelip çarpışacaklardı. Ama Lang kamyonun altında kalmamak için bu riski göze almak zorunda kaldı.

Kamyon bu kez yolun dışına fırlamamak için ani fren yaparak hızını düşürdü ve Lang, düz yola çıktıklarında, aralarını yaklaşık otuz metre kadar açtıklarını gördü. Lang motorun gazını yine sonuna kadar açtı. Ellerinde eldiven yoktu ve avuçları terlediği için kayıyordu.

Dikiz aynasında kamyonu birkaç saniye sonra tekrar gördü, koca canavar yine hızlandı ve arayı kapatmaya başladı. Lang yokuşu çıkarken yolun ne kadar sürdüğünü düşündü, aşağıya inene kadar daha ne kadar yolları kalmıştı acaba? Düz yola çıkarlarsa kamyon yokuş aşağıya indiği hızı orada bulamayacak ve aralarını kolayca açarak ondan kaçabileceklerdi.

Ama yolun aşağıya doğru meyli devam ediyordu ve kamyon çok geçmeden arayı yine kapatmaya başladı. Gurt dengenin bozulabileceğini bildiği halde selenin arkasında biraz hareket eder gibi oldu. Lang ona dönüp kımıldamamasını, dengeyi bozduğunu söylemek istedi ama o anda bütün dikkatini yola verdiği için yapamadı bunu.

Gurt bir eliyle onun göğsüne sıkıca sarılırken, diğer eliyle motosikletin yan tarafındaki büyük deri çantaya doğru eğildi. Lang birden sinirlendi, arkalarından gelen ve onları yok etmeye çalışan kamyondan kurtulmanın çarelerini ararken, yandaki çantanın içinde unuttuğu bir şeyi aramanın zamanı mıydı şimdi?

Çok geçmeden dikiz aynasında Gurt'un arkada ayak demirlerine basarak kamyona doğru döndüğünü gördü Lang. Gurt bir eliyle onun omzuna tutunarak dengesini bulmaya çalışırken, Lang sağa sola kaçan motoru yol üzerinde tutmaya çalışıyordu.

Kamyonun iyice yaklaştığını dikiz aynasında bir kez daha gördü Lang. Ama önünde ya da yan taraflarda kaçabileceği hiçbir yer yoktu. Kamyon çok geçmeden onların üzerinden geçip gidecek, onları ezecekti.

Ama Lang o sırada, başındaki kaskın ve esen rüzgârın maskelediği, hafiflettiği iki el silah sesi duyar gibi oldu. Belki de lastikleri patlamıştı ve şimdi yolun dışına fırlayıp havalara uçacaklardı. Ama beklediği olmadı ve aynı sesleri üç kez daha duydu. BMW motosiklet yolda sağa sola kaçıyordu ama bunun nedeni patlayan bir lastik değil, arkada ayakta duran Gurt idi.

Lang gözlerini birkaç saniye için yoldan ayırıp dikiz aynasına bakınca kamyonun hızla gerilediğini fark etti. Koca kamyon hızı birden kesilerek yolun kenarına doğru kaydı ve yan yatarak devrildi. Burnu birkaç saniye için uçurumun kenarında kaldı ama hızının etkisiyle yerde kaydı ve boşluğa düşüp bir an içinde gözden kayboldu, uçurumun dibine indi.

Gurt yerine oturdu ve yine onun beline sarıldı. Lang barut kokusunu ancak o zaman aldı ve neler olduğunu hemen anladı. Yokuşun sonuna yaklaştıklarında yol genişledi ve Lang biraz ilerde yolun kenarında bir boşluk görerek hemen girdi oraya ve motoru susturdu. Motordan indiler ve bir süre konuşmadan dinlendiler.

Lang bir süre sonra kaskını çıkardı ve aynı şeyi yapan Gurt'a baktı. "Seksen yedide Teşkilatın tabanca ve tüfek atışları şampiyonu olduğunu unutmuşum Gurt."

Gurt güldü ve "Seksen sekiz ve seksen dokuzda da şampiyon oldum," dedi. "Ama daha sonra yarışmalara katılmadım."

"Tabancayı ne yaptın?"

"Kamyon ve o domuz şoförün arkasından uçuruma attım. Polisler kamyonu bulunca ön camdaki mermi deliklerini görecek ve araştırmaya başlayacaklar. O silahın üzerimde kalması doğru olmazdı."

"Silah temiz mi?"

Gurt eğilmiş motorun aynasında makyajını kontrol ediyor, biraz önce James Bond'un bile yapamayacağı atışları yapan biri gibi değil de herhangi bir genç kadın gibi sakin davranıyordu. "Teşkilat silahıydı o, ama ellerimde eldiven olduğu için üzerinde parmak izlerim kalmadı ve parafin testi için gerekli barut izi de olmadı elimde. Sadece yedek şarjörden de kurtulmam gerekiyor tabii."

"Geriye dönüp kamyonun ve şoförün durumuna bir baksak nasıl olur dersin?"

Gurt döndü ve kaşlarını çatarak motorun çatlamış olan arka çamurluğunu kontrol etti. "Biz oradayken polisler gelip ne yaptığımızı sorsunlar diye mi gitmek istiyorsun oraya? Onların bir uluslararası kaçağın açıklamasını dinleyeceğini hiç sanmam."

Lang onu haklı buldu ve başını salladı ama "Adamın kim olduğu konusunda belki bir ipucu bulurduk," demekten de alamadı kendini.

"Sen üzerindeki şu deri kıyafeti çıkarıp motorun çantasına koyarsan ben yalnız başıma gidip bakabilirim oraya. Polis gelse bile kamyona ateş edenin bir kadın olacağını asla düşünmeyecektir. Ne de olsa İtalyan onlar, kadınlara saygı duyarlar, bunun bir soygun olayı olduğunu sanacaklardır."

"Doğru, haklısın."

"Şoförün kimliğini de öğrenmeye çalışırım, ayrıca henüz ölmemişse onun konuşmasını da önlemek gerekir tabii."

Lang ona bakıp başını salladı ve kaskını giyip motorla uzaklaşan Gurt'un arkasından bakarak gülümsedi. Kipling "kadın ajanlar erkeklerden çok daha tehlikelidir" diye yazarken mutlaka Gurt gibi bir kadın tanımış olmalıydı.

5

Lang otoyol üzerindeki benzincinin yanındaki kafeteryaya girdi ve orada soğuk bir şeyler içerek Gurt'u beklemeye başladı. Amerika'daki otoyol benzin istasyonu ve dinlenme yerlerinden hiç farkı yoktu bunların. Lang'a göre, çok yakında bütün Avrupa da Amerika'dan farksız bir kıta olacak, bu yerler de Kansas, ya da daha da beteri, California'ya benzeyecekti.

Ama çok geçmeden kafasının içinde başka düşünceler belirmeye başladı. İçtiği kahve onu biraz olsun kendine getirir gibi oldu. Bu kadar tehlikeli bir durumda, peşinde onu öldürmek isteyen bir sürü adam varken bu saate kadar nasıl sağ kalabildiğini anlamak zordu aslında. Teşkilatta çalışırken bile böyle tehlikeler yaşamamış, planlarla, projelerle uğraşmıştı sadece. Ama şimdi peşinde korkunç katiller vardı ve onların ne zaman, nerede ve nasıl karşısına çıkacaklarını bilemiyordu.

Şimdi bir mahkeme salonunda yargıç karşısına çıkıp anlatması gerekenler yoruyordu kafasını. Şimdi hâlâ Teşkilatta ve bu tür görevler yapan bir ajan olsaydı belki de bunlara alışık olacak ve bu kadar sıkılmayacaktı. Ama o bunu istememiş, bir avukat olarak çok daha sakin bir yaşamı olacağını düşünmüştü.

Karısı Dawn da artık yanında değildi ve Lang'ın başı gerçekten büyük derde girmişti. Teşkilatın varlık nedeni olan dinsiz komünistler bile bu kadar büyük sorunlar yaratmamışlardı onun için. En azından onun tanıdıkları bu kadar fanatik olmamışlardı. Bir Rus ajanın, Allah adına ölüme giden bir mücahit gibi, Marksizm uğruna ölmeyi göze aldığını hiç görmemişti. Ama kim olduklarını bilemediği bu adamlar en azından bombacı Arap teröristler kadar korkunç fanatiklerdi. Onun evine giren adam polisin eline geçmemek için kendini Lang'ın penceresinden bilerek ölüme atmıştı. Motorun arkasından anormal bir hızla gelen koca kamyonun şoförü de ölümü göze almış bir adamdı. Sonunda önündeki iki kişiyi de alarak uçuruma uçacağını bilerek takip etmişti onları.

Peki ama ne istiyorlardı Lang'dan?

Bu adamlar bir tarikatın üyeleri olabilirlerdi. Tarihte bu tür tarikatlar, mezhepler çok duyulmuştu ve Haçlı seferlerinde bile bu tür Müslüman gruplar yaşamıştı. İngilizleri boğan Hindu Thuggee'ler ve imparator-tanrıları için ölüme giden Japon Kamikazeler de bunlardandı.

Lang, Peder Marcenni'nin söylediklerini dinledikten sonra bu adamların o tabloyu neden istedikleri konusunda bir açıklama bulduğunu sanıyordu. Bir yerde belki de çok büyük, değerli bir hazine vardı ve Poussin'in tablosu da bu yeri gösteren bir yol haritası olabilirdi. Ama maddi zenginlikler için kendini feda eden şehitler olduğunu hiç duymamıştı Lang. İnsanlar belirli amaçlar, fikirler ya da intikam için kendilerini ölüme atabilirlerdi. Ama dünyevi zenginlikler için de bunu yapanlar var mıydı acaba?

Ama tarihçi Rahip, resmin bir korsanlar hazinesine, ya da büyük bir servetin gizlendiği bir yere giden yolu gösterdiğini söylememişti zaten. O halde orijinalinin tam kopyası bile olmayan bir resim için insan öldürmeye değer miydi? Yoksa ideolojik bir değeri mi vardı tablonun?

Hz. İsa'nın son akşam yemeğinde kullandığı sanılan Kutsal Kâse gibi bir şey olabilir miydi o yerde?

Ama ortada bir gerçek vardı; bu adamlar o tabloyu gören ve sırrını öğrenmiş olması ihtimali olan herkesi öldürmek istiyorlardı. Bu sır da onlar için büyük değeri olan bir şeyin gizlendiği yerdi. Lang bu değerli obje konusunda bir şeyler öğrenebilirse, Janet ve Jeff'in katillerini ve kendisini öldürmek isteyenleri de bulabilirdi. Tablonun sakladığı sırrın gerçeğini bilenler kimlerdi acaba?

Lang erkeklerin kapıya baktıklarını görünce dönüp baktı ve Gurt bara gelip onun yanındaki boş tabureye oturdu. İçerdeki adamlar bir seksen boyunda ve deri kıyafet içinde böyle bir güzel görmeye hiç de alışık değillerdi. Gurt üzerindeki gözlere hiç aldırmadan bir sigara yaktı ve barmene Lang'ın önündeki kahveyi gösterdi. O da bir cappuccino istiyordu.

Lang barmenin uzun zamandan beri ilk kez bu kadar hızlı servis yaptığından emindi. Konuşmaları kesmiş olan müşteriler tekrar sohbete başlayınca Lang Gurt'a bakarak güldü ve "Sen içeriye girince adamlar şaşı oldular," dedi.

Gurt sigarasından bir nefes çekip dumanı havaya savurdu ve "Biraz sonra bir şeyleri kalmaz, merak etme sen," dedi.

Lang onun söyleyeceklerini çok merak ediyordu ama Gurt kahvesinden bir yudum almadan önce açmadı ağzını.

"Ee, anlatsana?"

Gurt elini deri ceketin cebine attı ve bir gümüş zincir çıkardı. Zincirin ucunda Lang'ın Atlanta'da gördüğünün aynısı, bir daire içinde dört üçgenden oluşan pandantif vardı. "Adamın boynunda bu vardı ama üzerinde kimlik olabilecek hiçbir şey bulamadım."

"Adam herhalde ölmüştü, değil mi?"

"Tamamen ölmüştü. Bu kolye bir şey diyor mu sana?"

"Evet, yani Atlanta'da bana saldıran ve sonra da camdan aşağı atlayan adamda olanın aynısı bir kolye."

Gurt zinciri cebine koydu ve "Adamlar bir kamyon yerine bir tüfek kullansalardı bizi daha kolay haklarlardı, değil mi?" dedi. "Bir ağacın arkasından ateş ederek bizi öldürmek yerine neden koca bir kamyonla ezmeğe kalktılar acaba, ne dersin?"

Lang onların sağ kalmasına izin veren bir saldırı şekline itiraz edecek halde değildi ama "Belki de bir trafik kazasında ölmemizi istemelerinin bir nedeni vardı, kim bilir?" dedi.

Gurt bunun önemli olacağını sanmıyormuş gibi omuz silkti. "Öldürmenin şekli ne fark eder ki? Her neyse, biz ölmedik işte. Şimdi ne yapıyoruz?"

"Benim Londra'ya gitmem gerekiyor."

Lang bunu söylerken Almanların dilinde "gitmek" yerine "yürümek," "uçmak," ya da benzeri fiiller kullanıldığını düşündü. Yer değiştirmek için kullanılan fiil gitmek anlamına geliyordu. Örneğin bir insanın ABD'ye gidişini anlatmak için gehen (gitmek, yürümek) yerine flugen (uçmak) fiili kullanılırdı.

"Bunu kolayca yapabileceğini sanmam. Şimdiye kadar resmin bütün Avrupa polislerinin eline geçmiştir."

Gurt haklıydı ama Lang, "Avrupa Birliğinde sınır diye bir şey kalmadı," dedi. Barmenden iki kahve daha istedi ve "Eğer Avrupa dışındaki ülkelerle hava bağlantısı olmayan bir iç hatlar meydanından bir uçağa binersem gümrük ya da göçmenlik sorunu olmaz," diye devam etti. "Sadece havaalanı polislerine dikkat etmem gerekir ki hafif bir kılık değiştirme de beni kurtarır."

"Ama uçağa binerken yine de pasaport göstermen gerekir."

"Sanırım bu konuda bana yardımcı olabilecek biri..."

"Evet, evet, Via Garibaldi'deki kuyumcunun arkasında bulunan oymacı. Ama eğer beraber olursak senin kılık değiştirmen daha kolay olur. Polisler bir çifti aramıyorlar."

"Teşekkür ederim ama seni tekrar tehlikeye atmak istemiyorum."

Gurt kaşlarını kaldırarak baktı ona. "Tehlikeye gireceğimiz kadar girdik, değil mi? Motor üzerindeki olay bir oyun değildi arkadaş!"

"Eğer bana yardım etmek istiyorsan S&T'de makyajla beni değiştirecek bir arkadaş bulmaya bak."

Lang'ın sözünü ettiği S&T, Teşkilatın İkinci Direktörlüğünde, makyajla ajanların kimliğini değiştiren, onlara ayakkabı topuğuna monte edilen telsiz sisteminden, zehirli ok fırlatan şemsiyeye kadar çeşitli silahlar sağlayan Bilim ve Teknoloji bölümüydü.

Gurt kaşlarını çatarak önündeki kahve fincanına baktı. "Bak dostum, ya seninle gelirim, ya da benden yardım bekleme. Kenarda durup senin öldürülmeni seyredecek değilim ben."

Lang hafifçe gülümseyerek başını iki yana salladı. Gurt ondan yardım bekleyen, ya da sorunu olan bir kadın değildi, Lang'ın onun için endişe duymasına hiç gerek yoktu. Gurt kısa bir süre önce ne kadar usta bir ajan ve atıcı olduğunu da kanıtlamıştı. Ama yine de onu bu canilerle karşı karşıya getirmek....

Gurt, "O oymacıya da güvenme," diye devam etti. "Adamı sahtekârlıktan içeriye attılar."

"İnsanı ikna etme konusunda çok ustasın doğrusu. S&T'den yardım alabilecek miyiz peki?"

Gurt kahvesini bitirdi ve başını hafifçe salladı. "S&T'de müthiş makyaj uzmanları var, ama polisten kaçan eski bir elemana yardım ederler mi bilmem. Bunun yapılması için imzalanması gereken talep belgeleri filan da vardır, bilirsin...."

Her hükümet kuruluşu gibi Teşkilatta da bürokrasi büyük önem taşırdı. Bazı bölümlerde bürokrasi daha azdı ve Lang gibi ayrılanların yeri uzun süre boş kalırdı, ama özellikle Yönetimin olduğu Birinci Direktörlükte bürokrasi daha fazlaydı.

Lang, "Boş ver," dedi. "Uğraşmaya değmez. Ben kendimi makyajla değiştirme konusunda hâlâ uzman sayılırım. Kendimi çok iyi değiştirebilirim ve istersem sen bile tanıyamazsın beni."

"Giyinikken mi, çıplakken mi?"

Lang onun dalga geçmesine aldırmadı ve "Paraya ihtiyacım var," dedi. "Bir bankaya gidip ATM'den para çekemem. Para çektiğim takdirde yerimi kolayca saptayabilirler. Yeni bir kıyafete ve bazı malzemelere ihtiyacım olacak, çünkü her şeyim pansiyonda kaldı. Oraya gitmem pek akıllı işi olmaz. Bu durumda pasaport, sürücü belgesi, kredi kartı filan gerekiyor, bunları sağlayabilir misin bana?"

"Seninle beraber gelmeme izin verirsen bir şeyler yaparım sanıyorum."

"Burada pazarlık etmeyi iyi öğrenmişsin doğrusu."

"Bunu senin güvenliğin için yapıyorum. Baksana sen kendi kıçını bile kolayca koruyamayacak bir haldesin."

"Tamam da benimle gelmen için hemen izin verirler mi sana?"

"Yaz tatili zamanım gelmişti."

Lang onun ısrarından kurtulamayacağını anladı ve "Pekâlâ," dedi. "O halde Roma'ya, senin yerine gidelim ve hazırlanalım bakalım. Ama seni tekrar uyarıyorum, bu bir savaş oyunu değil kızım."

Gurt güldü ve Washington'un güneyine hiç inmemiş insanların güney aksanını taklit etmeleri gibi konuşarak, "Hadi dostum, hayatımın en zevkli davetini almış bulunuyorum," dedi.

Lang ona ne diyeceğini bilemedi ve sadece başını iki yana sallayarak güldü.

TAPINAK ŞÖVALYELERİ
BİR TARİKATIN SONU

Sicilyalı Pietro'nun Hikâyesi

Ortaçağ Latincesinden Dr. Nigel Wolffe çevirisi

2

Güneş henüz tam zirveye çıkmamıştı ama hava çok sıcak olduğu için Guillaume de Poitiers bacak ve ayaklarındaki sabatonları(1) çıkardı ve sadece breastplate, palette ve brassardı(2) bıraktı. Asker kıyafetinin üstünde de her yanını saran beyaz cüppesi vardı.

Bizlere korkunç Türklerle savaşırken yaşadığı zorlukları anlatırken rahat görünüyordu. Kimsenin yaşamadığı uçsuz bucaksız ve susuz topraklarda savaşlara katılmıştı. Gittikleri uzak diyarlarda o ve arkadaşları Tanrı'nın İsraillilere verdiği gıdaları değil de sadece kuru ve dikenli otlar bulmuşlardı. O ve arkadaşları birçok kez atlarını kesip yemişler ve mangonel,(3) şahmerdan ve merdiven gibi malzemeleri taşıyacak atları kalmadığı için onları kumların üstünde bırakmışlardı.

Benden birkaç yaş daha büyük bir genç adam olan at uşağının adı Philippe idi. O da çocukluğundan beri Tapınak Şövalyeleri tarafından büyütüldüğü için kendi ailesi hakkında bir şey bilmiyordu.

Biz iki kişi bir eşeğin sırtında, Gulilaume'un atının kaldırdığı toz toprağın içinde, onun peşinden gidiyorduk. Phillipe hiç tanımadığım uzak, egzotik diyarlar hakkında hikâyeler anlatarak eğlendiriyordu beni. Kıbrıs'tan beri efendisinin yanındaydı ve oradan itibaren onun bütün maceralarını paylaşmıştı onunla. İki kez Afrikalı korsanlarla karşılaşmışlar ama Tanrı ikisinde de onları kurtarmıştı.

Bana açgözlü denmesi riskini de göze alarak, ona birkaç kez nerelerde kalacağımızı ve karnımızı nasıl doyuracağımızı sordum. O da efendisinin söylediğini doğruladı; normal koşullarda günde iki kez et yerler ve rahipler, şövalyeler ve at uşakları dâhil herkes çarşafları haftada bir değiştirilen ot yataklarda uyurlardı. Kalacakları manastır yakınında bir akarsu vardı ve uygun havalarda istedikleri zaman girip o derede yıkanabilirlerdi. Onun anlattıkları o kadar hoşuma gitti ki bir ara amacımın Tanrı'ya hizmet olduğunu adeta unutur gibi oldum. Belki de günah işlemiştim ve bunun cezasını çekecektim.

Monte San Guliano yoluna devam ettik ve bu isim yerel diyalektte(4) bizim şövalyeyi hatırlatıyordu sanki insana. Tepedeki Erice şehrini çevreleyen surlar Norman kralları(5) tarafından inşa ettirilmişti. Burada geceyi geçirdiğimiz manastır benim yıllarca yaşadığım eski manastırıma benziyordu. Bana anlatılanların etkisinde kaldığım ve çok güzel şeyler beklediğim için, yıllardır yaşadığım eski koşullarla karşılaşınca hayal kırıklığına uğradım.

Ayinlerin yapıldığı ve bize uyumamız için gösterilen yerler o kadar kötüydü ki, yemeğin ve ibadetin bir an önce bitmesini diledim. Böylece erkenden yatacak ve sabah hemen yola çıkarak Burgundy'ye bir gün daha yaklaşmış olacaktık. Yine sabah karanlığında çıktık yola.

Hava henüz aydınlanmadığı için, dönüşlerle dolu dağ yolundan aşağı inerken önümüzde hemen hiçbir şey göremiyorduk. Atların böyle bir yolda idaresi güç olduğu için, oldukça çevik bir hayvan olan eşekle yolculuk yaptığımıza seviniyordum.

Surların dışında yaklaşık bir düzine furlong (6) kadar yol almıştık ki, bir dönemeçten sonra yol üzerinde adamlar gördük. Hava şimdi biraz aydınlandığı için, adamlarda cudgeller (7) olduğu rahatça görülebiliyordu. Şimdiye kadar bir manastırda yaşadığım halde, yollarda hayvansız ve kadınsız olarak bulunan adamların kötü niyetli kişiler olabileceklerini öğrenmiştim. Boynuma asılı duran tespihi aldım ve çalınacak bir malım olmadığı halde, yardımcı olması için St. Chritopher'e dua etmeye başladım. Şimdiye kadar duyduklarıma göre, bu tür haydutlar yollarda yakaladıkları insanları öldürüyorlar, en azından yaralıyorlardı. Böyle zamanlarda Tanrı'nın merhametine sığınmaktan başka yapılacak bir şey kalmıyordu.

Sabah karanlığında bu kıvrılarak inen daracık dağ yolunda biz bu haydutları daha önceden görememiştik, ama onlar da bu üç kişilik grupta, öndeki yolcunun zırhlı ve silahlı bir şövalye olduğunu görememiş olacaklardı.

Adamlar bize doğru ilerlerken Guillaume de Poitiers beyaz atının başını geriye çevirip geriye, bize doğru yaklaştı, ama o kadar sakindi ki birden şaşırdım; sanki biraz sonra haydutlarla arena gibi ortada kapışacak olan şövalye o değildi. (8) Ama şövalye, dizginleri bizim elimizde olan ve arkamızdan gelen iki attan birine yaklaştı, onlardan birinde takılı duran büyük kılıcını ve kalkanını aldı. Sonra bir elinde kılıcı, diğerinde kalkanı olduğu halde geriye döndü ve atını adamların üzerine doğru sürdü.

Daracık dağ yolunda atını koşturmaya başlarken birden, "Tanrı'nın dediği olur!" diye bir nara attı. Bize doğru yürüyerek gelen adamlar, ellerinde topuzlar ve hançerler olsa da, zırhlı, kılıçlı ve kalkanlı bir şövalye karşısında fazla dayanamazlar diye düşündüm.

Adamlar sabah karanlığında onu fark edince başlarına ne geleceğini anladılar ve birden dağılarak kaçmaya başladılar. Ama ya geriye, yokuş aşağıya, ya da yan taraftaki uçuruma doğru kaçacaklardı ki o zaman da sonları hiç kuşkusuz ölüm olacaktı.

Şövalye adamlardan birini yakaladı ve koca kılıcını savurarak bir hamlede kafasını ve kolunu kesip attı, adam can havliyle birkaç adım sendeledi ve sonra kendi kan gölünün içine yuvarlandı. Ona yakın olan bir başkası da aynı akıbete uğradı. Adamlardan ikisi kılıca hedef olmaktansa kendilerini uçurum gibi yamaçtan aşağıya attılar.

Hastalık ya da yaşlılık nedeniyle ölen insanlar görmüştüm ama böyle kendi kan gölünün ortasına düşüp ölenleri ilk kez görüyordum. Bu adamlar bize kötülük yapacaklardı ama yine de onların rahipsiz, duasız ölmelerine üzüldüm. Yine de onların ruhları için kısa bir dua okumaktan alamadım kendimi. Ne de olsa, sonuçta hepimiz Tanrı'nın yarattığı insanlardık, ama bazıları kötü oluyordu işte.

Guillaume de Poitiers bu adamlar hakkında ne düşünüyordu bilmiyorum ama aklında olanları anlamak mümkün değildi. Birden geriye dönerek bize baktı ve kılıcıyla ilerlememizi işaret etti.

Ona yaklaştığımız zaman Phillipe şövalyeye, "İyi misiniz efendim?" diye seslendi.

Şövalye kanlı kılıcını kabzası önde olmak üzere ona uzatırken güldü. "Tanrı'ya şükürler olsun, çok iyiyim! Haydutları cehenneme gönderen bir adam kadar iyiyim. Biraz acele edelim de diğerlerini de bulalım, çünkü kampları bu yakınlarda bir yerde olmalı."

Etrafta başka haydutlar da olduğunu nerden biliyordu acaba? Ama ben bir şövalyeye böyle bir soru soracak durumda değildim elbette. Dağ yolundan aşağıya, ovaya indik ve bir süre yol aldıktan sonra duman kokusu aldık. Güneş doğmuştu ve parlak gökyüzünde dağılan dumanı da gördük. Yolun kenarında durduk, şövalye bize sessiz olmamızı söyledi ve arkadaki atlardan birine binerek bizi karanlık ormana götürdü.

Bir süre sonra bir açıklığa geldik. Etrafta birkaç kamış kulübe vardı ve ortadaki ateşte bir geyik kızarıyordu. Bu haydutlar Tanrı hizmetinde olan din adamlarından çok daha iyi besleniyorlardı. Ateşin etrafında bazıları bebeklerini emziren birkaç kadın vardı. Meydanda oturan erkekler yaşlı, hasta ya da yaralı olanlardı. Şövalyeyi görenlerden kaçabilenler kaçtı, diğerleri zorla kulübelere saklandılar.

Guillaume de Poitiers kaçanların peşinden gitmedi. Ateşin başına gitti, atından aşağı eğilerek ucu yanan bir dal parçası aldı ve onunla sazdan yapılmış kulübeleri yaktı. Biz oradan ayrılırken yanan kulübelerden acı çığlıklar duyuluyordu.

Şövalyeye yaklaştım ve "Efendim," dedim. "Bizi soymaları mümkün olan haydutları kovmanızı, kaçırtmanızı anlıyorum. Ama bize kötülük yapmamış insanların evlerini yakmak Hıristiyanlık dışı bir davranış olmuyor mu?"

Şövalye başını hafifçe yana eğdi, sakalını sıvazladı ve "Evlerini yaktığımız o adamlar, bizi soymak isteyenlere yardım ediyorlar," diye cevap verdi. "Onlar kötü insanlar, efendilerinden kaçan ve masum yolcuları soyan kötü köleler. Onları öldürmenin, tahıl ambarlarındaki kötü böcekleri öldürmekten bir farkı yoktur."

Fakat bana en alçak insanların bile kardeşlerimiz olduğu öğretilmişti ve şövalyenin söylediklerini anlamam kolay değildi. Ama ben henüz çok gençtim, cahildim ve Hz. İsa adına savaşmış, kan dökmüş bir şövalye vardı yanımda, bu nedenle ben de sorumu değiştirdim.

Onun kendi yarasıyla ilgili söylediğini ima ederek, "Ama efendim," dedim. "Burada öldürdüğünüz insanların gözlerine bakmadınız. Onlar kulübelerinde yanarak öldüler."

Şövalye hafifçe gülümsedi ve başını salladı. "Hafızan çok güçlü, iyi hatırlıyorsun küçük kardeşim. Ama her kuralın bir istisnası vardır. Kulübelerinde ölenler ateşten öldüler ki, ateş de Tanrı'nın dört elementinden biridir."

Dört elementin ateş, su, rüzgâr ve toprak olduğunu biliyordum ama bunların insan öldürmekle ilgisini anlayamamıştım. Ama bunu sormayı da gururuma yediremedim. Bunlarla insan öldürmenin ilişkisini bilmediğimi itiraf etmeye utandım.

Birkaç saat sonra Trapani şehrine geldik. Trapani Yunancada 'orak' anlamına geliyordu ve bunun nedeni de hilal şeklindeki limandı. Daha önce de söylediğim gibi, şimdiye kadar evimden ancak yaya olarak bir günlük uzaklığa kadar gitmiştim. Denizden söz edildiğini duymuştum ama onu görmek çok farklı bir duyguydu. Ben denizi Peygamberimizin üzerinde yürüdüğü ve havarilerin balık tuttuğu sular olarak düşündüğüm için, denizi görünce şaşırdım. Deniz denen suların bu kadar engin, bu kadar mavi ve dalgalı olabileceği asla aklıma gelmemişti. Tepeler, dağlar, ağaçlar ve dereler görmeye alışıktım. Ama burada gördüğüm manzara dünyanın kıyısıydı, sonuydu.

Daha önce koca yelkenleriyle suda yüzen gemiler de görmemiştim, her geminin yelkenleri bizim manastırdaki bütün yataklara battaniye olabilirdi. Ucu bucağı olmayan okyanusta bu gemilerden binlerce olmalıydı.(9) Bana söylediklerine göre, limandaki büyük donanma şövalyelere aitti ve onlar Kutsal Topraklardan ayrılmak için Venediklilere haraç ödedikten sonra kendi gemilerini satın almaya karar vermişlerdi. (10) Geriye dönen şövalyeler kendi manastırlarına gitmek için bu limana gelmek zorundaydılar.

Bizi İtalya sahillerinde kuzeye, Cenova ve sonra da Burgundy'ye götürecek rüzgârlar için limanda günlerce bekledik. Ama bu gemilerin büyüklüğü ve inancıma rağmen ben endişeliydim. Sonuçta Tanrı'nın dediği olurdu elbette, ama ben yine de korkuyordum ve bu da benim zayıf yanımdı.

Trapani'de kaldığımız süre içinde, Guillaume de Poitiers'nin birlikte yaşadığım fakir keşişlerden farklı olan tek şövalye olmadığını anladım. Aslında bütün Tapınak Şövalyeleri çok iyi ve rahat yaşıyorlardı. Bu konuda bir yargıya varmak bana düşmezdi elbette, ama onların hayatlarında fakirlik ve tevazuya yer olmadığını anlamıştım. Durmadan su karıştırılmamış şarap içiyor, kendi bölgelerinin şaraplarını övüyor ve para harcamaktan kaçınmıyorlardı. Dua etmek ve hikâye anlatmak kadar şans oyunları oynamak da hoşlarına gidiyordu şövalyelerin. Anlattıkları hikâyelerin kahramanları da çoğu zaman kendileri olurlardı.

Sonradan öğrendiğime göre birçok Papalık kuralı bu Tarikat için geçerli değildi. Bunları yaşarken günah işlediklerini hiç düşünmüyorlardı bile. Bazen onların Şeytanla işbirliği yapıp yapmadıklarını bile düşündüğüm oldu.

Çevirmenin Notları

1. Bacak ve ayak zırhı.
2. Kolları, omuzları ve bedeni örten zıhlar.
3. Sapan gibi büyük kaya parçaları atan alet.
4. William'ın İtalyanca karşılığı Guglielmo'dur.

5. 1091- 1250.
6. Yaklaşık 650 metre.
7. Pietro'nun kullandığı sözcük cycgel'dir ki bu da Frenkçe kısa, kalın bir sopa ya da rakibi dövmek için kullanılan değnek anlamına gelir. Bu durumda bu adamların ellerinde pek etkili silahlar bulunması ihtimali oldukça zayıftı.
8. Yazar liste sözcüğünü kullanmıştır ki bu da Frenkçede şövalyelerin yarışmalara katıldıkları meydan anlamına gelir. Pietro'nun hikâyesini anlattığı dönemde şövalyeler arasında at üzerinde mızrak dövüşleri olmadığından sözcüğün ilk anlamı kullanılmıştır.
9. Bu abartı çevirmene değil, Pietro'ya aittir.
10. Tapınak Şövalyelerinin sahip oldukları gemilerin sayısı konusunda kesin bilgi yoktur, fakat bütün filonun aynı zamanda küçük bir Sicilya limanında bulunması ya da bütün gemilerin şövalyelere ait olması ihtimali pek yoktur.

Bölüm Beş

1

Morse koltuğuna gömülmüş elindeki bir başka faks mesajını inceliyordu. Bu sefer mesaj St. Louis'den, Savunma Bakanlığı, Kayıtlar bürosundan gelmişti.

Mesaja bakılırsa, Lang Reilly'nin ordudaki hizmet yılları ve hatta yedinci ve sekizinci boyun omurları arasına yediği kurşunla ilgili söyledikleri doğruydu. Bu durumda o adamın sözlerine inanmak zorundaydı. Lang'ın boynundaki kurşun da ameliyatla alınmamıştı, çünkü çok tehlikeli bir yerdeydi ve operasyon onu felçli bir hasta yapabilirdi. Bu da mantıklı bir ifadeydi.

Morse yerinden o kadar ani ve hızlı kalktı ki, koltuğu masaya çarptı ve yan kabinde bilgisayarı başında çalışan kadın detektif başını kaldırıp meraklı gözlerle ona baktı. Morse kendi kendine konuşur gibi, "O-yedi ve O-sekiz mi?" diye mırıldandı ve artık ezberinde olan adli tıp uzmanının telefon numarasını çevirdi.

Adli tıpta konuştuğu ilk uzman onun kuşkusunu doğruladı, insanın boynunda sadece yedi omur vardı. Yedinci boyun omurundan sonra belkemiği geliyordu.

Adam konuşurken hata mı yapmıştı acaba?

Bu da mümkündü tabii.

Dedektif Morse koltuğunun arkasına astığı ceketine uzandı ve not defterini çıkardı. Lang'ın büro numarasını hemen buldu ve tekrar telefonu aldı eline. Eğer avukatın sekreteri onunla az da olsa bir işbirliği yaparsa....

2

Morse hasta olarak gitmese bile doktor muayenehanelerinden nefret ederdi. Burada da sehpanın üstü eski gazeteler ve dergilerle doluydu ve hemşire de her yerde olduğu gibi, "Doktor biraz sonra görecek sizi efendim," gibi basmakalıp sözünü söyledi. Normal olarak doktorun onu oldukça uzun süre bekleteceğinden emindi.

Fakat polis kimliği durumu biraz değiştirdi. Eline bir aylık eski bir dergiyi alıp karıştırmaya başlamıştı ki, hemşire onu alıp duvarları doktorun çerçevelenmiş diplomaları ve tıp belgeleriyle dolu bir odaya götürdü.

Morse'un hemen arkasında odaya giren kısa boylu, beyaz gömlekli adam onun yanından geçip masaya oturdu ve elini uzatarak, "Ben Arnold Krause, hoş geldiniz," dedi. "Sanırım Bay Lang Reilly'nin kayıtlarıyla ilgileniyorsunuz."

Herkes gibi bu adam da bir polisle konuşurken az da olsa tedirgin olmuş gibiydi.

"Evet, Doktor. Bildiğim kadarıyla Georgia'da doktor hasta sırdaşlığı diye bir şey söz konusu olmuyor galiba...."

Krause arkasındaki dolaptan bir dosyayla büyük bir zarf alarak masanın üzerinden ona doğru uzattı. "Evet, bunun farkındayım, ama yine de hasta kayıtlarını genelde mahkeme emri olmadan pek vermeyiz. Ama işin içinde bir polis soruşturması olduğu zaman durum değişiyor elbette..."

Morse masanın önündeki koltukta oturarak dosyayı karıştırmaya başladı. "Bana formalitelerden söz etmediğiniz için teşekkür ederim size, Doktor."

Doktor Morse'un ne aradığını merak ediyordu ama "Polisimize yardım etmek görevimizdir," diyerek onun konuşmasını bekledi.

Morse geçen sonbaharda yapılan muayene ve testlerin sonuçlarını okudu. Lang'ın sağlığı yerinde görünüyordu. Büyük sarı zarfı açarak içindeki röntgen filmlerini masanın üzerine çıkardı. Filmleri pencere ışığına tutarak birer birer inceledi ve sonunda istediği filmi buldu.

Onu doktora uzattı ve "Bu bir boyun filmi, değil mi?" diye sordu.

Doktor filmi aldı ve yerinden kalkarak duvardaki bir film inceleme camına taktı. Camdaki ışık yanınca filme birkaç saniye baktı ve "Evet, boyun omurlarının son kısmı bu," dedi. "Aslında bir göğüs filmi demek daha doğru olur."

Morse doktorun meraklandığını ve ne aradığını ona sormak istediğini biliyordu. "Yani Bay Reilly'nin boyun omurlarına gömülüp kalmış bir yabancı cisim yok, değil mi, Doktor?"

Doktor şaşkın gözlerle onun yüzüne baktı. "Yabancı cisim mi? Nasıl yani?"

"Yani bir mermi gibi bir şey."

Doktorun yüzü birden sarardı. "Bir mermi mi dediniz?"

Morse ona doğru eğildi. "Evet, mermi dedim, Doktor. Yani boynunda bir mermi olsaydı onu mutlaka görürdük, değil mi?"

Doktor başını salladı. "Elbette görürdük, ama bunu neden...?"

"Siz Bay Reilly'yi muayene ederken ve testleri sırasında, boynuna kurşun yediğini ya da oradan bir kurşun çıkarıldığını gösteren bir yara izi gördünüz mü, Doktor?"

Doktor başını iki yana salladı. "Elbette hayır, ama neden...?"

Morse birden ayağa kalkarak elini ona uzattı. "Çok yardımcı oldunuz, teşekkürler, Doktor."

Doktor meraklı bir ifadeyle onun yüzüne bakarak elini sıktı ve dayanamayıp sordu, "Siz Bay Reilly'nin boynundan vurulduğunu mu düşünüyorsunuz?"

Morse dönüp odadan çıkarken, "Birileri öyle düşünüyor olmalı," dedi.

3

Morse otopark ücretini ödedi ve kapıdaki uzun yatay direk kalkarak ona yol verdi. Verdiği kâğıt paranın üstüne verilen bozukluğu ilk kez saymadan cebine attı. Kayıtlarda var olduğu söylenen ama aslında röntgen filminde görünmeyen bir kurşun kafasını karıştırmıştı.

Askerlik hayatı konusunda yalan söyleyen adam çoktu. Hayatında savaş alanı nedir bilmeyen pek çok kişi savaşa girdiğini söyler, kendini kahraman gibi göstermek isterdi. İzci üniformasından başka üniforma giymemiş olup da, yedek subay olarak orduda uzun süre görev yaptığını söyleyenler de az sayılmazdı. Fakat ordunun durup dururken Mor Kalp madalyası uydurduğu görülmemişti.

Kullandığı polis arabasının klimasını çalıştırmak istedi, ama soğuk hava yerine sıcak geldiğini görünce hemen kapadı. Suratını buruşturdu, içini çekti ve pencereyi iyice açtı. Ama Lang konusunda bir Mor Kalp madalyası uydurmuş olabilirlerdi. Çünkü o hiçbir zaman SEAL'de görev yapmamış, büyük ihtimalle donanmaya bile girmemişti ve bunun nedeni, birileri Lang'ın geçmişinin araştırılmasını istememişti.

Morse'un o anda bulabildiği tek açıklama şekli buydu. Dedektif kendini tutamadı ve gülümsedi. Eğer birileri Lang Reilly'nin kimliğinin gizli kalmasını istediyse, o zaman bu işin içinde Ulusal Güvenlik Teşkilatı gibi bir şeyler var demekti. Diğer bir deyişle Bay Lang Reilly geçmiş yaşamında casusluk, ya da gizli ajanlık yapmıştı ve belki de hâlâ casustu.

Eğer Bay Reilly bir Gizli Teşkilat ajanıysa, Halvorson'u öldürmek ya da diğer adamı pencereden aşağıya atmak için bir bahane aramasına da gerek yoktu. Washington'da birileri kapıcının bir terör örgütü üyesi olduğunu öğrenmiş ve Reilly'den onu temizlemesini istemiş olabilirdi. Ya da onun evine giren şu adam da belki bin Ladin'in kayınbiraderiydi, kim bilir?

Morse öyle dalmıştı ki kırmızı ışıkta ani bir frenle zor durdu.

Ama bir katil her zaman katildi, Ulusal Güvenlik ajanı da olsa Morse için adam bir suçluydu. Bu kuşkusunu da FBI'a hemen bildirmeliydi. Belki onlar Roma polisinin işbirliği sayesinde Reilly'nin Roma'daki tanıdıklarını ve nerelerde kalabileceğini öğrenebilirlerdi.

Kısım Üç

Bölüm Bir

1

Londra

Ertesi Gün

Kulağına gelen çınlama sesi ve karşıda yanan "Sigaranızı söndürün" ışığı Lang'ı derin uykusundan uyandırdı. Yanan gözlerini ovaladı ve yanında oturan Gurt'un üzerinden eğilerek camdan aşağıya baktı. Gri bulutlar MD 88 uçağına doğru yükseliyorlardı. Dar koridorun diğer yanında oturan Doğu Avrupalı tipli çift, bebeklerini susturmakta güçlük çekiyorlardı. İngiliz Havayollarının hostesleri yolcuların önlerindeki küçük sehpalar yukarı kaldırılmadan önce, onların üzerinde duran plastik bardakları toplamak için acele ediyorlardı.

Lang koltuğunu dik duruma getirdi ve elini kaldırıp takma bıyığının hâlâ yerinde olup olmadığını kontrol etti. Kırlaştırılan saçları ve kalın camlı miyop gözlükleri onu oldukça yaşlı bir adam yapmıştı. Cebinde Heinrich Schneller adına hazırlanmış sahte bir Alman pasaportu vardı ve pasaport için fotoğraf çektirmeden önce yanaklarının iç kısmına kauçuk köpüğü sıkmışlardı.

Lang'ın pasaport resmi büyükelçilikten bir blok ilerde bulunan bir fotoğrafçıda çekildi. Sahte pasaporta yine sahte damgayı Gurt vurdu. Lang hayatında ilk kez bıyıklı oluyordu ve oldukça garip geldi bu görüntü ona.

Milano'nun Malpensa Havaalanında uçak biletini aldıkları memur onların yüzlerine bakmadı bile ve biletlerini verirken neşeli bir sesle, "Arrive derci," dedi. Tabanca kayışları ve botları pırıl pırıl olan gri üniformalı havaalanı polisleri ise Gurt'u hayran bakışlarla yolcu etmişlerdi.

Gurt kılık değiştirme olarak sadece başına siyah bir peruk geçirmiş ve boyunu biraz daha kısa göstermek için hafifçe öne doğru eğilerek yürümüştü. O kimlikleri gizli olan adamlar onun yüzünü zaten hiç görmemişlerdi, onu tanımaları olanaksızdı. Ama utanmaz İtalyan erkekleri yine de ona bakarak iç çekmeden duramıyorlardı.

Herr Schneller ve ona kıyasla çok daha genç görünen karısı Freda, Milano'dan Londra dışındaki yeni havaalanı Docklands'a uçtular. Biletleri alırken kullandıkları kredi kartının üzerinde bir halı firmasının adı vardı, Frau Schneller ve kocası halı üretiminde kullanılan yün pazarlarını ziyaret ediyorlardı. Milano'dan Londra'ya, oradan da Manchester'e uçacaklardı.

Kullandıkları firma adının gerçekte var olup olmadığını bilmiyorlardı, ama Lang bir konuda emindi, Hamburg numarasını arayan birine mükemmel Almanca konuşan ve muhtemelen Virginia'da bir odada oturan biri cevap verecekti. Pasaportların ve sürücü belgelerinin de incelemeden kolayca geçeceğini biliyordu. Visa ve American Express kartlarını araştıranlar da bunlarla ilgili geçer banka hesabı bulacaktı ama Lang bu kartlarla harcama yapmayacağına söz vermişti, onları sadece kimlik olarak kullanacaktı. Gurt kendileri için gerekli belgeleri sağlamak için birkaç arkadaşından yardım aldı. Onlara yardım eden eski arkadaşlarının çoğu sahtecilik konusunda uzmandı.

Uçak alçalırken sarsılınca Lang da koltuğun kenarlarına sıkıca yapışmaktan alamıyordu kendini. Bir kaza anında kendisini koltuğa bağlayan emniyet kemerinin hiçbir yararı olmayacağını çok iyi biliyordu. Aslında alçalma esnasında uçağın sarsılmasına neden olan şeylerin indirilen flaplar ve iniş takımları olduğunu biliyordu ama yine de içindeki uçuş korkusunu atamıyordu işte.

Kaptan pilot hiç sarsıntısız, mükemmel bir iniş yaptı ve uçak terminal binasına doğru taksi yaparken, Lang da koltuğun kenarlarını sıkan ellerini gevşetti ve rahatladı. Bekledikleri gibi, bu havaalanında ne gümrük ne de pasaport kontrolü vardı. Birkaç dakika sonra valizlerini alarak terminal binasının önünde bekleyen Austin marka taksilerden birine bindiler. Burada şoförlerin ana dili İngilizceydi ve ayrıca taksiciler şehrin her yerini çok iyi bilirlerdi.

İtalya'da Nisan ayı yaşanıyordu ama kış mevsimi İngiltere'yi terk etmemek için direniyordu sanki. Gökyüzü gri bir örtüyle kaplıydı ve onun altında daha koyu renkli yağmur bulutları vardı. Bir süre sonra West End'e doğru yol alırken yağmurla beraber ön camın silicisi de gıcırtıyla çalışmaya başladı.

Dawn da Londra'yı hiç sevmemişti. Lang onu Noel'de daha iyi eğlenirler diye getirmişti Londra'ya ama hiçbir şey düşündüğü gibi olmamıştı. Londra'ya karlı, beyaz bir Noel geçirme hayali kurarak gelmişlerdi, ama hava her gün öğleden sonra üç buçukta kararmış ve onlar da otelin berbat ısıtma sistemi yüzünden, nezleden ve burun silmekten bir türlü kurtulamamışlardı.

Savoy Otelinin nehir dairelerinin lüksü bile onları mutlu etmeye yetmemiş, sabahları pencereden dışarıya baktıklarında içleri kararmıştı. Lang ve karısı Dawn bir gün öğleden sonra Tower'a gitmiş ve nöbet değişimini izlemişler, sonra da Simpson'a giderek oranın ünlü birasından içmişlerdi. Lang karısını eğlendirmek için elinden gelen her şeyi yapmış, ona Londra'nın bütün turistik yerlerini göstermeye çalışmıştı.

Akşam yemeğini Lang'ın MI6'daki arkadaşlarıyla birlikte, onların kulübünde yemişler, ertesi gün de bütün öğleden sonrayı Harrods'da geçirmişlerdi. Fakat Dawn bütün bunlara rağmen eski neşesini bulamamış, Londra'dan zevk alamamıştı.

Lang Londra'yı sevdiği için Dawn'ın bu davranışı onu sinirlendirmiş, ilk ve son tartışmalarını orada yapmışlardı. Bu durumda orada fazla kalmamışlar, Ben Johnson'un "Londra'dan bıkan insan hayattan da bıkmış demektir," sözüne aldırmadan eve dönmüşlerdi. Dawn'a göre, Dr. Ben Johnson kapalı havaları ve berbat yemekleri seven bir adamdı.

Londra'dan ayrıldıkları gün de hava aynen geldikleri gün olduğu gibiydi, gökyüzü simsiyah bulutlarla kaplıydı.

Lang o seyahati ömür boyu unutmayacaktı, çünkü Dawn Londra'dan döndükten tam bir hafta sonra hastalandı ve acılar içinde kıvranmaya başladı. Bir hafta sonra da doktorlar onun durumunun çok ciddi olduğunu söylediler.

Lang ondan sonra Londra'ya hiç gitmedi, o zamandan beri ilk gelişiydi bu.

Şehirde her şey değişmiş gibiydi. İnşaat vinçleri dâhil olmak üzere, manzaralar bile farklıydı. Şehrin yeni milyonerleri için yeni büro binaları yeni gökdelen apartmanlar inşa edilmişti. Lang'ın son zamanlarda bir yerde okuduğuna göre, Londra inşaat, zenginlik ve gelişme alanlarında bütün İngiltere'yi geride bırakmıştı.

Lang taksinin ıslak camlarından West End'i seyretti bir süre ve sonra Buckingham Sarayı belirdi gözlerinin önünde. Taksinin diğer yanında Victoria Anıtı adeta canlanmış gibiydi; şemsiyeli turistler nöbet değişim törenini seyretmek için kendilerine uygun yerler arıyorlardı. Çok geçmeden sola dönerek St. James Sokağına ve aynı adlı semte geldiler. Picadilly Circus'a, alışveriş, restoranlar ve tiyatrolar merkezi olan Soho'ya yaklaştılar. Taksi St. James Sarayının ikiz Tudor kulelerini geçip dar bir sokağa girdi ve sonra sağa dönerek fazla dikkat çekmeyen tuğla bir binanın önünde durdu. Binanın kapısı yanında, duvardaki sarı pirinç levhada Stafford Oteli yazıyordu.

Lang Roma'da küçük, ucuz bir pansiyonda kalmasına rağmen o adamlardan kurtulamamıştı. Pansiyondan Orvieto'ya kadar izlendiğinden emindi. Bu kez oldukça iyi bir otelde kalacaktı. Herr Schneller de karısıyla birlikte ancak böyle bir otelde rahat edebilirdi. Bu otel turizm broşürlerinde "yeri mükemmel, orta ile pahalı arasında bir otel" olarak gösteriliyordu. Otelin en iyi yanı, içinde sadece bir özel kulübün, iki küçük otelin ve birkaç işyerinin bulunduğu bir çıkmaz sokakta olmasıydı. Kısa çıkmaz sokakta dükkân ya da restoran gibi müşteri çeken yerler yoktu. Sokağa girecek olan kuşkulu bir kişi hemen dikkati çekecekti.

Süslü üniformasıyla taksinin kapısını açan ve onlara gülümseyen otel kapıcısı hemen valizlerini aldı. Gurt bahşiş dağıtır ve otel kaydını yaptırırken Lang da otelin lobisini gözden geçirdi. Daha önce hatırladığı gibiydi burası, değişmemişti. Biraz ilerde Victoria tarzı döşenmiş çay salonu, onun arkasında da bar vardı. Barın üstündeki rafta NFL takımlarından bazılarının kaskları dizilmişti, koltuklar çok rahattı. Çeşitli okul ya da kulüplerin özel renklerinde kravatlar tavana asılmıştı. Duvarlarda Avrupa'nın ünlü sporcularının resimleriyle, karlarla kaplı bir piste inen bir B-17 bombardıman uçağının resmi vardı. Bu meydan büyük ihtimalle 2. Dünya Savaşında kullanılmış bir RAF (Royal Air Force: İngiliz Kraliyet Hava Kuvvetleri) meydanı olacaktı. Yandaki kapılar küçük bir bahçeye açılıyordu. Lang'ın son gelişinden bu yana karşı taraftaki garajın üstüne yeni odalar inşa edilmişti.

Otele giriş çıkışlar sadece ön kapı ve yeni odaların olduğu blok kapısından yapılıyordu ve bu da Lang'ın pek hoşuna gitmedi. Otelin kapıları kısıtlıydı ki bu da güvenlik açısından sıkıntı yaratabilirdi.

Lang etrafı incelemeyi bitirdikten sonra asansör yanında bekleyen Gurt'un yanına gitti. Oda küçüktü ama rahattı, temizdi ve iyi döşenmişti. Gurt valizinden çıkardığı birkaç elbiseyi gardıroba astıktan sonra bir sigara yaktı ve banyoya girerken, "Grosvenor Meydanına gitmeden önce üstümü değişeyim," dedi.

ABD Büyükelçiliği o meydandaydı ve elbette elçilikte görevli olan Teşkilat İstasyon Şefi de orada bulunuyordu. Başka ülkelerden gelen Teşkilat ajanları hemen Londra İstasyon Şefine haber vermek zorundaydılar. Gurt Lang'a yardım için buraya gelmişti, ama aslında ajanlar kendi başlarına ve kendi işleri için operasyon yapamazlardı.

Lang kapalı banyo kapısının arkasından ona, "Bir taksiye atla yoksa sırılsıklam olursun," dedi. "En yakın metro istasyonu da elçilik kadar uzaktır buraya."

Banyonun kapısı aralandı ve sigara dumanı arasından Gurt'un başı göründü. "Bunu biliyor musun, yoksa turizm broşüründen mi okudun?" diye sordu.

"Elbette iyi biliyorum bunu, burada oldukça uzun süre kaldım geçmişte."

Gurt başını salladı ve güldü. "Pekâlâ, haber verdiğin için teşekkürler, beni düşünmen mutlu yapıyor beni."

Lang başını salladı ve Alman düşünce tarzının farklı olduğunu bir kez daha gördü. İngilizce konuşurken insanlar mutlu oldum derlerdi, ama Alman düşünce tarzına göre, 'beni mutlu yaptın' şeklinde konuşuyorlardı.

2

Lang yarım saat sonra Fortnum ve Mason'dan çıkarken, kendisine kapıyı açarak tutan silindir şapkalı kapıcıya teşekkür etti ve sokağa çıkınca yeni aldığı şemsiyesini açtı. Şemsiye onu yağmurdan korumakla kalmayacak, aynı zamanda kaldırımdaki şemsiyeli kalabalığın arasına karışıp onlardan biri olmasını ve dikkat çekmemesini sağlayacaktı.

Sağ tarafta Picadilly Circus'un neon ışıkları ıslak kaldırıma vuruyor, siyah asfaltta da renkli yansımalar yapıyordu. İki katlı bir otobüs yüz yıldan fazla bir zamandır meydanda duran Yunan aşk tanrısı Eros'un önünü önce kapadı, ama hareket ederek tekrar açtı.

Otobüsler, kamyonlar ve otomobiller kırmızı ışıkta durunca korna sesleri de hemen başlıyordu, insanlar gittikçe daha sabırsız oluyorlardı. Yayalara yeşil ışık yanınca Lang kırmızı bir Mini Cooper'un önünden karşıya geçmek için kaldırımdan indi. Direksiyondaki gencin saçı Beatles tarzı kesilmişti, dudakları arasında bir sigara vardı ve kulağındaki cep telefonuna bağırarak bir şeyler söylüyordu. Lang bir Rover arabanın arkasından dolaştı, yan yana duran iki Japon motosikletinin önünden geçti ve karşı kaldırıma ulaştı.

Sol tarafta, yarım blok ilerde Old Bond Sokağı vardı. 12 numaranın önüne gelince levhayı gördü; üzerinde Mike Jenson, Antikalar, İlginç Eşyalar yazıyordu. Hiç durmadı ve kapıyı açıp girdi içeriye.

3

Oradan birkaç mil uzakta, West End'de bir adam, renksiz ekranlarda şehrin çeşitli sokaklarından manzaraları izliyordu. Bazen bir resmi donduruyor, bir insan yüzünü inceliyor ve sonra tekrar hareket başlıyordu.

Londralıların büyük çoğunluğu her gün işlerine gidip dönerken, bir yere giderken, alışveriş yaparken ya da vitrinleri seyrederken izlendiğini bilmiyordu elbette. Kameralar IRA terör örgütünün mirasıydı. Bu kameralar büyük mağazalarda kullanılan güvenlik sistemlerinden biraz farklıydı ama şehrin birçok semtinde insanları sürekli gözetleyen binden fazla böyle kamera vardı. Londra polisi bile bu kadar geniş bir alanı kameralarla gözetleme olanağına sahip değildi.

Teknolojinin sürekli ilerlemesiyle, yüz tanıma sistemi de teşkilatların, örgütlerin hizmetine girmişti. Herhangi bir insan yüzü bir bilgisayara programlanıyor ve ona sayısal değerler veriliyordu; örneğin gözler arasında mesafe, burun uzunluğu ve benzeri bilgiler giriliyordu. Bu veriler ışığında, bunlara uyan bir yüz herhangi bir ekranda belirdiği zaman sistem alarm veriyor ve aranan yüzün bulunduğu yer hemen saptanabiliyordu.

İnsan yüzündeki büyük değişiklikler ancak plastik ameliyatlarla sağlanabileceği için, yüzde bir kemik değişikliği yapılmadığı takdirde, diğer makyaj türleriyle yapılan değişiklikler bu kamera sistemini yanıltamıyordu.

İrlanda sorunu geçici olarak da olsa anlaşmalarla biraz halledildiği için, Londra polisi bu kamera sistemi üzerinde fazla durmamış, bu konuda bilgisi olan eski teröristleri de serbest bırakmıştı. Aslında polis bir süre bu sistemden yararlanmış ve onun sayesinde pek çok suçlu yakalanmıştı. Ama daha sonra halkın özel yaşamına müdahale konusu ortaya atılmış ve buna itirazlarla beraber şehir konseyinde tartışmalar yaşanmış, kameralar bazı semtlerde kaldırılmıştı.

Tampa, Florida polisi de benzer bir teknolojiyi deneysel olarak kullanmış ve 2001 futbol sezonu sırasında, seyirciler içinde on dokuz kişi aranan zanlılar olarak yakalanmıştı. Londra polisi de sistemi şehrin kalabalık semtlerinde bir kontrol aracı olarak hâlâ kullanıyordu.

Lang Reilly dükkâna girerken hafifçe döndü ve yüzünü hem önden ve hem de yandan karşı binanın damındaki kameraya net olarak gösterdi. Ekranları kontrol eden adam onun bulunduğu resmi dondurdu ve onun yüzünü çember içine aldıktan sonra önündeki cep telefonunda bir numara tuşladı.

Adam, "Haklısın," diye konuştu. "Jenson'a kadar gitti ve buldu orayı. Ne yapacağız?"

Karşı tarafı konuşmadan dinledi, sonra telefonu kapadı ve bir başka numara tuşladı.

Kendisini tanıtmadan, "Jenson'a gitti," diye konuştu. "Jenson dahil hepsi sterilize edilecek. Hayır, durum değişti. Reilly'yi canlı istiyoruz, neler bildiğini öğrenmeliyiz."

4

Lang eni boyu yaklaşık altı, yedi metre kadar olan küçük dükkâna girerken kapının üstündeki çıngırak çaldı. Duvarlarda suluboya ve yağlıboya tablolar birbirine yapışık olarak duruyorlardı. Dükkân koyu renkli ahşap eşyalarla düzenli bir şekilde bölmelere ayrılmıştı. İçerde hafif bir limon kokusu vardı.

Dükkânın arkasında ayak sesleri duyuldu ve arka taraftaki perde yana çekilerek açıldı. Siyah elbiseli, kısa boylu bir adam ellerini ovuşturarak ona doğru geldi. Uzun soluk bir yüzü vardı ve kır saçları tepesinde açılmaya başlamıştı. Adam çürük dişlerini göstererek gülümsedi.

Dükkân sahibi tam bir İngiliz aksanıyla, "Hoş geldiniz efendim, dedi. "Yardım etmemi ister misiniz? Yoksa etrafa mı bakacaksınız?"

Lang, "Siz Bay Jenson musunuz?" diye sordu.

Adam bir şeylerden çekiniyormuş gibi, endişeli bir ifadeyle onun yüzüne baktı. Lang onun bir şeylerden korktuğunu hemen anlamıştı.

Adam meraktan ziyade savunmaya yönelik bir ses tonuyla, "Pek ama siz kimsiniz Bayım?" diye sordu.

Lang ona bir kötülük yapmayacağını göstermek ister gibi hafifçe gülümsedi ve yumuşak bir ses tonuyla, "Ben sadece bir şeyler öğrenmek istiyordum," diye konuştu.

Jenson'un yüzündeki endişe ifadesi kaybolmadı ve "Nedir öğrenmek istediğiniz acaba?" diye sordu adam.

Lang hemen yanında duran cilalı eski bir sehpayı eliyle yokladı. Sonra cebinden Polaroid resmi çıkardı ve sehpanın üzerine koyarak kırışıkları düzeltti. "Bunu nerden aldığınızı söyleyebilir misiniz bana acaba?"

Adam Lang'ın bir vergi müfettişi olmadığının anlamış gibi birden rahatladı ve gülümseyerek ona baktı. "Oh, sanırım bir haciz ya da açık artırma satışında almıştım onu. Yani eğer bu tür dinsel resimleri seviyorsanız, gidip bir benzerini alabileceğiniz bir yer değildir orası."

Lang elini resmin üzerine koyarak, "Ben bir avukatım," diye devam etti. "Bu resmin orijinali ile ilgilenen bir müvekkilim var."

Jenson resmi alıp bakarken gözlerini kıstı, o anda uzun yüzüyle tıpkı bir tavuk kümesi bulmuş bir tilkiyi andırıyordu.

"Sattığım eserlerle ilgili kayıtları burada pek tutmam Bayım. Gördüğünüz gibi yerim çok küçük. İstediğiniz bilgiyi verebilmem için depoya girip kayıtları karıştırmam gerekir ki bu da tahmin edeceğiniz gibi uzunca bir zaman alabilecektir."

Lang ona bakıp başını salladı. "Elbette, sizi çok iyi anlıyorum. Ama müvekkilim zahmetinizin karşılığını ödemeye hazırdır, bunu da bilmenizi isterim."

Jenson paranın kokusunu alınca sırıttı. "Bakın size bu bilgiyi öğleden sonra verebilirim, şu anda yemek için çıkmam gerekiyor. Bir iki saat sonra tekrar gelirseniz bir şeyler yapabiliriz sanırım."

5

Lang bir büfeye girerek ayaküstü kızarmış balık ve patatesle doyurdu karnını. Zevkli bir yemek olmadı bu elbette ama en azından fazla vaktini almadı. Şimdi yaklaşık bir saatlik boş vakti vardı ve bu zamanı geçirmek için yakındaki Kraliyet Güzel Sanatlar Akademisinin bulunduğu Burlington House'a girerek yarım saat kadar oradaki modern sanat eserlerini seyretti, ama aklı başka yerdeydi.

Anladığı kadarıyla sergide iki ayrı sanat okulunun eserleri sergileniyordu. Tablolardan bazıları püskürtme yöntemiyle yapılmış eserlerdi ve herkesin anlayabileceği şeyler değildi bunlar. Bazıları da ressamların fırçalarını tuvale rasgele sürerek yaptıkları, çoğu anlaşılmaz şekillerden oluşan tablolardı. Birkaçı Jeff'in üç yaşında iken parmağını boyalara daldırarak yaptığı komik resimleri andırıyordu.

Lang son birkaç gündür, Janet ve Jeff'in ölümleriyle hayatında meydana gelen boşluğu adeta unutmuş, kendini onların katillerini bulmaya adamıştı. Onları hatırlayınca yine yumruklarını sıktı ve o katilleri bulmak için her şeyi yapacağını içinden bir kez daha tekrarladı.

Yüzündeki nefret ifadesini gören yaşlı, kır saçlı bir kadın korkarak uzaklaştı Lang'ın yanından. Lang o zaman, düşündüklerini yüksek sesle söylemiş olduğunu anladı. İçinden konuştuğunu sanıyordu ama o anda kendini adeta kaybetmiş ve dişlerini gıcırdatarak korkunç şeyler söylemiş olacaktı.

Modern sanatlardan yeterince zevk almadığına karar verince oradan ayrıldı ve yandaki salona geçerek bir Michelangelo rölyefinin önüne gitti, bir süre ona baktı. Dışarıya çıktığı zaman hava biraz olsun açılmıştı ve biraz sonra sanki güneş görünecekmiş gibi bir his vardı içinde. Herkes şemsiyesini kapamış, bazıları baston olarak kullanırken, bazıları da onları koltuk altına sıkıştırmıştı.

Lang çıngıraklı kapıdan bir kez daha girdi antikacıya ve Jenson'un arka taraftaki perdeyi açıp ortaya çıkmasını bekledi. Etrafta antika gibi görünen parçaların çoğunun taklit olduğunu anlamak için uzman olmasına gerek yoktu. Kenarda duran Savonarola sandalyesinin arkalığı, on beşinci yüzyıl Florence'ını değil de daha ziyade 1920'lerin modasını hatırlatıyordu. Yan taraftaki İrlanda Chippendale masası ellilerden kalmış gibiydi.

Lang bir süre bekledikten sonra sıkıldı ve saatine baktı. Dükkâna gireli on dakika olmuştu ve Jenson kapıdaki zili duymuş olmalıydı. Ama belki de arkada önemli ve uzun bir telefon konuşması yapıyor olabilirdi.

Lang bir iki dakika daha bekledi ve sonra, "Bay Jenson!" diye seslendi.

Arka taraftan hiçbir ses gelmedi. Ama adam dükkânın kapısını açık bırakıp bir yere gitmiş olamazdı elbette, arka tarafta olmalıydı. Arkaya doğru birkaç adım atarak adama bir kez daha seslendi ama yine cevap alamadı. Artık sinirlenmeye başlamıştı Lang.

Dükkânın arka tarafına gitti ve perdeyi tutarak yana doğru çekti.

Tavanda düşük voltajlı iki ampul yanıyordu, İngilizler elektrik harcaması konusunda titiz insanlardı. Loş ışıklı odada hepsi de onarıma ihtiyacı olan bir sürü eski masa, sandalye, dolap gibi eşya vardı. Bir kenarda her boyutta ve içleri boş tablo çerçeveleri duruyordu.

Sağ tarafta aralığından ışık sızan bir kapı gördü Lang, bir büro olabilirdi orası. Jenson belki de oradaydı ve Lang'ın girişini onun için duymamış olacaktı. Etraftaki eşyalara çarpmamak için büyük bir dikkatle ve bazı eşyaları da hafifçe yana doğru iterek o kapıya doğru yürüdü. Kapı bir iki santim kadar aralıktı, Lang onu açmadan önce hafifçe parmağının tersiyle vurdu ve "Bay Jenson?" diye seslendi.

İçerden cevap gelmeyince aynı şeyi tekrarladı ve bir kez daha vururken kapı kendiliğinden yavaşça açıldı.

Lang pek çok kişiden kan kokusunun bakır kokusunu andırdığını duymuştu. Ama bu koku ona daha çok çeliği hatırlatıyordu, sanki dilini bir bıçağa sürüyormuş gibi bir duyguya kapılıyordu kan kokusu duyduğunda. Fakat o sırada önemli olan kanın kokusu değildi tabii, kan her yerdeydi.

Jenson'u bir koltuğa oturtmuşlardı ve etrafta kan gölü olmasa, başını koltuk arkalığına dayamış haliyle onu görenler uyuyor sanabilirdi. Gömleği, ceketi ve pantolonu kıpkırmızıydı, tamamen kana bulanmıştı. Yanda duran sehpanın üzeri ve zemin kan içindeydi, hatta duvarlarda bile kanla sergidekine benzer şekiller çizilmişti. Boğazı boydan boya kesilmişti Jenson'un.

Sehpanın yanında kapağı açık bir kasa vardı, yere bir sürü kâğıt dağılmıştı ve bunların çoğu da kan içindeydi. Sanki Jenson ölmeden önce son hamlesini yapmış, kâğıtları alıp havaya fırlatmıştı.

Lang şemsiyesini duvara dayadı ve elinin tersiyle adamın çenesine dokundu. Jenson'un teni hâlâ sıcaktı, öleli çok olmamıştı. Lang endişeli bir ifadeyle çevresine bakındı, katil hâlâ buralarda bir yerde olabilirdi. Hızla kapıya döndü ve uzun sehpanın üstündeki belgelere baktı.

Dağılmış kâğıtlar arasında banknotlar da vardı. Kan kokusundan midesi bulandı ve ağızdan nefes almaya başladı Lang, belki de burada boşuna zaman harcıyordu. Ama adamlar Jenson'u öldürüp sırrını gizlemek istedikleri bilgiyi burada bırakarak gitmiş olamazlardı herhalde. O halde tekrar gelebilirlerdi buraya ve Lang da o zaman burada bulunmak istemezdi doğrusu.

Etrafa tekrar bakarken Jenson'un koltuğu altında, kana bulanmış bir kâğıt parçası takıldı gözüne. Antikacının tam yanında duran biri koltuğun altına düşmüş olan o kâğıdı asla göremezdi. Lang eğildi ve kâğıdın kansız kalmış bir köşesinden tutarak yerden aldı onu. Kâğıt bir DHL kargo makbuzuydu ama kandan okunmuyordu. Lang yüzünü buruşturdu ve makbuzu yere atmak üzereydi ki bir köşesindeki "Poussin" kelimesini görünce birden irkildi. Makbuzda bir kargo listesi vardı ama kelimelerin çoğu okunmuyordu. Fakat listedeki malların arasında araştırdığı tablonun da bulunduğunu tahmin edebiliyordu şimdi. Okuyabildiği diğer kelimeler, "Pegasus, Ltd. – gönderici adıydı ama adres okunmuyordu.

Lang'ın gördüğü liste ile aradığı katillerin bir ilgisi olmayabilirdi, ama şansının açılmış olması ihtimali de vardı. Jenson birden fazla Poussin tablosu almış ya da satmış olabilir miydi?

Veya katilin bu kargo makbuzunu görmemiş olması gerçekten mümkün müydü? Lang sanat dünyasıyla oldukça yakın sayılırdı ama bir ay öncesine kadar Poussin adını hiç duymamıştı. Belki de Jenson ölmeden önce bu kargo makbuzunu katili görmeden iterek koltuğun altına düşürmeyi başarmıştı.

Ama o anda bunları düşünecek yeterli zamanı yoktu. O sırada kapıdaki çıngırak çaldı, dükkâna birisi girmiş ya da buradan dışarı çıkmıştı. Belki de katil kaçıyordu ve Lang o anda bir şey yapacak durumda değildi.

Ama belki de vardı yapabileceği bir şeyler. Kanlı kargo makbuzunu cebine attı ve dikkatle oradan çıkarak biraz önce geçtiği yandaki depo ve onarım odasına girdi. Her yer kan içinde kaldığına göre, Jenson'un boğazını kesen katilin üstü de kan içinde kalmış olmalıydı.

Katil bir çalıntı arabayla gelmediyse ya da kapının önünde bir taksi bekletmediyse üzerindeki kanlı elbiseyle oradan uzaklaşması kolay olmayacaktı. Lang kapı çıngırağını çaldıran kişinin katil olduğunu tahmin ediyordu ve hemen dışarı çıkıp onun peşine düşmesi mümkün olabilirdi.

Ama katil hâlâ dükkânın içinde saklanıyor da olabilirdi. Lang bunu düşününce birden yavaşladı, sırtını duvara vererek dükkânın ön kısmına doğru ağır adımlarla ilerledi. Kapı zilini çaldıran belki de kaçan katil değil de içeri giren bir müşteri de olabilirdi.

Dükkânın ön kısmını, müşteri bölümünü arka odalardan ayıran perdeye yaklaştığında loş ışıkta yerde bir şey gördü ve onu önce başka bir ceset sandı. Ama yerdeki karaltıya biraz daha yaklaşınca onun kanlı bir işçi tulumu olduğunu fark etti.

Lang içeri girdiğinde bu kanlı tulum orada olsaydı, Lang'ın onu görmemesi mümkün değildi. Yerdeki işçi tulumunu alıp ceplerini karıştırdı, onun içinde bir şey bulamayacağını biliyordu ama yine de emin olmalıydı. Demek ki Lang dükkâna girdiği zaman katil oradaydı, bir yere gizlenmiş ve o arka tarafa geçince üzerindeki kanlı iş tulumunu çıkarıp bırakarak kaçmıştı.

Fakat Atlanta'da yapamadıklarını neden burada yapmamış, neden onu da öldürmemişlerdi acaba?

Lang bu sorusunun cevabını çok geçmeden aldı. Başında yuvarlak miğferiyle resmi bir İngiliz polisi dükkânın ön tarafında etrafa bakınıp duruyordu. Lang'ı görünce elindeki tabancayı ona doğrulttu.

Lang polisin elindeki silahı görünce, hemen katilin orada kalıp polis kılığına girmiş olabileceğini düşündü. Ama hemen hatırladı; Londra polisi eski geleneğini terk etmiş, silah taşımaya başlamıştı.

Polis gözlerini açıp şaşkın bir ifadeyle Lang'ın hâlâ elinde tuttuğu kanlı iş tulumuna baktı ve "Karakola telefon eden birisi burada..."

Lang onun sözünü kesti ve "Bakın memur bey," diye konuştu. "Bunu yapan ben değilim, size...."

Ama ne söylerse söylesin, yakalandığı bu pozisyonda kimseyi ikna edemeyeceğini de çok iyi biliyordu.

Yakasına takılı telsizle konuşan polis memurunun titreyen sesine bakılırsa, Lang'dan daha çok korkmuş gibi görünüyordu o. Polis telsizde merkeze, "Acil durum, burası kan içinde ve katil de tam karşımda!" diye bağırdı. "Old Bond Sokağı on iki numara, hemen takviye gönderin, acil durum!"

Lang kendisini katil gibi gösteren kanlı işçi tulumunu yere attı, tehdit oluşturmadığını belirtmek için elerini ileriye doğru uzatarak perdenin arkasına, depoya geçti ve "Ben oraya girdim ve onu o halde buldum," dedi.

Genç ve deneyimsiz polis memuru çok sinirli, tedirgin görünüyor ve elindeki tabanca bile –Lang onun dokuz milimetrelik bir Glock olduğunu tahmin etti– hafifçe titriyordu. Lang'ın konuşmasını dinledikten sonra, "Kes sesini!" diye bağırdı. "Sakın kımıldama!"

Lang geriye doğru bir adım daha attı ve arkasına bir şey dayanınca durdu. Polis memuru da yavaşça onu izliyordu. Lang'la arasını fazla açarsa, onun kaçma ihtimalini ve ateş ederse onu vuramayacağını düşünüyor olmalıydı. Lang elini arkaya uzattı ve sırtına neyin değdiğini anlamaya çalıştı. İyice kenara yanaşmıştı ve sırtına dayanan şey de daha önce gördüğü büyük ve boş tablo çerçevelerinden biriydi.

Polis ona, "Ellerini yukarı kaldır, göreyim!" diye bağırdı.

Lang onun iyice zorlanmadan ateş etmeyeceğinden emindi, ama Atlanta'da olsa bu riske girmezdi. Genç polis memuruna bir zarar vermek istemiyordu ama teslim olmaya da niyeti yoktu. Kendisini temize çıkarana kadar takip ettiği izler de yok olacaktı. Ayrıca ağır ceza sistemini iyi biliyor ve polisten kolayca kurtulamayacağını da biliyordu. Polis memuru ağır adımlarla ona doğru yaklaşırken Lang parmaklarını kenarları oymalı çerçeve üzerinde gezdirdi. Polis bir elini arkasına atınca Lang onun kelepçeleri çıkaracağını anladı.

"İki elini de havaya kaldır dedim sana!"

Lang derin bir nefes aldı, öndeki ayağının üzerine doğru hafifçe eğilerek ani bir hamleyle polisin eline bir tekme attı ve tabancayı yere düşürdü. Genç polis tabancasını yerden almak için eğilirken, Lang arkasında duran resim çerçevesini başının üzerinden yıldırım hızıyla aşırdı ve polisin başından sonra da omuzlarından aşağı geçirerek onun kollarını iki yanına bağladı. Genç polis memuru hareketsiz kaldı ve şaşkın gözlerle ona

Lang kapıya doğru giderken, "İnan bana dostum," dedi. "Gerçekten de ben öldürmedim o zavallıyı ve bunu kanıtlamak için de elimden gelen her şeyi yapacağımı söylemek isterim sana."

Genç polis memuru hâlâ şaşkın gözlerle bakıyordu ona, ama söylediğine inanmadığı da belliydi. Lang daha dışarıya çıkmadan duydu polis arabalarının sirenlerini. Eğer polise yakalanırsa kendini kurtarana kadar parmaklıklar arkasında kalacak ve o katiller de cezaevinde ona ulaşmanın bir yolunu mutlaka bulacaklardı.

Dükkândan dışarı çıkar çıkmaz kaldırımdaki kalabalığa karıştı ve bütün gücüyle koşmamak için kendini zor tutarak, mümkün olduğunca hızlı adımlarla uzaklaştı oradan. Henüz iki blok yürümüştü ki şemsiyesini dükkânda unuttuğunu hatırladı ve dudaklarını büzüp başını iki yana salladı.

6

Stafford Otele geldiğinde bir not buldu:

> Alışverişe gidiyorum. Akşam yemeği Pointe de Tour'da.
> Çay burada saat 16.00'da.
> Gurt

Gurt'un bir dergiden kesip nota iliştirdiği sayfa parçasına bakılırsa, Pointe de Tour Londra'nın yeni restoranlarından biriydi ve Tower Bridge'in güney tarafındaydı. Reklâmına göre pahalı bir Fransız restoranıydı.

Gurt'u beklemek pek akıllıca bir davranış olmayacaktı. Lang odaya çıkıp valizini topladı. Kendisini suçlu hissediyordu ama Gurt'u daha fazla karıştırmak istemiyordu bu işe, Gurt onun planının dışında kalmalıydı. Adamlar Jenson'u öldürmüş ve ona tuzak kurup polise suçüstü yakalatmak istemişlerdi.

Şemsiyesinden Lang'ın parmak izlerini çıkarıp onu Fortnum and Mason'dan aldığını öğrenecekler, ondan sonra hem Amerikan ve hem de Avrupa polisleri Lang'ı yakalamak için insan avına çıkacaklardı. Polis ressamı Heinrich Schneller'in yüzünün resmini çizdikten sonra, artık Gurt'la karı koca gibi yolculuk yapmalarının da bir yararı olmayacaktı.

Parmak izleri ve Herr Schneller'in resmi İnterpole gittikten sonra Lang için huzurlu yaşamın sonu gelmiş olacaktı. Aslında şimdi de huzurlu değildi tabii, ama o zaman çok daha berbat bir durumda kalacaktı. Ama yapabileceği başka bir şey yoktu. Gurt'un odadaki kasaya koyduğu paraları aldı, yeterli olmayacağını bildiği halde ona bir not yazdı ve otelden ayrıldı.

Lang otelden çıkıp Mall'ı geçerek St. James's Park'a girdi ve orada Duck Adasındaki kuşları seyreder gibi birkaç dakika oyalandı. Etrafta onunla ya da kuşlarla ilgilenen hiç kimse yoktu. Whitehall ve Banquetinh House'u geçti, Charles I'in başı burada kesilmişti. Ama Lang bugün tarihle ilgilenecek halde değildi, sadece peşinde olabilecek, onu takip edebilecek olan adamları düşünüyordu o.

Şu anda o adamları göremiyordu ama onların oralarda bir yerde olmadıkları anlamına gelmezdi bu. Adamların zeki olduklarını kabul ediyordu Lang. İsteselerdi onu Jenson'un loş dükkânında kolayca öldürebilirlerdi ama yapmamışlardı bunu. Çünkü cinayet olaylarının hiç de az olmadığı bu şehirde onun öldürülmesi, bir antikacının öldürülmesinden çok daha fazla gürültü koparırdı. Onlar Lang'ın bir cinayet zanlısı olmasını tercih etmişlerdi.

Lang yakalanırsa adamlar onu nerede bulacaklarını bileceklerdi. Amerika ve Avrupa'da adamları olan onlar gibi bir suç örgütünün hiç kuşkusuz poliste ve hapishanelerde de çok sayıda adamları olacaktı, Lang emindi bundan. Onun gibi iki cinayet zanlısı olarak aranan bir adamın, uluslararası bir suç örgütü ve dinsel resimler hikâyesine kim inanırdı ki?

Lang ayakkabısının bağcığını bağlamak ister gibi taş merdivenin bir basamağına oturdu ve kimseye belli etmeden arkasına baktı, kontrol etti. Yakınında kuşların fotoğraflarını çeken bir Japon turist grubundan başka kimse yoktu. Lang oradan ayrılarak sağa döndü ve Trafalgar Meydanı kalabalığına karışmak için hızlı adımlarla yürümeye başladı.

Şimdilik küçük de olsa onlara karşı avantajlı durumda sayılırdı Lang. Adamlar onun cebindeki kanlı makbuzu bilmiyorlardı ki o kâğıt büyük olasılıkla resmin kaynağıyla ilgiliydi. Onlar Jenson'u Lang'a bilgi vermemesi için öldürmüşlerdi ama o bilgiyi saklayamamışlardı.

Charing Cross'taki tünel istasyonunun tam üstünde büyük bir alışveriş merkezi ve ofis binası yükseliyordu. Lang biraz yürüdü ve bir sokak telefonunun önünde durdu, bunlar artık pek çok yerde sadece dekor olarak kullanılıyordu elbette. Ama bunların yanında hâlâ telefon rehberleri asılıydı. Lang aradığı numarayı rehberde buldu numarasını tuşladı. Otelden aldığı birkaç parça eşyasını koyduğu küçük valizi de gözünün önünden ayırmıyordu.

Lang konuşmasını bitirdiği zaman utangaç ve hiç de ısıtmayan bir güneş bulutların arasından kendini hafifçe gösterdi. Ahizeyi yerine astı ve Strand'dan aşağıya doğru yürüdü, çok geçmeden Temple Bar Memorial'a vardı ki burası Londra'nın merkeziyle Westminster belediyelerinin sınırı oluyordu. The Strand burada Fleet Sokağı adını alıyordu ve burası eskiden Londra gazetelerinin merkeziydi.

Ama gazeteler uzun zaman önce matbaalarını ve idarehanelerini Londra'nın dışına, kırsal kesime taşımışlardı, çünkü bu bölgelerde binaların kiraları ve diğer harcamaları çok daha az oluyordu.

Lang adımlarını yavaşlattı, etrafa bakınır gibi çevreyi tekrar kontrol etti ve Middle Temple Lane adlı dar sokağa girdi. Bu sokağın açıldığı küçük parkın çevresindeki binaların çoğu avukat büroları tarafından işgal edilmişti.

Lang biraz düşündü ve sonra, uzun yıllar avukatlarını görmeye gelen müvekkillerin aşındırdığı mermer merdivenden üst kata çıkarak yarısı cam olan ve üzerinde "Jacob Annulewicz, Avukat" yazan kapıyı açıp avukatın bekleme odasına girdi. Odada minderleri yıpranmış iki sandalye, üzerinde eski model bir bilgisayar olan bir sekreter masası ile rafları dosya dolu bir kütüphane vardı.

Bekleme odasında sekreter yoktu, belki de Lang geleceği için patronu ona bir süre için izin vermişti.

"Reilly!"

Avukat bürosunun kapısında duran orta yaşlı, siyah cüppeli ve açılmış tepesini küçük bir avukat peruğuyla kapamış bir adam hafifçe gülümseyerek ona bakıyordu.

Lang küçük valizini yere bıraktı ve "Jacob!" diyerek adamı kucakladı. "Ne zaman ünlü bir avukat oldun sen bakalım?"

Jacob onun kollarından sıyrılıp bir adım geriledi ve rahat bir nefes aldıktan sonra gülerek, "Hep eski dalgacı adam, değil mi?" dedi.

Lang onun üstündeki avukat cüppesini göstererek, "Sen de hâlâ savunulamazları savunuyorsun, değil mi?" diyerek güldü. "Burada da mı avukat cüppesi giyiyorsun yani? Ben bunların sadece mahkemede giyildiğini sanırdım."

güldü. "Burada da mı avukat cüppesi giyiyorsun yani? Ben bunların sadece mahkemede giyildiğini sanırdım."

"Sen aramadan önce nerdeydim sanıyorsun sen peki? Mayfair Kulüpte miydim yani?"

"Kim bilir? Belki üyelik şartlarını biraz gevşetmişlerdir."

Jacob onu küçük bürosuna davet etti, masanın üstündeki kül tablasında duran piponun kokusu her yana sinmişti. "Onların şartları aynen devam ediyor. Hâlâ kadın, Yahudi ya da İşçi Partisi üyelerini almazlar aralarına. Oraya üye olmak için, ikisi ölmüş en az beş üyeden tavsiye mektubu götürmen gerekir."

Jacob'un bürosu da bekleme odası kadar dağınıktı. Jacob eline bir dosya alıp baktıktan sonra masaya bıraktı ve başındaki küçük avukat peruğunu çıkarıp küçük bir tahta kutuya koydu.

"Boş ver, o tür kulüpler bize göre değil. Bizim kendi yerlerimiz daha güzeldir."

Lang masanın önünde duran koltuğun üzerindeki dosyaları alıp kenardaki sehpanın üzerine koydu, oturdu ve "Haline bakılırsa Yahudi aleyhtarlığı yaşamadın pek galiba. Sanırım hâlâ Kutsal Topraklardan uzak durmayı yeğliyorsun, öyle mi?"

Polonya Yahudilerinin Nazi katliamından kurtulan bir babanın oğlu olan Jacob küçük bir çocukken İsrail'e götürülmüştü. Daha sonra İngiltere'ye göç edip İngiliz vatandaşı olmuş ama İsrail vatandaşlığı devam etmiş ve çok geçmeden de Mossad ajanı olarak çalışmaya başlamıştı. Yahudiler kendileri dışında olanlara hemen hiç güvenmedikleri için dost ülkelerde bile çok sayıda gizli ajan çalıştırırlardı.

Jacob'un Londra'daki temel görevi, Arap diplomatları izlemek, onlar hakkında bilgi toplayarak merkeze iletmekti. Bu

Libya büyükelçilikleri de yoktu ve o ülkelerin diplomatlarının izlenmesi diye bir durum söz konusu olmuyordu.

Jacob İngiltere'ye göç etmeden önce, İsrail ordusunda görev yaparken çok iyi bir patlayıcı uzmanı olmuştu. Bir rivayete göre, bir gün Hamas teröristlerinin gizli yuvasına sızmış ve onların telefonuna T4 bağlantısı yapmıştı. Çok geçmeden telefon çalmış ve patlama sonucu ahizeyi eline alan teröristin başı kopmuştu. Lang'ın bazı ajanlardan duyduğuna göre Jacob çok iyi bir patlayıcı uzmanıydı.

Amerikan ve İngiliz istihbaratları onun kendilerini de izlediğinden kuşkulanırlardı. Her iki tarafın CIA, FBI, MI5 ve MI6 gibi istihbarat teşkilatları onun artık İsrail'in istihbarat teşkilatından ayrıldığını ve sadece avukatlık yaptığını söylüyorlardı ama Jacob'un Akdeniz güneşi yerine Londra'nın pis havasını neden tercih ettiği bilinmiyordu.

Jacob arkasındaki bir dolabın kapağını açtı, üzerinde çaydanlık olan küçük bir gaz ocağını yaktı ve "Hâlâ şekersiz ve sadece limonlu çay mı?" diye sordu.

Lang gülümseyerek başını salladı. "Yıllar senin hafızanı hiç zayıflatmamış, Jacob."

Jacob sıcak olan çaydanlıktan porselen fincanlara çay koyarken başını salladı. "Evet ama her zaman iyi bir şey değil bu. Düşmanlarımın kim olduğunu hâlâ hatırlıyorum ama gözlerim eskisi kadar kuvvetli olmadığı için onların bana yaklaşmalarını iyi göremiyorum." Bir teneke kutu açtı ama başını iki yana sallayarak, "Üzgünüm, bisküvim kalmamış," diye devam etti. Sıcak çay dolu fincanı Lang'a uzattı. "Ee, son on yılda neler oldu, bana bir brifing ver bakalım, Langford," diyerek güldü. "Şu komik bıyığın ve üzerindeki berbat Alman elbisesinin nedenini de açıklarsın umarım."

Lang pencereden dışarıya baktı ve gördüğüne inanamıyormuş gibi dudaklarını büzdü.

Jacob başını salladı. "Ah, evet, dışarıda çok güzel bir bahar havası var. Aslında çayımızı arka bahçede de içebiliriz dostum. Belki bir tarlakuşunun ötüşünü bile duyabiliriz, ama o zavallı yaratıkları Londra'da en son birkaç yıl önce görmüştüm, çoğu dumanlı sisten öldüler."

Arka bahçeye çıktılar ama güneş havayı henüz ısıtamamıştı ve Lang hafifçe titredi. "Ofisinin dinlendiğini mi düşünüyorsun yoksa Jacob?"

Jacob ciddi bir ifadeyle başını salladı. "Güzel duvarların güzel komşular olduğunu söyleyen adam şu sizin şairiniz Robert Frost değil miydi, dostum? Bizim işimizde de . . . yani bizim eski işimizde de iyi dinleme cihazları iyi komşular olurlar. Senin Teşkilatın, MI5 gibileri dinlemekten ve aramaktan asla yorulmazlar, bıkmazlar. Onun için ben de ofisimde konuşulanları dinlemelerine izin veririm. Onları uyutmalıyım tabii. Artık saklayacak hiçbir şeyim yok. Ayrıca, senin Teşkilatın olmasaydı...."

Lang, "Çoktan ölmüştün," diye tamamladı onun sözünü.

Yıllar önce Lang'ın Teşkilatı Jacob'un ofisini dinlerken, Hamas'ın İsrail Büyükelçiliğinde bir bombalı araba patlatırken Jacob'un da orada olacağını öğrenmişti. Elçilik bu tür bombalı saldırılara karşı gerekli önlemleri almış, bina güçlendirilmişti ama komşu binalar hasar görecekti. Ama Arap teröristlerin bu saldırısının önceden haber alınması, saldırıyı planlayanların tutuklanması, onların içine sızıldığını gösteriyordu. Lang bu durumda Jacob'u uyarmış ve onu ölümden kurtarmıştı.

Jacob başını salladı ve "Haklısın, sen ve Teşkilatın olmasaydınız yaşlanmadan ölmüş olacaktım dostum," dedi. "Şimdi saydınız yaşlanmadan ölmüş olacaktım dostum," dedi. "Şimdi söyle bakalım, son on yıldır ne haltlar karıştırıyorsun ki, dinlenmekten bu kadar çok korkuyorsun?"

Lang her şeyi anlattı ona.

Jacob başını iki yana salladı ve "Karının, kardeşinin ve yeğeninin ölümlerine çok üzüldüm, başın sağ olsun," dedi. "Özellikle Dawn'ı tanıdığım için daha çok üzüldüm, hatırlarsın, birkaç yıl önce birlikte Londra'ya geldiğinizde sizinle dalga geçmiş, senin gibi bir adamda ne bulduğunu sormuştum ona. Çok tatlı bir kadındı.

"Demek şimdi Amerika'da avukatlık yapıyor, ama orada ve burada işlemediğin cinayetlerin katili olarak aranıyorsun ha! Sana nasıl yardım edebilirim peki?"

Dışarı çıkıp bir süre, silindir gibi bir yapı olan Temple'ın etrafında yürüdüler. Fakat Lang birkaç dakika sonra üşüdü ve binanın kalın kapısını açarak, "Hadi içeri girelim," dedi. "Buralarda kuşkulu kimse yok, bu binanın da dinlendiğini sanmam."

Adı Temple (Tapınak) olan bu yuvarlak bina on ikinci yüzyılda Tapınak Şövalyeleri tarafından yaptırılmıştı, ortası daire şeklinde ve sütunlarla destekleniyordu. Dairenin ortasında, taş zeminde bir sürü taş heykel ve büst vardı, heykellerin kılıçları zırhlı göğüslerine kaldırılmış, dayanmıştı. Heykellerin üzerlerinde kimlere ait olduğunu belirten hiçbir bilgi yoktu. Lang her zaman bunların Tapınak Şövalyeleri olduğunu düşünürdü.

Lang arkadaşına her şeyi anlattıktan sonra, "Pegasus Ltd." dedi. "Şu anda elimdeki tek ipucu bu kelime. Bu şirket Avrupa'da ise Echelon bunu mutlaka biliyordur."

Jacob birden durdu. "Echelon mu? Bu Ulusal Güvenlik Teşkilatı bilgileri başka teşkilatlarla paylaşmaz ki, ben kolayca

Ulusal Güvenlik Teşkilatı çok gizli bir örgüttü, konvansiyonel anlamda casusluk işlerine pek karışmaz, ama Londra dışındaki uydu kontrol istasyonu ile Avrupa'daki tüm faks, e-posta ve telefon mesajlarını alır, dinlerdi. Onların aldıkları bilgiler sadece İngiltere, Kanada, Avustralya ve Yeni Zelanda istihbaratları ile paylaşılırdı.

Lang gülümsedi ve "Haklısın dostum, sen artık emeklisin," dedi. "Ayrıca Mossad da Echelon'un mesajlarını yakalayamaz ve alsa bile başkasına vermez. Ben de dostluğumuzu istismar etmek istemem doğrusu...."

"Bu bilgiyi eski Teşkilatından ya da onların MI6'daki arkadaşlarından alamaz mısın acaba?"

Lang başını iki yana salladı. "Benim eski Teşkilatımın ve özellikle de Londra istasyonunun bana hiçbir borcu yok. Buralarda çalışanlar hep Harvard – Yale mezunu tipler, benim gibi normal bir üniversite mezununa yardım etmezler." Lang sustu ve biraz düşündükten sonra burnunu kıvırdı. "MI6 elemanları ise pek yardımsever değillerdir, bilirsin. Benim gibi eski bir Amerikan ajanına gönülden yardımcı olmak isteyeceklerini hiç sanmam."

Jacob güldü ve teslim olmuş gibi ellerini havaya kaldırdı. "Tamam, tamam. Echelon'un bu Pegasus konusunda bilgi bulacağını nerden biliyorsun peki?"

"Çünkü onların gözünden kaçan hiçbir elektronik mesaj sistemi yoktur. Birçok Ortadoğu ülkesinde yeni yolcu uçağı ihalelerinde Boeing bu şekilde Airbus'ın önüne geçebildi."

"Amerikan istihbarat teşkilatlarının bu tür işlere karışmaları yasaklandı, biliyorsun Lang. Onlar ellerindeki teknolojileri genellikle bin Ladin ve benzeri teröristleri, Kuzey Kore gibi bazı ülkeleri ve bazı Arap ülkelerine yapılan füze satışlarını izlemek için kullanıyorlar."

izlemek için kullanıyorlar."

Lang gözlerini devirerek baktı ona. "Amerikan şirketlerine milyarlarca dolar getirecek olan bazı ticari işler onları hiç ilgilendirmez elbette, değil mi?"

Jacob onlardan sonra içeriye giren olup olmadığını anlamak için bir süre sessizce çevrelerini izledi. Sonra, "Bu söylediğin doğru olsa bile, bu tür şirketlerden birini nasıl kolayca ayırırsın diğerlerinden? Her gün bu tür milyonlarca mesaj geçiliyordur."

"Bu işin bilgisayara bu tür programlar yüklenerek yapıldığını sen de biliyorsun."

"Yani 'bomba' programı gibi, değil mi?"

"Elbette. Hikâyeyi bilirsin; Birkaç yıl önce Soho'da sahneye çıkan bir İrlandalı komedyen vardı. Açılış gecesi endişeliydi ve sakinleşmek için Belfast'taki sevgilisine telefon etti ve çok sinirli olduğunu, nerdeyse bomba gibi patlayacağını söyledi. Adam daha tiyatro binasına varmadan o semtteki iki bloğu sardı polisler. Bomba ekipleri, köpekler, herkes toplandı oraya. MI5 bunun isimsiz bir ihbarla yapıldığını açıkladı."

Lang bunu anlatırken Jacob sert sakalını kaşıyordu, birden durdu ve "Bu durumda Echelon da içinde Pegasus kelimesi geçen herhangi bir mesajı kolayca yakalayabilir," dedi. "Mossad için hiç de zor olmamalı bu tür bir operasyon, değil mi?"

Lang gülmeye başladı. "Elbette onlar için küçük bir operasyon olurdu bu, ama dünyanın en yararlı operasyonlarından biri de sayılabilirdi."

Jacob dalgın gözlerle ileride bir noktaya bakarak, "Yani sen şimdi bir sürü insan öldürmüş olan bu canilerin Pegasus ile ilişkili olduğunu söylüyor ve başka da bir şey bilmiyorsun, öyle mi?" diye sordu.

madalyonu arkadaşına gösterdi. "Emin olduğum tek gerçek bu işte, beni öldürmek isteyen iki adamın boyunlarında da bu zincir ve madalyon vardı. Bu bir tesadüf olamaz, değil mi?"

Jacob kolyeye bakarak başını iki yana salladı. "Elbette tesadüf olamaz. Daire içindeki bu dört üçgenin bir anlamı var mutlaka." Lang dikkatle arkadaşına bakarken Jacob, "Daire içinde bir Malta haçı düşünsene dostum," dedi.

"Bunu da nerden çıkardın şimdi?"

Jacob parmağıyla göstererek, "Etrafına baksana biraz," diye devam etti. "Her yerde onlar var."

Lang onu yanlış anladı ve yine saldırıya uğradığını sanarak birden arkasına döndü. Gerçekten de aynı şekil arkadaki taş duvara düzenli aralıklarla kazılmış ve yüzyılların etkisiyle oldukça silinmişti. Lang şaşkın bir ifadeyle duvardaki kabartmalara baktı ve "Vay canına!" diye mırıldandı, "Bunun farkında bile değildim."

Jacob duvara yaklaştı ve parmaklarını dairenin ortasındaki haçın üzerinde gezdirdi. "Burası çok eski bir Tapınak Şövalyeleri kilisesidir. Dünyada sağlam kalmış sadece iki ya da üç tane var bunlardan. Bu şeklin de onlarla ilişkisi olduğu muhakkak."

Lang, "Fakat bu mümkün değil!" diye söylendi. "Tapınak Şövalyeleri Kutsal Topraklarda Hıristiyanları Müslümanlardan korumak için savaş yemini etmiş keşişlerdi. Onların birliği on dördüncü yüzyılda Papa fermanıyla dağıtıldı."

Jacob dudaklarını büzdü ve "Ben bunu bilemem," dedi. "Ama baksana, duvardaki simgelerle elindeki tamamen aynı şekil."

Lang aynı anda sanki bir bilimkurgu film izler gibiydi. Belki de çok geçmeden kendisini öldürmek isteyen adamın Aslan Yürekli Richard olduğunu öğrenecekti.

ki de çok geçmeden kendisini öldürmek isteyen adamın Aslan Yürekli Richard olduğunu öğrenecekti.

"Peki ama yedi sekiz yüzyıl önce yaşamış bir tarikat günümüzde böyle bir yağlıboya tabloyla neden ilgilensin, Jacob? Onlar hâlâ yaşıyorsa bile kutsal bir tarikatın üyeleri olmalılar, cani olamazlar. Bütün bunlar anlamsız geliyor bana."

Jacob başını iki yana salladı. "Bak dostum, bir Yahudi olarak ben Hıristiyan tarikatlarıyla fazla ilgilenmiyorum. Onların içinde Yahudileri öldüren çok insan vardı. Ama Oxford'da, Hz. İsa Kilisesinde sana bu konuda yardımcı olabilecek bir arkadaşım var. Kendisi aynı zamanda Ortaçağ tarihi dersi veriyor. Oxford trenle buraya bir saatlik mesafede, bilirsin."

"Çok güzel, ama ben tren istasyonlarından uzak durmalıyım, polis peşimde biliyorsun."

Jacob düşünceli bir ifadeyle yine sakalını kaşıdı ve "Bu akşam ona telefon edip geleceğini söylerim," diye konuştu. "Benden ayrılma ve yarın benim Motris arabamı kullanabilirsin. Umarım bu kez yine bir kamyon düşmez peşine. Sen geri dönene kadar belki ben de Echelon'dan bir şeyler öğrenebilirim."

Oradan çıktılar ve Jacob'un ofisine doğru yürürlerken, Lang kenardaki banklardan birine oturmuş bir adamın bir Londra gazetesi okuduğunu gördü. Gazetenin manşeti, "West End'de Cinayet" diyordu. Gazetedeki resmi uzaktan iyi göremedi ama Teşkilat dosyasındaki resimlerinden birine benzetti.

7

Müfettiş Dylan Fitzwilliam'ın, Broadway'e bakan Scotland Yard binasının altıncı katındaki ofisinden gördüğü kadarıyla, güneş Thames nehrinin koyu gri yeşil sularına biraz da portakal rengi katmıştı. Müfettiş pencereden bir süre daha nehri seyretti ve sonra üzeri kağıt ve dosyalarla kaplı olan masasına döndü.

Şehir Polisinin Kaçaklar Şubesinde dört yıl çalışmıştı ama şimdi bu Amerikalı meslektaşını nasıl ağırlayacağı konusunda biraz şaşkın gibiydi. Neydi adamın adı? Morse, evet, Atlanta polisinden Dedektif Morse demişti adam. Kendi şehirlerindeki suçlular ve kaçaklarla bile başa çıkmakta zorluk çekerlerken, bir de gevşek Amerikan polisinin ellerinden kaçarak buraya gelmiş yabancı kaçaklarla uğraşmak durumundaydılar.

West End'deki şu antikacı Jenson'un öldürülmesi de yeni bir sorundu. Genç bir polis memuru caniyi kanlı ellerle suç mahallinde yakalamış ama acemiliği ve aptallığı yüzünden elinden kaçırmıştı. Caninin nasıl olup o genç polisin boğazını da kesmediğine şaşıyordu Müfettiş. Polis ressamının genç polisin tarifine uyarak çizdiği yüz resminde bıyığı ve tombul yanakları dikkate almazsa, resimdeki yüzle bilgisayarda Amerika'dan gönderilen yüz resmi arasında büyük benzerlik vardı.

Bilgisayarlar müthiş şeylerdi ama Müfettiş Fitzwilliam, yaptığı makyaj ve kılık değiştirmesiyle daha yaşlı ve tombul görünen o adamı kolayca tanıyamayacağından emindi. Adam bir profesyonel gibi kılık değiştirmiş, kendine makyaj yapmıştı. ABD'den gelen mesajda aranan kişinin eski bir CIA ajanı olduğu belirtilmişti. Eski bir meslektaşın yoldan çıkarak önüne geleni öldürmesi can sıkıcı bir olaydı doğrusu. Reilly denen bu adam artık ajan olmadığına göre neden yapıyordu bunları acaba?

Aslında Reilly denen bu adamı işe bilgisayarları hiç karıştırmadan, eski yöntemlerle yakalamaları da mümkündü elbette. Örneğin bulunan şemsiyedeki parmak izleri Washington tarafından kısa sürede doğrulanmıştı. Reilly şemsiyeyi aynı ve bir kez daha kullanıldığı takdirde hemen haberleri olacaktı. Şimdi bu Herr Schneller denen adamın hem bıyıklı ve hem de bıyıksız eski resmi, bütün havaalanlarında, tren istasyonlarında ve benzeri yerlerde bütün polislerde vardı.

Fitzwilliam içini çekti ve masanın üstündeki resme bakarak koltuğuna oturdu. Resim kısa bir süre önce bu adamın tatil yaptığı bir yerde çekilmiş bile olabilirdi. Müfettiş masanın üstünde duran resmi kenara itti ve onunla birlikte gelmiş olan bilgileri bir kez daha okudu.

Verilen bilgiye göre, bu Reilly denen adam Londra'da daha önce de bulunmuştu ve burada dostları vardı. Adamın buradaki arkadaşları arasında en önemli olanlar da şimdi muhtemelen emekli olan eski bir Mossad ajanıyla, gizli servis ajanı olduğu sanılan güzel bir Alman kadınıydı ve onun da resmini göndermişlerdi. Hiç kuşkusuz Londra'da başka arkadaşları da olacaktı Reilly'nin. Fitzwilliam gözlerini kapadı ve yüzünü buruşturup bir süre düşündü. Adamlarını başka işlerden çekerek bu yeni konuda araştırmaya yönlendirmek hiç hoşuna gitmiyordu ama yapmak zorundaydı bunu.

En iyisi fazla beklemeden bir an önce başlamalıydı bu işe ve başını sallayarak telefona uzandı Müfettiş. Amerikalılar Scotland Yard'ın her konuda kendilerine büyük destek vereceğine inanmışlardı ve onları hayal kırıklığına uğratmamalıydılar. Telefonda numaraları tuşlarken kendi kendine bir şeyler homurdanmaktan da alamadı kendini.

TAPINAK ŞÖVALYELERİ
BİR TARİKATIN SONU

Sicilyalı Pietro'nun Hikâyesi

Ortaçağ Latincesinden Dr. Nigel Wolffe'un Çevirisi

3

Levazımcıdan öğrendiğim hiçbir şey bir geminin ihtiyaçlarını sağlama konusunda yardımcı olmadı bana. Her teknenin boyu on rod(1) ve baş ve kıçta yükseklikleri de bunun yarısı kadardı. Teknelerde tek direk ve yelken vardı(2) ve bunlara yüz kişi biniyordu. Her yolcudan iki küçük fıçı su, bir ot yatak, örtü, yemek pişirmek için tencere ve yemek tabağı ve ete lezzet vermek için tuz biber, karanfil ve zencefil gibi baharat getirmesi isteniyordu. Guillaume de Poitiers'ye göre, her şövalye bunlar için Trapani tüccarlarına kırk düka ödüyordu.

Onun söylediğine göre uyanık olmayanlar da en kötü ya da en iyi olanlar kadar para ödüyorlardı. Ama yatak yorgan için beş düka ödeyenler daha sonra vardıkları yerde bunları tüccarlara yarı fiyatına veriyorlardı ama bunların çoğu da yıpranmış ve kurtlanmış oluyordu.

Alt güverte sıcak ve rutubetli olduğu için herkes üst güvertede yolculuk yapmak isterdi. Ama ben ve Phillipe gibi aşağı tabakadan olanlar alt güvertede kalmak zorundaydı. Fakat alt güvertede aynı zamanda atlar, sığırlar ve domuzlar(3) gibi hayvanlar da bulunduğundan bu bölümde çok pis kokular vardı.

Denizde geçen günler benim inancımı dahi sarsar gibiydi. Tekne dalgalarla o kadar çok sallanıyordu ki birkaç kez biraz hava almak için üst güverteye çıktığımda denize düşmekten zor kurtuldum. Çoğu zaman midem bulandı ama benim gibi denize ilk kez çıkanların hemen hepsinde gördüm bu hastalığı. Denizdeki dalgaların sallantısı midede olanların çoğunu dışarı çıkarıyordu.

Ben bu şekilde denize dayanmaya çalışırken, başkalarının mide bulantısından, hastalığından zevk alan kalpsiz kaptan, mide bulantısından kurtulmaya çalışan yolcularla alay ediyor, "Etini şimdi mi istersin, yoksa daha sonra mı?" diyerek gülüyordu. "Bu adamlar boşuna almışlar bu etleri. Biz yiyelim de bari ziyan olmasınlar."

Allahın yardımı sayesinde bir süre sonra insan bedeni de hastalığa neden olan deniz havasına ve dalgalara alışıyordu. Tanrıya şükürler olsun ki ben de bir süre sonra daha önce yaşamadığım deniz havasına ve dalgalara alıştım. Ama bana acı veren başka bir şey vardı.

Tanrının yardımıyla Cenova'ya vardık ve geminin ihtiyaçlarını karşıladıktan sonra Fransa'ya gitmek üzere tekrar denize açıldık.

Yine Tanrı yardımıyla denize alışıp mide bulantısından kurtulduktan sonra, çevreme daha rahatça bakmaya başladım. Daha önce böyle bir gemide ne gibi çalışmalar yapıldığına dikkat etme fırsatı bulamamıştım. Bana en ilginç gelen şeyler dünyayı karelere ayıran ve seyrüsefercinin kullandığı haritalardı,(4) gemi de bu karelerin içinde işaret ediliyor ve böylece yeri belli oluyordu. Fakat bu haritalar Tanrı'nın eseri olmadığı için beni biraz düşündürüyordu.(5)

Ama daha sonra Tapınak Şövalyelerinin istisna olarak kabul ettiği Tanrı kuralları arasında başka şeyler de olduğunu öğrendim.

Uzun bir deniz yolculuğundan sonra Burgundy'nin Languedoc denen bölgesinde, Narbonne'da karaya çıktık. Sahilden ayrıldık ve toprağın, Şövalyelerin pelerinleri kadar beyaz olduğu bir vadide yol almaya başladık. Sol tarafımızda Sals Nehri güneye, ayrıldığımız sahile doğru akıyordu.

Bir süre yol aldıktan sonra ilerde, nehrin yukarısında bir tepede büyük bir kale(6) göründü. Bana bunun Şövalyelere ait Blanchefort kalesi olduğunu söylediler. Bu büyük kale ya da şato, Blanchefort ailesi tarafından, Kutsal Topraklardan döndüğü yıl Solomon Tapınağı Fakir Şövalyeleri Büyük Efendisi Hughes de Payens'e verilmişti.(7)

Guillaume de Poitiers konvoyun arkasına kadar gelip bize baktığı zaman ona, "Blanchefort ailesi gerçek dindarlarmış," dedim. "Tarikata böyle bir şato hediye etmekle büyük sevap işlemişler."

Şövalye arkadaki atlardan birinin üzerideki yükü kontrol etti ve sonra, "Ayrıca Alet manastırını ve Perolles'daki barakaları da verdiler," diye konuştu. "Efendi Payens gerçekten zengin bir adam oldu."

"Yani tarikat zengin oldu, değil mi?"

Şövalye bir süre düşündü ve sonra, "Hayır, küçük kardeş, ben öyle demedim," diye cevap verdi. "Bu topraklar Efendi Payens'e verildi, ama Tarikat da bundan onun istediği şekilde yararlanabilecekti."

"Evet, ama fakirlik yemini....?"

Şövalye başını iki yana salladı. "Sen bunu değil de burnunu her şeye sokma diyen itaat yeminini düşünsen daha iyi edersin, evlat."

O yanımızdan uzaklaşırken, ben de kutsal bir tarikat üyesinin nasıl bu kadar zengin olabileceğini düşünmeye başladım. Demek ki bu şövalyelik düzeninde, manastırda edilen yeminlerin önemi sanıldığı kadar büyük değildi.

O geceyi Serres köyü dışında kurulan kampta geçirdik. Sabah hava ağarırken nehri geçtik ve bir süre yol aldıktan sonra, bir gün önce sağ tarafımda olan sabah güneşinin bu sabah sol tarafımda olduğunu görünce şaşırdım, geriye doğru dönmüştük.

Gruptaki yaşlıca bir şövalyeye, "Başka bir yoldan geldiğimiz yere mi dönüyoruz yoksa?" diye sordum.

Şövalye bana, "Dün kuzeye doğru yürüyorduk ama şimdi güneye döndük," diye cevap verdi. "Serres nehri geçebileceğimiz en yakın yerdi ve şimdi Blanchefort Kalesine doğru gidiyoruz."

Çok geçmeden bir tepeye tırmanmaya başladık. Bu bölgede bitki örtüsünün olmadığı topraklar kireç gibi bembeyazdı ama aynı zamanda kil gibi yumuşaktı ve Sicilya'nın verimli kara toprağına hiç benzemiyordu. Böyle bir toprakta ne yetişebileceğini merak ettim.

Tepeye varınca beyaz taştan yapılmış kale surları önünde durduk ve bizim kafiledeki şövalyeler surların üstündeki nöbetçilerle anlamadığım bir şeyler konuştular. Onlar konuşurken sur duvarlarının benim ayrıldığım manastır duvarları gibi taşlardan gevşek olarak örülmediğini gördüm, bunlar birbirine adeta yapışmış gibiydi, sıkıca örülmüştü. Daha sonra bu duvar örme tarzının Araplardan öğrenildiğini söylediler bana.(8)

Büyük kale kapısının üstündeki yaklaşık bir rod(9) kare büyüklüğündeki kireçtaşı duvarda duran şahlanmış kanatlı at kabartması sanki oradan fırlayacakmış gibi görünüyordu. Bazı eski binaların ön cephelerinde daha önce de putperestler tarafından yapılmış bu tür kabartmalar görmüştüm ama bir Hıristiyan kalesinin girişinden gördüğüm ilk kabartmaydı bu.

Guillaume de Poitiers kanatlı at kabartmasına merakla baktığımı görünce, "Bu kanatlı at Yunan mitlerindeki Pegasus," diye açıkladı. "Bu at bizim tarikatın simgesidir."

Bir kez daha ukalalık etmeden duramadım ve "Ama böyle kutsal bir kalede bir putperest simgesi bulunması günah değil mi?" diye sordum.

Şövalye benim densizliğime sinirleneceği yerde güldü ve "Bu tür kabartma ve resimlere bakmak değil, tapmak günah sayılır evlat," dedi. "Ayrıca Pegasus bize mütevazı kökenlerimizi hatırlatır."

Bu kadar büyük ve muhteşem bir tarikatın kökeninin nasıl mütevazı olabileceğini anlamadım ve "Bunu anlayamadım lordum," dedim.

Eyerinin üzerinde doğrulup kanatlı ata baktı ve "Tarikatımız yeniyken sadece birkaç atımız vardı," diye devam etti. "İki kardeş şövalye aynı yöne giderken bir tek ata birlikte binerlerdi. Kutsal Toprakların çöllerinde bir tek at üzerinde yol alan iki şövalyenin beyaz pelerinleri uçuşur ve onlar uzaktan kanatlı bir at üzerinde tek kişi gibi görünürlerdi. Bu nedenle bu kanatlı at bize herkesin at sahibi olamadığı fakir zamanlarımızı hatırlatır."

Ben onların tarikatında bu kadar fakirliği hiç görmemiştim ama bu kez çenemi tuttum ve yine ukalalık etmedim.

Çok geçmeden kalenin ağır kapıları açıldı ve girdiğimiz avlunun büyüklüğünü görünce şaşırdım. Burası benim daha önce yaşadığım manastıra hiç benzemiyordu. Bu kale ya da şato, daha önce bir keşiş ya da rahiple manastıra yardım istemek, ya da para karşılığı çalışmak için gittiğimiz zengin lortların şatolarının bir benzeriydi. Etrafta at, eşek ya da başka hayvan olmadığı için gübre ve pis koku da yoktu, her yer tertemizdi. Tam aksine, burnuma portakal, lavanta ve daha başka güzel kokular geldi. Surların içinde güneş gören tarhlarda çok çeşitli çiçekler, sebzeler ve meyve ağaçları yetişmişti.

Muazzam avlu taş döşenerek yapılmış haç şeklinde yollarla bölümlere ayrılmıştı ve tam ortada oymalı bir havuzun fışkırttığı suların sesi insanın içini serinletiyordu. Avlunun etrafı çepeçevre, üstü kapalı sütunlu kemerlerle daire şeklinde çevrilmişti.

Bütün pencereler tahta panjurlarla kapanmamıştı ve camlıydı ki, doğduğum yere yakın bir ada şehri olan Salamis'in katedrali dışında hiçbir yerde görmemiştim bu zenginliği.

Binanın içi Venedik ipekleri ve Flaman kilimleriyle kaplanmış, en kutsal emanetlerle süslenmişti; Aziz Lawrence'in şehit olduğu yıllardan beri artık küle dönüşmüş yanık cesedi, Aziz George'un bir kolu, Aziz Paul'ün bir kulağı ve Hz. İsa'nın şaraba döndürdüğü suların muhafaza edildiği kavanozlardan biri sergileniyordu burada.

Eski manastırımda öğrendiklerimi uygulamak için kiliseye girdim ve oraya kadar sağsalim gelebildiğim için Tanrı'ya dua ettim. Kilisenin alıştığımız gibi dikdörtgen değil de tam bir daire şeklinde olduğunu görünce şaşırdım. Sonradan öğrendiğime göre, Tapınak Şövalyelerinin bütün kiliseleri Kudüs'teki Hz. Süleyman kilisesi gibi daire şeklinde inşa edilmişti. Kilisenin kenarları kırmızı mermerden yapılmış yılankavi sütunlarla süslenmişti. Tam ortada damarsız beyaz mermerden çok muntazam kesilmiş bir sunak vardı ve bunun üzerine Kutsal Şehir görüntüleri kazınmıştı. Oradaki haç altındı ve yüz mumun ışığını yansıtıyordu. Sadece bu kilisenin değeri bile benim yetiştiğim manastırın tamamından fazla olmalıydı.

Buradaki zenginlik bu kadarla da kalmadı. Bu muhteşem kalede yaşayan şövalyeler, dışardan gelen kardeşlerini, ben ve Philippe gibi mütevazı uşaklar da dâhil olmak üzere büyük bir şölenle karşıladılar. Hayatımda ilk kez olarak keklik ve kuzu eti yedim, su katılmamış şarap içtim ve başım dönmeye başladı.

Her şey Guillaume de Poitiers'nin söz verdiği gibi, hatta ondan da fazla güzeldi. Yediğim etlerin tadı damağımda kaldı. Bana verdikleri oda daha önce kaldıklarımın iki katı büyüklüğündeydi ve saman yün karışımı, yumuşacık bir yatakta uyudum.

Bedenim kadar ruhum da huzura ve rahata kavuştu ve bundan sonra da böyle bir yerde yaşamaya devam etmek istedim.

Çevirmenin Notları

1. 5.029 metre.
2. Burada tanımlanan tekneler, on üçüncü, on dördüncü yüzyıllarda Akdeniz'de kullanılan iki güverteli kalyon tipi gemilerdir.
3. Ortaçağ gemileri kısa yolculuklar dışında bütün seferlerinde çok iyi muhafaza edilen etler ve sebzeler dahil bütün yiyeceklerini taşırlardı. Pietro gibi uşaklar kesilip yenmek için gemiye alınmış atlar ve diğer hayvanlarla birlikte yolculuk yaparlardı.
4. Romalı haritacılar da modern haritacılarınkine benzer doğu-batı yönlü enlemler ve kuzey-güney yönlü boylamlar kullanırlardı. Bizim bildiğimiz şekliyle enlemleri eski insanlar da biliyorlardı ama boylamın doğru olarak

ölçülmesi yöntemini on sekizinci yüzyıl sonlarında Thomas Fuller adında bir saatçi buldu.

5. Ortaçağ haritaları saçmalık derecesinde basitti. Seville Piskoposu Isadore yedinci yüzyılda disk şeklinde bir dünya haritası çizdi. Burada Asya, Afrika ve Avrupa kıtaları büyüklükleri eşit olmayan çeyrek daireler şeklindeydi, Kudüs Ezekiel 5:5 temeline dayalı olarak hep merkezdeydi:

   "Burası Kudüs ki ben onu etraftaki ulusların, ülkelerin tam ortasına koydum." Bu sistem ya da benzerleri Rönesans'a kadar devam etti. Arap dünyası bir kısmı 4. maddede anlatılan Ptolemaik harita yöntemini takdir etti ve kullanmayı sürdürdü ki Batı dünyası için olumluydu bu. Tapınak Şövalyeleri büyük olasılıkla Filistin'de eski dünyanın bildiği matematik, mühendislik ve seyrüsefer ilimlerini öğrenirken bu yöntemi de öğrendiler, ama kilise daha sonra putperest ilmi diyerek yok etti onu.

6. Burada kullanılmış olan gerçek sözcük castellum'dur ki kale, şato ya da saray anlamı da taşır. Çevirmen burada kale anlamında kullanmıştır bu kelimeyi.

7. 1127.

8. Beşinci maddeye bakın.

9. 5.029 metre. Ortaçağ ölçüleri oldukça küçüktü.

Bölüm İki

1

Gurt notu bir kez daha dikkatle okudu, sonra başını sallayarak buruşturdu ve çöp tenekesine attı. Dudaklarını büzerek Pis Hergele! diye söylendi. Kendini tutamadı ve elindeki çantasını hırsla karşı duvara fırlattı. İtalya'da bir sürü arkadaşını kullanarak yardımcı olmuş ve Londra'ya gelebilmesi için para bile bulmuştu ona.

Ama Lang teşekkür olarak bir gecelik macera gibi bir kenara atıvermişti onu.

Gurt o kadar üzülmüştü, öylesine canı yanmıştı ki kendini tutmasa hırsından ağlayabilirdi. Başını bir kez daha iki yana salladı, çantasını yerden alıp bir sigara yaktı ve yatağın kenarına oturup dumanı havaya üflerken düşünmeye başladı.

Ama dakikalar geçerken ona yavaş yavaş hak vermeye başladı. Lang ona hiçbir konuda söz vermemiş, hatta onu kendisiyle beraber gelmekten vazgeçirmeye bile çalışmıştı. Gururlu erkekler gibi yanındaki kadını tehlikelerden uzaklaştırmak istemiş, ama bir yerde, Gurt gibi sırtını koruyabilecek birine ihtiyacı olabileceğini hiç düşünmemişti. Böyle düşündüğü için de hiç beklemediği bir anda ve yerde öldürülebilirdi.

Aslında Lang'dan çok daha iyi bir atıcıydı Gurt ve hepsinden önemlisi Lang'ın peşinde olan caniler onu tanımıyorlar, işe karıştığını bilmiyorlardı. Hâlbuki Lang'ın resmi şimdi bir sürü gazetenin birinci sayfasındaydı ve bir karı koca rolü için Gurt'a çok ihtiyacı olacaktı.

Erkekler ve özellikle de Lang gibi olan bazıları, bazen hiç beklenmedik aptallıklar yapabiliyorlardı. Onun da böyle korkunç bir aptallık yaptığını düşündü ve kendisini biraz daha iyi hissetti. Ama kendini tutamadı ve "Bana ihtiyacın var Langford Reilly. Büyük bir aptallık bu yaptığın ve sen bunun farkında bile değilsin," diye homurdandı.

Birden yatağın diğer ucunda, komodinin üzerinde duran telefona uzandı, ama telefon etmekten vazgeçti, ayağa kalktı, sigarasını kül tablasına bastırarak söndürdü ve dışarıya çıktı. Asansöre binerken en yakın sokak telefonunun nerde olduğunu hatırlamaya çalıştı.

2

Lang ertesi sabah eski Motris Minor arabayla M40 yolundan ayrıldı ve yola devam etti. Adeta bir ayakkabı kutusuna benzeyen küçücük arabayla Londra'nın altmış mil dışına çıkmak hiç de zor olmamış, oraya kadar olaysız gelmişti. Tek sorunu, varlığından haberdar bile olmadığı kas krampları dışında, Jacob'un karısı Rachel'in ısrarla yaptığı Hint yemeğinin neden olduğu mide gazıydı. Lang'ın eskiden mensubu olduğu istihbarat toplumunda Rachel en hevesli ama berbat aşçılardan biri olarak tanınırdı. Teşkilattaki arkadaşların çoğu onun yemek davetlerini çeşitli bahanelerle reddederlerdi. Dün akşam da bir tür acılı Bombay patates yemeği yapmış, ama Lang başka bir şey yemediği için olayı ucuz atlatmıştı. Şimdilik mide gazından başka sorunu yok sayılırdı.

Magdalen Köprüsü İngilizcedeki birçok kelime gibi, bazı harflerin atılması sonucu garip bir şekilde "maudin" diye okunuyordu. Nasıl söylenirse söylensin, bu kelime Lang'a Oxford'un bal rengi, sivri Gotik kulelerini hatırlatırdı. Şu anda da beş yüz yıldan beri hiç değişmemiş olan bir manzara vardı önünde. Aslında Rover otomobil fabrikası ile diğer bazı fabrikalar şehri biraz değiştirmişti elbette, ama eski evlerin ve sokakların manzarası hep aynıydı.

Oxford Amerikan üniversitelerine pek benzemezdi, ona bağlı bir sürü fakülte vardı ama hepsi de bağımsız okullar gibi yönetilirdi. Hz. İsa Kilisesi de üniversiteye bağlı gibi görülen en büyük ve eski dinsel kurumlardan biriydi.

Lang Abington Yolunun biraz dışında, Oxford'un en popüler ulaşım araçlarından biri olan bisikletlerin arasında mini arabasına bir park yeri bulunca sevindi. Arabayı park etti ve her saat başı çanlarını çalan ünlü Tom Quad meydanına girdi. İngilizler bazı kelimelerde harf atmakla kalmaz, aynı zamanda kuleler ve çanlarına isim takmaya da bayılırlardı.

Lang Jacob'un tarifini bir kâğıda yazmıştı ve ona göre çimlerin üzerinde dev bir X harfi oluşturan yol üzerinde yürünmeye devam etti. Yolun kenarında iki genç erkek birbirlerine disk atarak oyun oynuyorlardı.

Bir kemerin altından geçerek yüzyıllardan beri öğrencilerin ayaklarıyla aşınmış olan taş merdivenden yukarı çıktı. Loş bir koridorda biraz yürüdü ve kapısında Hubert Stockwell, Tarih Prof. yazan bir kapının önünde durdu. Kapıyı vurmak için elini kaldırmıştı ki kapı birden açıldı, kollarında bir sürü kitap olan bir genç kadın dışarı çıktı, şaşkın gözlerle Lang'a baktı ve sonra koşar adımlarla merdivene yürüdü.

Lang onun yüzündeki garip ifadenin midesindeki gazla bir ilgisi olup olmadığını düşündü. Acaba yüzünü mü buruşturmuştu o anda?

O sırada içerden biri, "İçeri gel, içeri gel, kapının önünde durma öyle," diye seslendi.

Lang söyleneni yaptı ve içeri girdi. Ama birden şaşırdı. İçerde sanki bir fırtına esmişti, odanın döşemesi dâhil, bütün masa ve sandalyelerin üstü kitaplar, dosyalar ve kâğıtlarla doluydu. Bu büronun da Jacob'un odasından bir farkı yoktu. Kendi ülkesindeki mahkeme arşivlerinde olduğu gibi burada da o kendine özgü bayat kâğıt kokusu duyulurdu. Oturacak yer aradı ama bulamadı ve ayakta kaldı.

Profesör ona, "Sen benim öğrencilerimden biri olamayacak kadar yaşlısın," dedi. "Herhalde Jacob'un arkadaşı olacaksın."

Lang elini ona doğru uzatarak, "Evet, ben Lang Reilly'yim," dedi ama adam sıkmadı onun elini. Yerinden bile kımıldamadı ve "Ben de Hubert Stockwell," diye cevap verdi. "Tanıştığımıza sevindim, ama bu çöplük için özür dilerim."

Adam bir şey daha söylemek istedi ama vazgeçti ve yüzünü buruşturup esnedi. "Bu lanet eski, taş, rutubetli binalar!" diye homurdandı. "Hepimiz buralarda zatürree olup ölmediğimize şükredelim!"

Profesör ani bir hareketle cebinden kirli bir mendil çıkarıp bir an burnunu sildi ve sonra mendili yine çabucak cebine attı. Adam bu hareketi o kadar hızlı yaptı ki, Lang onun elindeki mendili bile zor fark etti.

"Sen herhalde şu Tapınak Şövalyeleri konusunda araştırma yapan bay olmalısın."

"Evet, Profesör, bu konuda uzman olduğunuzu öğrendim."

Stockwell iltifattan hoşlanmış gibi hafifçe gülümsedi ama yine de mütevazı görünmeye çalışarak, "Yok canım, abartmışlar!" dedi. "Ama onlar ve yaşadıkları dönem hakkında bir şeyler bildiğimi de söyleyebilirim elbette. Sen Yankee'sin, değil mi?"

Lang birden şaşırdı ama çabuk toparlandı ve "Ben aslında Atlanta'lıyım ve o bölge halkı kendilerine böyle hitap edilmesinden pek hoşlanmaz," diye konuştu. "Çok insan öldürmüş bir Yankee generalinden dolayı böyle hissederler."

Stockwell onu anlıyormuş ve özür diliyormuş gibi hafifçe başını salladı. "Elbette, haklısın dostum. "General Sherman'dı, değil mi? Rüzgâr Gibi Geçti filmindeydi bu, hatırladım. Seni üzmek istemedim, özür dilerim.

"Üzülmedim Profesör, bunlar önemli, konular değil. Evet, Tapınak Şövalyelerine gelirsek...."

Profesör elini kaldırıp susturdu onu. "Bir dakika, dostum. Bu konuyu Nigel Wolffe adındaki arkadaşım benden çok daha iyi bilirdi. Tapınak Şövalyeleri konusunu çok araştırmış ve incelemişti o. Bazı eski yazıları tercüme etmişti ki bunların içinde öldürülmeden önce bir şövalyenin yazdıkları da vardı. Ortaçağ kilisesi, günahların affı gibi konular hakkında çok güzel bilgiler vardı onda."

Lang, "Günümüz Katolikleri hakkında da bildikleri vardı elbette, değil mi?" diye sordu.

Stockwell başını kaldırdı ve gözlüklerinin üstünden ona baktı. "Şey, kusura bakma dostum...."

Lang da hafifçe gülümsedi ve başını salladı, ikisi de yeterince dindar olmayan iki erkek olarak iyi anlaşacaklardı galiba. "Evet, bir arkadaşınızdan söz ediyordunuz, ama geçmiş zamanla konuştunuz, Profesör."

Profesör içini çekti ve üzgün bir ifadeyle onun yüzüne baktı. "Haklısın, dostum, ne yazık ki o arkadaş geçmişte kaldı.

Çok iyi bir insandı, ama trajik bir şekilde öldü zavallı."

Lang birden içinde hafif bir titreme hisseder gibi oldu. "Acaba Bay Wolffe...."

Profesör hapşırdı ve tekrar burnunu sildi. "Dr. Wolffe."

"Şey, Dr. Wolffe doğal nedenlerden mi öldü, yoksa bir kaza filan....?"

"Evet, evet, sen de olayı gazetelerde okumuş ya da TV haberlerinde duymuş olmalısın."

"Evet, sanırım."

Profesör üzgün bir ifadeyle odasındaki tek pencereden dışarıya baktı, o anda sanki dışarı çıkıp temiz hava almak ister gibiydi. "Söylediklerine göre, çay yaptıktan sonra kanlı yüzüğü parmağından çıkaramamış."

"Yani bir patlama ve yangın mı oldu?"

Profesör başını tekrar içeriye, ona çevirdi. "Evet, Bay Reilly. Birkaç ay önce olanları gazetelerden ve televizyondan hatırlıyor olmalısın."

Lang temizleyip oturduğu sandalyeden onun masasına doğru eğildi ve "Tapınak Şövalyeleri konusunda yazdıkları da yandı mı?" diye sordu.

Profesör yüzünü buruşturdu ve üzgün bir ifadeyle başını salladı. "Ne yazık ki öyle oldu. İlk yazdığı müsvedde dışında orijinal kayıtları ve notları hep yandı."

"O halde müsveddesi bir yerlerde olmalı, değil mi, Profesör?"

"Sanırım Üniversite Kütüphanesinde olacak."

"Yani kütüphaneye gidersem onu bulup okuyabilir miyim?"

Profesör ayağa kalktı ve bir şeyler arıyormuş gibi bir süre

etrafına bakındı. "Pek sanmıyorum. Yani onu benim bulmam gerekiyor. Zavallı Wolffe bana fotokopiler vermiş, benden yardım istemişti. Onun yazdıklarını okuyup düzeltmemi istemişti benden. Bu olay olduğunda ben de onun üzerinde çalışıyordum işte, ama o zaman her şeyi bıraktım tabii. Hadi gidelim, tamam mı?"

Profesörün üzerinde çoğu öğretim üyeleri gibi, dirseklerinde deri parçalar olan tüvit bir ceket vardı ve kapının arkasındaki askıdan yine tüvit bir kasket alarak başına geçirince üniforması tamamlandı.

Dışarı çıktılar ve bisiklet parkından geçerek Catte Sokağına girdiler. Çok geçmeden muazzam taş bir bina olan, on dördüncü yüzyıldan kalma Bodleian Kütüphanesine geldiler. Magna Carta'nın orijinali gibi, İngiltere'de basılan hemen bütün kitapların birer kopyası bulunabiliyordu burada.

Profesör ona yan tarafta İtalyan Barok mimari tarzında, silindir şeklinde kubbeli bir bina gösterdi. "Buraya Radcliffe Camera, yani Okuma Odası diyorlar. Wolffe'un belgelerini bulur bulmaz oraya geleceğim, orada bekle beni."

Lang fazla yüksek olmayan kalın meşe bir kapıdan hafifçe eğilerek girdi içeriye. Ortaçağda yapılan kapılar nedense yeterince yüksek değildi ve uzun boylu biri bu kapılardan geçerken dikkat etmezse, başını üst eşiğe vurabilirdi.

Geniş okuma salonunda büyük meşe okuma masaları iki duvarın önüne dizilmişlerdi. Salonun ortasındaki bir masada camlı muhafazalar içinde ünlü tarihi eserler sergileniyordu. Donuk camlı pencerelerden giren gün ışığı tavan lambalarının ışığına karışıyordu. Salonda çıt çıkmıyordu ama arada bir çevrilen bir sayfanın hışırtısı ya da bir bilgisayarın düdük benzeri sesi bir an için duyulabiliyordu. Lang bu sessiz yerde mide gazından kolayca kurtulamayacağını düşündü. Mezarlıklarda bile insanlar konuşabiliyordu ama burada kimse ağzını açamıyordu.

Lang profesörü beklerken orta masadaki camlı muhafazaların üzerlerindeki örtüleri teker teker kaldırarak sergilenen eski eserleri inceledi. Arada birkaç Latince eser de vardı ama kitapların çoğu Sakson dilinde, Norman Fransızcası ve tanımadığı başka bazı dillerde yazılmıştı.

Lang bir muhafazanın içindeki el yazması ve içinde şekiller de olan eski bir İncili seyrediyor ve bunun Gal dilinde yazıldığını düşünüyordu ki Profesör birden yanıbaşında beliriverdi. Bir kolunun altına sıkıştırdığı bir tomar kâğıdı Lang'a uzattı ve "İşte istediklerin burada," dedi. "Bunları burada rahatça okuyabilirsin ve işin bitince hepsini benim ofisime getiriver."

Lang kâğıt tomarını alıp açtı, ilk sayfaya baktı ve "Çok teşekkür ederim, Profesör," dedi.

Profesör, "Jacob'un dostları benim de dostum sayılır," dedi ve kapıya doğru yürüyerek uzaklaştı.

Lang yakınında kimse olmamasına dikkat ederek en yakındaki masaya oturdu ve kâğıtları önüne koyarak büyük bir dikkatle okumaya başladı. Midesinde sanki yine bir şeyler kıpırdıyor gibiydi ama bu sefer bunun nedeni Rachel'in yemeği değildi, emindi bundan.

TAPINAK ŞÖVALYELERİ
BİR TARİKATIN SONU

Sicilyalı Pietro'nun Hikâyesi

Ortaçağ Latincesinden Dr. Nigel Wolffe'un Çevirisi

4

Blanchefort'a varışımızdan kısa bir süre sonra yardımcılık statüsünden kurtuldum ve sonbahar hasat mevsimi başlamadan önce, Hz. Süleyman Tapınağına bağlı Fakir Tapınak Şövalyeleri Tarikatının bir Üyesi, bir Kardeşi olarak yemin ettim. Sonradan anladığıma göre, bunu yaparken masumiyetimi ve inancımı da bir yerde bırakmıştım.

Bana söyledikleri gibi günde iki kez et yemeği yiyor, haftada iki kez yıkanıyordum, ama All Hallow's Eve'den sonra havalar soğudu ve eskisi gibi sık sık yıkanamadığımız için vücudumda yine o minik iğrenç böceklerden bulmaya başladım. Fakat haftada bir kez çamaşır değiştirdiğimiz için(1) eskisi kadar zararı olmuyordu onların.

Tanrı hizmetinde olan diğer dindaşlardan daha güzel beslendiğim için göbeğim hafifçe şişer gibi olurken dinsel bilgilerim de artıyordu. Yasak bilgileri merak ederken, Hz. Meryem'in yasak meyveyle ilgili günahını hatırlamam gerektiğini biliyordum artık, ama onda olduğu gibi, benim kafamda da giderilemeyen bir susuzluk vardı. Çok daha sonra, oldukça geç öğrendiğime göre, yasak olsun ya da olmasın, bazı konularda fazla meraklı olmak, cinsel arzularda fazlalık kadar ölümcül olabiliyordu.

Kaledeki kütüphanenin bir benzeri belki de sadece Roma'da, Papalık sarayında olabilirdi. Yazılı ve resimli Kitab-ı Mukaddes görmeye alışmıştım. Kardeşlerin koleksiyonlarında bazı parlak yazılar ve şekiller vardı ki bunların dinsiz Araplar tarafından muhafaza edilmiş, Eskilerin ilimlerinden bazı bilgiler olduğunu söylediler bana.

Dinsizlerin çalışmalarının neden kutsal yerlere alındığını sorduğumda, pek çok Hıristiyan tarafından yasaklanmış olan bazı yazılara burada izin verildiğini öğrendim. Bana söylediklerine göre, Şövalyeler diğer Hıristiyanların mecburen uydukları bazı kuralların dışında kalıyorlardı, onlara uymak zorunda değillerdi.

Orada yazıcı ve hesap uzmanı gibi çalıştığım için bir şey daha keşfettim. Şövalye Kardeşlerin bulduğu bir sistem sayesinde hac seferi yapan bir Hıristiyan parasını korurken, istediği zaman da alıp harcayabiliyordu. Bir yolcu istediği kadar altın ya da gümüş parayı istediği bir Tapınağa bırakıyor, onun karşılığında, kendi adıyla para miktarını belirten ve üzerinde sadece tarikat kardeşlerinin tanıdığı imzası olan bir belge alıyordu. Bu yolcu daha sonra bir başka ülkede ve Tapınakta o belgeyi göstererek parasını alabiliyor ve böylece, yolculuk sırasında soyulmaktan korunmuş oluyordu.(2)

Tapınak elbette bu hizmet karşılığında para sahibinden küçük bir ücret alıyordu. Bu iş bana biraz tefecilik gibi geldi, Hıristiyanların tefecilik yapması yasaktı ama Şövalyelere serbestti bu. Daha da kötüsü, Tapınaklar dinsiz İsraillilerin yaptığı gibi (3) faizle borç para da verebiliyorlardı.

Onlara Roma'dan da gittikçe artan miktarlarda para geliyordu. Tapınak hazine odasına gittikçe daha çok para girmeye başlamıştı. Bu paralar Hıristiyanlığın emrettiği gibi fakirlere yardım olarak dağıtılmıyor, bunlarla Tarikat Kardeşlerinin istediği gibi toprak, silah ya da arzu edilen başka ihtiyaçlar satın alınabiliyordu. Fakat Papalık paralarının büyük bir miktarı harcanmıyor, birikiyordu ki bunun amacını da daha sonra anladım.

Önce bütün bu parasal işlemler sonucunda ahlakımın bozulmasından korktum. Hemen Guillaume de Poitiers'yi buldum ve onun diğer Şövalyelerle oyun oynamasını engellemeye çalıştım. Çünkü onlar zamanlarının çoğunu kılıç, mızrak gibi silahlarla eğitim yapmaktan çok, yemek, şarap içmek ve oyunlarla geçiriyorlardı.

O bana birçok azizin adını sayarken, bir yandan da arkadaşlarıyla tahta zarlar atarak oyuna devam etti. Yüzünü bana yaklaştırıp, şarap kokan nefesiyle, "Ah Pietro, canım kardeşim benim," diye konuştu. "Yüzünden anladığım kadarıyla huzursuzsun sen. Hesaplarında bir karışıklık mı var yoksa?"

Oyun arkadaşları bunu duyunca gülmeye başladılar.

Ben ciddi bir ifadeyle, "Hayır, benim hesaplarım gayet tutarlıdır, hiçbir açığım ya da fazlam yok," dedim. "Kutsal Peder bütün Tapınaklara olduğu gibi bize de büyük paralar gönderiyor. Ama Kutsal Peder Papanın yaşamını devam ettirebilmesi için ona yeterince katkı yapması da yine Kutsal Kilisenin görevidir. Benim anladığım bu kadar işte."

Şövalye bana, "Tarikatımızın ilk zamanlarında kendimizi dinsizlere karşı korumak, onlarla mücadele edebilmek için Roma'dan destek almak zorundaydık," diye konuştu.

Ben de ona, "Ama şimdi Tanrı'nın bilinmeyen nedeniyle Kutsal Topraklar kaybedildi," dedim. "Tarikat artık Kudüs'e giden hacıları koruyamaz ve buralardan Araplara saldıramaz.

O bana başını salladı ve yakındaki pencereyi işaret etti. "Şuradan bakınca Serres'i görüyorsun. Onun diğer yanı da Rennes'dir. Kutsal Peder bu toprakları ve şehirleri korumamızdan mutlu oluyor. Bunun için de ödüllendiriyor bizi."

"Bu toprakları kime karşı koruyorsunuz ki?" diye sordum. "Yakında hiç düşman ordusu yok ve barbarların zamanı da çoktan geçti."(4)

"Sen öyle sanabilirsin. Ama bizim Roma'ya soru sorma hakkımız yok. Bunu ancak fazla kibirli insanlar sorabilir."

Onun ne demek istediğini anladım ve utandım, yüzüm birden kızardı.

O elini kaldırıp omzuma koydu ve "Ayrıca bizi endişelendirenler sadece düşman orduları ya da barbarlar değildir," diye devam etti. "Bu bölgede aynı zamanda iki eski din düşmanı kabile yaşar ki bunlar Gnostikler ve Catharlardır,(5) onlar da Papalığın düşmanıdırlar."

Bir Alman olan Tartus, "Ayrıca Cardou'yu da onların varislerinden korumalıyız," diye ekledi.

"Ama orası bomboş bir dağdır," dedim.

Guillaume de Poitiers diğer Şövalyeye kızmış gibi baktı ve "Sen haklısın genç dostum," dedi. "Bu Kardeş Tartus Tanrı'nın armağanı olan şarabı biraz fazla kaçırdı galiba. Biz şehirleri koruruz, boş tepeleri değil."

Tartus yine bir şey söylemek istedi ama vazgeçti. Onların benden sakladıkları bir sırları olduğunu anladım ama sesimi çıkarmadım. Bunu öğrenmek için biraz daha bekleyebilirdim. Ama fazlaca meraklanır ve sabredemezsem de, kendi başıma harekete geçeceğim yerde Tanrı'nın yardımını beklemem çok daha iyi olurdu.

Fırsat bulur bulmaz şu Gnoştik ve Catharların kimler olduğunu öğrenmek için hemen kütüphaneye gittim.

Biraz araştırdıktan sonra onların Kutsal Nicea Konseyi(6) kökenli olduklarını öğrendim, Kilisenin ilk zamanlarında bu Konseyde dört kitap kutsal kabul edilmiş, diğerleri reddedilmişti. Reddedilenlerden biri Thomas'ın kitabıydı, buna göre Hz. İsa kendisine inananlara, ölümünden sonra James'i lider olarak kabul etmelerini söylemişti.(7)

Bu Thomas Hz. İsa'nın yaralarına dokunmak isteyen kuşkucu kişi olmalıydı, Gnostikler ve Catharlar da ona inanmışlar ve istemeseler bile şehitlerin kanlarıyla yazılan Kutsal Kitapları kabul etmemişlerdi.(8)

Bu tür dinsel fikir değişikliklerinin burada, Languedoc'ta destek bulmuş olmasının nedenini önce anlayamadım, çünkü Tapınak Şövalyeleri de buna izin vermemeliydiler. Ama birkaç gün sonra bu sorunun cevabını buldum. Ruhunu cehenneme göndermeden kısa bir süre önce bir Gnostic dinsizinden alınmış bir yazı geçti elime. Kötü yazılmış, hecelemesi berbat ve oldukça solmuş ve rulo yapılmış bir vellum(9) idi elime geçen bu belge. Merakım beni çok rahatsız etmeseydi, şeytani bir tarzda yazılmış bu belgenin elime şeytanın kendisi tarafından verildiğini bile düşünebilirdim. Çünkü bu belge insanı utandıracak kadar iğrenç bir ifadeyle yazılmıştı.

Bu iğrenç yazıyı yazan Gnostik yazar belgede adını belirtmemiş, ama eski İbranice ve Aramice belgelerden tercüme ettiğini söylediği ifadeleri yazmıştı. Yazı şöyleydi:

Hz. İsa çarmıha gerildikten sonra, kardeşi olan Arimathea'lı Joseph(10) ve Hz. İsa'nın karısı Mary Magdalene(11) de öldürülmekten korktukları için Roma İmparatorluğunun diğer ucuna, Galya'ya kaçtılar. O bölgede, sürgün Herod(12) da dâhil olmak üzere çok sayıda Yahudi yaşardı. Onlar yanlarında sadece taşıyabilecekleri eşyalarını getirmişlerdi. Bu eşyalar arasında sır gibi sakladıkları büyük bir kap vardı ve onu Sens

Nehri ve Tartus'un sözünü ettiği Cardou Dağı yakınlarında bir tepeye sakladılar.

Bundan sonra yazılanlar o kadar iğrenç ve kâfirceydi ki, ben de ruhumun sonsuza kadar lanetlenmemesi için onları burada tekrarlamıyorum. Bir süre sonra Guillaume de Poitiers'yi bulup ona bu belgeden söz ettim, ama o iğrenç bölümü anlatmadım elbette. O benim anlattığımdan pek etkilenmemiş gibiydi, bana çılgın insanların yazdıklarının bizi ilgilendirmeyeceğini, görevimizin sadece Tanrı'yı sevmek ve korumak olduğunu söyledi.

Ama sonradan öğrendiğime göre bu konuyla yakından ilgilendiler ve ben de buna üzüldüm.

Çevirmenin Notları:

1. Burada kullanılan Latince sözcük vestimentum'dur ve elbise anlamına gelir. Pietro da iç çamaşırı giydiği için çevirmen bunu kullanmıştır.
2. Bunlar hiç kuşkusuz ilk çek ya da senet sistemi değil de seyahat çekleri olabilir.
3. Papalık fermanına göre sadece Yahudiler verdikleri borçlardan faiz alabilirlerdi. Bu da Avrupa'da Yahudi bankalarının neden çoğaldığını açıklayabilir.
4. Barbarlar için Latince sözlük kullanmıştır ama burada muhtemelen sekizinci yüzyıldan onuncu yüzyıla kadar Akdeniz'e bile inen Vikinglerin saldırılarından söz edilmiştir.
5. Gnosis kelimesi Yunanca köklüdür. Hıristiyan Gnostiklere göre, Hz. İsa Meryem Ana'dan doğmuş, ona Tanrı'nın eli değmişti ama ölümcüldü. Cennete onun be-

deni değil, sadece ruhu çıktı. Catharların inancına göre ise Hz. İsa bir melektir ve hiçbir zaman gerçekten insan kılığında var olmamıştır. Her iki inancın da ilk ya da Ortaçağ kilisesine yapmış olabilecekleri bir zarar vardır ki, o da şudur; Pauline doktrinine göre Hz. İsa canlanmış ve cennete çıkmıştır.

6. M. S. 325. Bu eski Hıristiyan konferansında cevabı aranan soru şuydu: "Hz. İsa Tanrı tarafından mı yaratıldı, yoksa Tanrı'nın bir parçası mıydı?" Bu akademik gibi görünen sorunun hiç kuşkusuz pek çok teolojik imaları, dokundurmaları oldu. Daha sonra, "Hz. İsa doğmadı, yaratıldı ve Tanrı'nın bir parçasıdır," inancı galip geldi.
7. Nag Hammadi adı verilen kutsal kitaplar 1945'te Yukarı Mısır'da, Qumran'da bulunan Ölü Deniz Parşömenleri gibi, toprak çömleklerde bulundu. Hepsi elli iki tane olan bu olağanüstü belgelerin tercümeleri ancak 1977'de tamamlanabildi. Bunlar aynı zamanda bu tür bir öğüt içeren Thomas Kutsal Kitabından da söz ederler.
8. Bak. No. 7.
9. Yazmak için hazırlanmış kuzu derisi ya da kuzu anlamına gelen Frenkçe sözcük, veelin. Bu amaçla kullanılan sığır ya da keçi derisi de vardı.
10. Aram, Suriye'nin eski İbranice adıydı ama Hz. İsa'nın kardeşinin oradan gelmiş olması ihtimali zayıftır. Biz Arimathea'nın Filistin'de bir şehir olduğunu varsayabiliriz ki onun eski adı da kaybolmuştur.
11. Hz. İsa'nın karısının adı daha önce de söz konusu olmuştur. Bir Yahudi olan Hz. İsa Yahudi yasalarına göre evlenebilirdi. Aslında Paris'teki Milli Kütüphanede bulunan tartışmalı Lobineau belgesine göre, Hz. İsa Languedoc'a ailesiyle beraber geldi ve Frenklerin Merovingian hane-

danını kurdu.

12. Daha sonra güney Galya'da Aquitaine adını alan Roma eyaleti Aquitainia, günümüz Languedoc da dahil olmak üzere, Roma imparatorlarının sevmediklerini sürgüne gönderdikleri bir bölgeydi. Pontius Pilate'nin de oraya sürgüne gönderilmiş olması bir tür kinaye gibidir.

Bölüm Üç

1

Lang elinde tuttuğu belgenin Wolffe'nin ölüm fermanı olduğunu biliyordu, onlar adamı bunun için öldürmüşlerdi. Birden içi ürperdi ve okumaya başlamadan önce etrafı bir kez daha kontrol etti. Önce mide sorununu, sonra da nerede bulunduğunu unuttu. Onu rahatsız eden şey sadece içeri girip çıkan öğrencilerin ayak sesleriydi.

Lang okumayı bitirdiği zaman kafasında tabloyla ilgili bazı teoriler belirmişti. Ama mesele şimdi bunu ortaya çıkarabilecek kadar yaşayıp yaşamayacağıydı.

2

Lang mini Morris'i Strand'ın öğleden sonra trafiğinde güçlükle kullanarak Waterloo Köprüsünden South Bank'a geçerken, gökyüzü simsiyah bulutlarla kapandı ve yağmur ihtimali belirdi.

Thames Nehrinin kıvrımı içinde kalan South Bank aslında Londra'nın güneyinde değil de doğusundaydı. 2. Dünya

Savaşı Alman uçakları bombardımanlarına kadar bu bölgede fabrikalar, ambarlar vardı ve ondan sonraki elli yılda çok az inşaat yapıldı burada. Ama şimdi işyerleri, ofisler, gazinolar, galeriler ve hareketli yaşamı sevenler için yapılmış apartmanlar vardı bölgede. Gökdelenler büyük Amerikan şehirlerini andırıyordu.

Lang Waterlo Road'dan St. George Circus'a geçti, iki turdan sonra Lambeth Yoluna çıktı ve Savaş Müzesinin iki büyük gemi topunun önünden geçti. Lambeth'den çıktıktan sonra bir park yeri buldu, motoru kapadı ve aynadan arka tarafını kontrol etti. Londra sokaklarının çoğu gibi burası da tek yoldu ve gelen arabaları rahatça görebiliyordu. Birkaç dakika arabanın içinde oturunca takip edilmediğini anladı. Oxford'a gittiğini sadece Jacob, Rachel ve profesör biliyorlardı ama bu adamlar onu her yerde kolayca izleyebilirlerdi.

Motoru çalıştırıp oradan ayrıldı ve büyük bir binanın altındaki otoparka girdi, arabasını Jacob'un boş olan yerine bıraktı ve asansöre doğru yürüdü. Jacob ona kapıyı açtı ve Lang burnuna gelen kokulardan Rachel'in yine mutfakta olduğunu hemen anladı.

Jacob eski alışkanlıkla kapı eşiğinde durup koridorda aşağı yukarı baktıktan sonra içeri girip kapıyı kapadı ve ona, "Sağ salim döndüğüne sevindim," dedi. "Stockwell sana yardımcı olabildi mi bari?"

Lang ona arabanın anahtarlarını uzatırken, "Evet, çok yardımcı oldu," dedi. Jacob'un evi bürosunun tam tersiydi, eşyalar modern, camlı ve kromluydu. Duvardaki raflarda birkaç kitap ve belki de motor parçalarından yapılmış modern heykelcikler vardı. Salonun duvarlarından biri tamamen camdı ve aşağıda Thames nehri görünüyordu.

Jacob merakla onun yüzüne bakıyor, neler olduğunu anlatmasını bekliyordu ama Lang açıklamada bulunmadan önce bir soru sordu ona: "Pegasus hakkında ne öğrenebildin?"

Jacob divana oturdu ve süveterinin cebinden piposunu çıkarırken, "Çok şey öğrendim," diye cevap verdi. Lang sabırla onun pipo yakmasını bekledi.

Jacob piposunu yakıp bir nefes çektikten sonra, "Pegasus Yunan mitolojisinin kanatlı atıydı ve Helicon Dağında yeri tekmeleyerek Hippocrene pınarının fışkırmasına neden oldu," diye anlattı.

Lang sabırsızdı ve onu hemen konuya girmesini bekliyordu.

Jacob, "Mitolojik bir hayvanla ticari bir kurumun ilişkisini bilemem," diye devam etti. "Fakat şirket çeşitli konularla ilgileniyor. Birincisi...." Sustu ve piposundan derin bir nefes çekerek dumanı havaya üfledikten sonra devam etti: ".... merkezi Jersey'de olan bir Channel Island şirketi." Kaşlarını kaldırıp Lang'ın yüzüne baktı.

Lang, "Yani bunların banka ve şirket sırları var" dedi. "Yasaya göre şirket ortakları ve çalışanlarının kimlikleri gizlidir ve Channel Island şirketlerinin orada yaptıkları işler vergi dışıdır."

Jacob piposundan bir nefes daha çekerek başını salladı. "Tamamen öyle, yani şirkete yılda milyarlarca dolar gelse bile bunu yasal olarak öğrenemeyiz. Hiçbir şey üretmediği ve gözle görülen hizmetler vermediği için de nasıl para kazandığı tamamen sır."

Lang uzun bir ıslık çadı ve "Aman Tanrım!" diye söylendi. "Birçok devletin ulusal gelirinden bile büyük bir para bu."

"Daha ilginç olan konu şu: Gelir kaynaklarının çoğu ya Papa'nın yatırımları ve gizli fonlar gibi Roma Katolik kökenli, ya da bir sürü Katolik yardım kuruluşuyla ilgili."

Lang şaşkın bir ifadeyle onun yüzüne baktı. "Nasıl oluyor bu iş? Yani bu adamlar piyangolardan durmadan para mı kazanıyorlar?"

Jacob omuzlarını silkti. "Ne yazık ki güçlü bir istihbarat teşkilatı olan Mossad'da Katolik Kilisesi, Vatikan ya da Papa Devletiyle işbirliği içinde olan hiçbir ajan yok. Pegasus işlerini telefon, e-posta ya da faksla çevirmediği için Echelon bunları izleyemiyor. Mossad onları yıllardan beri biliyor ama nedense pek ilgilenmedi bu konuyla."

Lang, "İlgilenmedi, çünkü Yahudi devletine tehdit oluşturduğuna inanmadı da ondan," diye düşündü. "Bu paraların nerelere gittiği belli mi peki?"

Jacob piposunu bir kibritle karıştırarak, "Coğrafya olarak mı?" dedi. "Çoğu Avrupa'da kalıyor. Gelir kaynağı olarak Almanya'da bir sosis restoranları zinciri, İngiltere'de petrol şirketleri, Fransa'da kayak ve deniz tatil merkezleri var. Meraklı insanların izleyemeyeceği kadar çok iş alanı var ve bunlar arasındaki iletişim de şifreli. Adamlar yasalara karşı gelmiyor ve mecbur kaldıkları yerlerde vergilerini de ödüyorlar."

Bu iş alanlarının hemen hepsi büyük nakit para potansiyeli olan işlerdi. Lang, "Bana öyle geliyor ki bu işin içinde kara para aklama işi de var," dedi. "Asya ve Güney Amerika gibi uyuşturucu trafiğinin yoğun olduğu bölgelerle ilişkileri var mı acaba?"

Jacob piposunu karıştırarak başını iki yana salladı.

"Bulabildiğin isim ya da isimler var mı peki?"

"Dediğim gibi Mossad onlarla pek ilgilenmiyor. Bunları öğrenebilmek için birçok arkadaştan yardım istemek zorunda kaldım."

"Ya Jersey'den ne haber? Orası onlar için sadece bir posta merkezi mi, yoksa Pegasus'un oradan idare ettiği işler de var mı?"

"Bunu bilmiyorum. Ama Lizbon kanalıyla çok iletişim kurulduğunu söyleyebilirim. Orası bir muhabere merkezi olabilir. Bu da orada bazı işler çevirdikleri anlamına gelebilir." Durup düşünürken yine piposudan bir nefes çekti ve sonra, "Ama Fransa'da, Burgundy'de küçük bir köy var," diye devam etti. "Adı galiba Rennes-le-Chateau. Orada bulunan ve uydurma sandığım bir şirkete para transferleri yapılıyor. Küçük miktarlarda ama sürekli yapılan banka transferleri bunlar. Orada da Echelon'un takip edebileceği bir operasyon yok."

Lang krom ve deriden yapılmış modern koltuğa oturdu ve "Rennes-le-Chateau adını ilk kez duyuyorum," dedi.

"Ben atlasta yerini buldum. Pirenelere yakın bir yerde."

"Languedoc bölgesinde mi yani?"

Jacob piposunun külünü bir kül tablasına boşaltırken ona baktı ve başını salladı. "Sanırım öyle."

"Atlas burada mı, Jacob?"

Jacob şaşırmış gibi baktı onun yüzüne ve "Şey, evet.... diye mırıldandı.

O sırada kapı çaldı ve iki arkadaş bakıştılar. Jacob kapıya gitti ve gözetleme deliğinden bakarken, "Takip edilmediğinden emin misin?" diye sordu.

"Bilemiyorum, dostum."

Jacob delikten baktı ve şaşkın bir ifadeyle, "Ama bunlar polise benziyor," diye söylendi.

3

Bilgisayar ışığı Gurt'un yüzüne vurarak onu maviye boyadı. 24 Grosvenor Meydanındaki binanın bodrumu, tavandaki floresan lambaların parlak ışığında tam bir operasyon merkezine benziyordu. Bu oda aslında bir ameliyathane kadar temizdi, burada hiçbir elektronik bakteri yoktu. Burası her gün elektronik olarak taranıyor ve en küçük sesler bile banda alınıyordu. Öyle olduğu halde salon kalın camlarla bölümlere ayrılmıştı ve burada çalışanlar ona "balık akvaryumu" diyorlardı. Burası Amerikan Büyükelçiliğinin en güvenli yeriydi ve İstihbarat Teşkilatı burada çalışırdı.

Gurt'un güvenlik izni, kapanmış bir personel dosyasıyla ilgili olarak aradığı bilgiyi bulmasına izin verecek kadar yüksekti, ama bilginin sağlanması yine de biraz zaman alabilirdi. İşlemi hızlandırmak için "Gir" düğmesine tekrar bastı ve Almanca bir küfür savurdu. Sanki küfrü işe yaramış gibi, aradığı dosya birden ekrana geldi. Gurt istediği bilgiyi ezberledi, çünkü not almak yasaktı.

Bilgisayarı kapamak üzereydi ki, ekranın altında minik bir kırmızı ışığın yanıp sönmesi dikkatini çekti. Gurt kaşlarını çattı ve yeniden giriş kodu verdi.

Bir bilgisayar korsanı izinsiz olarak o gizli dosyaya girmişti! İnanılacak gibi bir şey değildi bu. Sistem o kadar karmaşıktı ki, bunun yanında Pentagon sistemi çocuk oyuncağı gibi kalırdı. On dakika uğraştığı halde sorunu çözemedi, korsan hakkında bilgi sağlayamadı. Bu işi ancak, birkaç yıl önce Love Bug ve Melissa virüslerini izleyebilmiş olan Teşkilatın süper uzmanları başarabilirdi.

Bu virüsleri kullanan bilgisayar korsanı dünyanın her yerinde kişisel ya da şirket bilgisayarlarına girmiş ve onlardan yararlanmıştı. Fakat Teşkilatın süper uzmanı bu bilgisayar kurbanının diğer bilgisayara giriş ve çıkışlarında tarih ve zamanla ilgili siberipucu bırakmasını sağlamıştı ki, Gurt da bunu kullanarak korsanın sisteme bir gün önce girdiğini saptadı.

Bilgisayar korsanı her kim ise, Gurt'un istediği aynı bilgiyi almıştı. Gurt hemen çıktı sistemden, fazla zamanı yoktu. Lang'ın hayatı her zamankinden daha büyük tehlikedeydi.

4

Lang, "Polisler mi?" derken mutfak kapısını gösterdi. "Nereye açılıyor bu kapı?"

O sırada kapıya tekrar vuruldu, ama adamlar elle değil de sanki tabanca kabzasıyla vuruyorlardı, ses çok sertti.

Jacob, "Oradan arka merdivene çıkabilirsin," dedi. "Ama dikkat et, arka tarafı da sarmış olmasınlar."

Rachel o sırada mutfaktan çıktı, neler olduğunu sormak üzereydi, ama onların durumunu görünce vazgeçti. Jacob'la uzun yıllar evli kalmak ona soruların ne zaman sorulup, ne zaman sorulmayacağını öğretmişti. Fakat Lang'ın polisler tarafından aranıldığını öğrenince iyice şaşırdı.

Lang cam sürme kapıyı açarken Jacob, "Oradan aşağıya yol yok," diye uyardı onu.

Daracık balkona çıkan Lang bina duvarından destek alarak yüksekliği yaklaşık bir metre yirmi santim olan demir parmaklığa tırmandı ve aşağıdaki dar balkona baktı. Orası yaklaşık olarak dört metre aşağıdaydı ama balkon çok dardı ve atlarsa onu kaçırabilir, aşağıya düşebilirdi.

Kapıdan yine gürültüler ve sesler duyuluyordu. Jacob endişeli bir ifadeyle ona baktı ve kapıya dönerek, "Geliyorum! Geliyorum!" diye bağırdı.

Yandaki dairenin balkonu da kolayca geçilecek kadar yakın değildi ama iyi bir atlayışla ulaşabilirdi oraya, zaten başka seçeneği de kalmamıştı. Parmaklığın üzerinde bir an dengesini buldu, bacaklarını iyice gerdi ve kendini yan komşunun balkonuna fırlattı.

Ayakkabısının tabanı balkon kenarında birden kaydı ve Lang aşağıya düşerken demir parmaklığı zor yakaladı. Komşu balkonun parmaklığına yapışmış, sokağa sarkmış olarak orada kaldı.

Balkon kapısı aralık kaldığı için Jacob'un öfkeli sesini duyabiliyordu. Ama polisler Lang'ın orada olmadığını, kaçtığını anlamışlardı, Lang'ın kulağına onların ayak sesleri geldi. On iki kat aşağıdaki sokağa bakmaya korktu, ama hiç kımıldamadan orada asılı olarak kaldı.

Fakat Jacob'un balkonundan gelen sesi duyunca oraya baktı. Lang hâlâ komşu balkonun kenarına tutunmuştu ama parmakları her an gevşeyebilir, aşağıya düşebilirdi. Jacob'un balkonuna çıkan polis onun komşu balkonun kenarından aşağı sarkmış, orada güçlükle durduğunu aklına bile getirmedi ve akşam karanlığında, ayak hizasından biraz daha aşağıda durduğunu fark etmedi. Polis Jacob'un balkonunda iyice kenara gelip aşağıya sarkarak bakmadıkça göremezdi Lang'ı.

Balkona çıkan polis geri dönerek içeri girdi ve arkadaşına, "Adam burada yok," diye söylendi. "Doğru yere geldiğimize emin misin?"

Jacob'un sürgülü cam balkon kapısı kapandı, Lang kendini biraz yukarıya çekip yan balkona bakınca artık orada kimse kalmadığını gördü. İki elini sırayla komşu balkonun parmaklığından yukarı kaydırdı, kendini çekti ve balkona atladı.

Komşu balkonun perdeleri çekilmişti ve içerde ışık olup olmadığı belli değildi. Kulağını soğuk cama dayayıp dinledi ve içerden gelen hiçbir ses duymadı. Komşular ya TV açmıyorlardı ya da evde yoklardı. Sürgülü cam balkon kapısını çekti, kilitliydi ve Lang on ikinci katta bile balkon kapısını kilitleyen bu insanlara küfrederek cebinden kredi kartını çıkardı, sürgülü cam kapının aralığından soktu ve kilidi açtı.

İngiltere'de çok az insanın evinde silah bulundurması iyi bir şeydi elbette ve Lang ışıksız komşu daireye dikkatle girdi. Karanlıkta ellerini ileri doğru uzatarak apartman koridoruna açılan kapının altından gelen ışığa doğru yürüdü. Ama dizleri alçak bir sehpaya hızla çarpınca canı yandı ve bağırarak küfretmemek için zor tuttu kendini.

Bina koridoruna açılan kapıyı açmak üzereydi ki kapı altından sızan ışığın bazı gölgelerle birkaç noktada kesildiğini gördü. Kapı kilidinin açıldığını gösteren sesi duyunca bir an ne yapacağını şaşırdı, olduğu yerde kaldı. Karanlıkta nereye saklanabileceğini düşünürken, bir gün Kara Ormanda yaşadığı bir olayı hatırladı ki orada bir Volswagen'i mahvetmişti.

Lang o ânda başka bir şey düşünemedi ve kendini kapının arkasına attı, en azından kapı açıldığı zaman hemen göremezlerdi onu. Işık yanınca elinde bir market torbası olan bir kadın gördü ve kadın da kapıyı kapayınca karşı karşıya kaldı onunla.

Kadının gözleri korkuyla öyle açıldı ki hiçbir filmde görülemezdi böyle bir şey. Kadın önce incecik bir ses çıkardı ve sonra korkunç bir çığlık attı. Elindeki market torbası yere düştü ve içindeki şişe ya da şişeler kırıldı.

Lang kadını daha çok korkutmamak için samimi bir gülümsemeyle ona baktı, asla kötülük yapmayacağını belirtmek istedi ve hâlâ açık duran kapıdan dışarıya, koridora çıkarken, "Özür dilerim, yanlış daireye girmişim," diye seslendi. Paketten düşen birkaç sebzenin üstüne basıp çıtırdadığını duyunca,

"Sebzeler tazeymiş, bana manavınızın adresini verin de ben de oradan yapayım alışverişim bari," diyerek güldü.

Lang koridorun diğer ucuna doğru kaçarken kadın arkasından birkaç çığlık daha attı. Lang asansöre binmemeye karar verdi, polisler belki de kadının çığlıklarını duymuş, onunla konuşuyordu ve asansöre binerse aşağıda başka polislerle karşılaşabilirdi. Merdivenlerden koşarak aşağıya, lobiye indi ve ortada kimseyi göremeyince akşam karanlığında kendini sokağa attı.

Lang yakındaki metro istasyonuna doğru yürürken, polisin onu Jacob'un evinde nasıl bulduğunu merak ediyordu. Onu takip edip etmediklerinden emin değildi ama izleme olayı nerden itibaren başlamıştı acaba? Onu Oxford'da görselerdi herhalde orada tutuklarlardı. Jacob'a geleceğini bir şekilde öğrenmiş olacaklardı.

Onun Jacob'a gelip yardım isteyeceğini bilen birisi, onun kapanmış dosyasını bulmuş, Teşkilattaki geçmiş yaşamını da mutlaka araştırmış olacaktı. Londra polisi ya da Scotland Yard da onun geçmiş istihbarat yaşamını öğrenmiş olmalıydılar. Ama Temple'da bir bankta oturan adamın elindeki gazetede gördüğü resim, Lang'ın görev dosyasından alınmıştı, emindi bundan. Gazete nereden bulmuştu bu resmi? Demek ki birisi onun kapanmış olan gizli eski görev dosyasını bulup açmış ve hakkında polise de bilgi sızdırmıştı. Bunu ancak o adamlar yapmış olabilirdi. Onu hapse attırmak ve işini orada bitirmek istiyorlardı.

Lang bunları düşünerek dalgın bir halde yürürken birden acı bir fren sesiyle irkildi. Büyük bir araba kaldırıma çıkarak aniden onun önünde durdu, yolunu kesti ve arabadan aşağı atlayan iki adam ellerindeki tabancaları ona doğrulttular.

Adamlardan daha uzun boylu olanı bir elindeki resimli kimliğini ona göstererek, "Bay Reilly sizsiniz, değil mi?" diye sordu. "Scotland Yard. Tutuklusunuz Bayım."

Lang kollarını havaya kaldırırken, "Vay Canına!" diyerek güldü. "Hayatım boyunca Scotland Yard'dan bir ajanla tanışmak istedim hep. Keşke bu anın bir resmini çekebilseydik!"

Sokak lambasının ışığında görebildiği kadarıyla, daha toplu olan adamın yüzünde sivilce izleri vardı. Kıyafeti de üzerine tam oturmamış gibiydi. Ceket omzunun, koltuk altına bir tabanca kılıfı takmak amacıyla biraz değiştirilmiş olduğu belliydi. İngiliz ajanları bu kadar kötü giyinmezlerdi. Adamın elindeki silahta da bir yanlışlık var gibiydi, bir Beretta idi tabanca. Amerikan polislerinin çoğu gibi Scotland Yard ajanları da dokuz mm Glock tabanca kullanırdı, bu silah İtalyan otomatiğinden daha hafif, daha hızlıydı ve daha çok mermi alırdı.

Uzun boylu adam kısa olanın arkasında duruyordu, tabancasını kılıfına soktu ve Lang'ın kollarını tutup arkasına kıvırdı ama Lang kelepçe sesi duymadı. Kısa olan da tabancasını kılıfına sokarak onun yanına geldi. "Bizimle Yard'a geliyorsunuz Bay Reilly, orada arkadaşlar birkaç soru soracaklar size."

Lang hafifçe direnir gibi yaparak adamın ellerini denedi ve "Bu işi ben yapmadım desem bana inanmazsınız herhalde, değil mi?" diye sordu.

Tıknaz olan adam elini ceket iç cebine atarak, "Hangisini sen yapmadın bakalım, Amerika'dakini mi, yoksa Bond Sokağındakini mi?" diye sordu.

Bulundukları yer oldukça karanlıktı ama Lang yine de adamın cebinden bir şırınga çıkardığını gördü, ona iğne yapacaklardı. Birden direndi ve "Scotland Yard ne zamandan beri tutuklularını iğneyle uyutuyor Baylar?" diye sordu.

Tıknaz adam elindeki iğneyi kontrol ederken, "En azından sizin polislerin zavallı zencileri copla ya da tabanca kabzasıyla dövmesinden daha insancıldır bu yöntem, değil mi?" dedi. "Korkma, bu iğne canını yakmayacak."

Lang Atlanta'da evine o caninin girdiği zaman olduğu gibi yine irkildi, Teşkilatta eğitimde öğrendiği gibi kendini şimşek gibi ileri attı. Uzun boylu adam bir adımını öne uzattı ve onu geriye çekmek istedi. Lang aynı anda geri döndü ve seksen beş kiloluk ağırlığıyla, bütün gücünü de katarak adamın ayakucuna topuğuyla bastı.

Uzun boylunun ayak parmakları kırıldı ve adam acı bir çığlık atarak geri çekildi. Lang'ın bileklerini bırakınca Lang ileri doğru fırladı ve parmakları kırılan adam yere uzanıp inlemeye başladı. Tıknaz adam elindeki iğneyi attı ve tabancasını çekmek istedi. Lang ani bir hareketle ona saldırdı, çenesine müthiş bir sol kroşe, kaburga altına da korkunç bir darbe vurdu.

Tıknaz adam birden dizüstü kaldırıma çöktü ve ellerini karnına götürdü, Lang o korkunç yumruğun adamın karaciğerini yırtmış olmasını umut ediyordu. Adam müthiş acı çektiğini belli eden bir ifadeyle Lang'ın yüzüne baktı ve sonra yüzüstü kaldırıma uzandı. Ama tıknaz adam inleyerek yere kapanırken boynundan kopan bir kolye yere düştü ve Lang onun ucunda daire içindeki Malta haçını görünce hiç şaşırmadı.

Lang tıknaz adamı ayağının ucuyla dürterek sırtüstü çevirdi, yere düşen Beretta tabancasını aldı ve o sırada bir direğe sarılarak ayağa kalkmaya çalışan uzun boylunun yanına gitti. Onun tabancasını alıp ilerdeki çalıların arasına attı ve sonra tıknazın tabancasının namlusuyla ağzına vurup dişlerini kırdı.

"Kimsiniz siz Tanrı'nın cezaları?" diye sordu.

Ama onlardan bir cevap alamayacağını biliyordu Lang. Bu adamlar da Amerika'da onun evine giren ve kendisini pencereden atan adamla aynı tip kişilerdi, bunların yüzünde de diğerinde gördüğü aynı ifade vardı, ölümden korkmuyordu bunlar.

Lang artık öfkesini kontrol edemiyordu, hava kararmıştı, çevrede kimse olmadığı için rahattı ve "Kim gönderdi sizi?" diye bağırdı. "Cevap verin bana, yoksa beyninizi şurada dağıtacağım, şaka da yapmıyorum!"

Adamlar ölüm korkusu nedir bilmediklerini göstermek ister gibi, sırıtarak baktılar ona. Lang kendini kaybetmemek için zor tutuyordu kendini; bu acımasız caniler Janet ve Jeff'i uyurken öldüren hergelelerin arkadaşlarıydılar, onu da öldürmelerine çok az kalmıştı. Önünde duran bu hergele ölüme hazırsa Lang da ona yardımcı olmak isterdi doğrusu. Parmağı tetikte gittikçe geriliyor, intikam duygusu onu dürtüp duruyordu.

Adam bir an için gözlerini kaldırdı ve Lang'ın omzu üzerinden ileriye bakarken, Lang aniden yere diz çöktü ve şimşek gibi geriye döndü. Tıknaz adam elinde bir hançerle Lang'ın üzerine atıldı, ama Lang aniden yana çekilince elindeki hançer sapına kadar arkadaşının göğsüne saplandı. Ama adam hiçbir şey olmamış gibi bıçağı arkadaşının göğsünden çekti ve yeniden Lang'a saldırdı.

Lang elindeki tabancayı ona doğrulttu ama adam gerçekten de korkmuyordu ölümden. Lang tabancada mermi olup olmadığından kuşkulandı ama bunu kontrol edecek zamanı yoktu ve tetiği çekti.

5

Jacob kapıda duran heykel gibi kadına baktı ve "Lang kim dediniz?" diye sordu.

Gurt onu iterek içeri girdi ve "Oyun oynayacak zamanımız yok, Bay Annulewicz," dedi. "Lang'ın hayatı tehlikede. Onun nerde olduğunu bilmem gerekiyor."

Jacob omuzlarını silkti ve sesini çıkarmadı. Kadından doğal olarak zaten kuşkulanmıştı ve hele Alman aksanıyla sorulan sorulara asla cevap veremezdi. "Ne kadar da popüler bir adammış bu dediğiniz kişi," diyerek gülümsedi. "Bu akşam başkaları da geldi aradı onu. Ben bile merak etmeye başladım bu adamı doğrusu."

Gurt ona sokuldu ve ondan on beş santim uzun olmanın avantajını da kullanarak konuştu: "Sen Mossad ajanıydın, Lang da Teşkilattandı. On üç yıl önce Hamas İsrail Büyükelçiliğini bombalamayı planlarken sen de oralardaydın ve Lang seni uyardı. Teşkilat ona uyarı için izin vermeseydi ne olurdu diyerek hep dalga geçtin sonradan."

Jacob bunları duyunca şaşkın bir ifadeyle baktı ona ve "Onu gerçekten tanıyorsun sen! Özür dilerim senden!" dedi.

Gurt ona hafifçe gülümseyerek baktı. "Özür dilemeyi bırak şimdi. Şu anda onu bulmak zorundayım. Tahmin ettiğinden çok daha büyük tehlikede o."

Jacob kendini yeterince topladı ve piposunu tekrar doldururken, "Büyük tehlikede olduğunu farkında olduğuna eminim. Biraz önce buradaydı ama polisler gelince zor kaçtı."

"Onun çok dikkatli davrandığına eminim, onun için o gelenler polis değil, o örgütün adamlarıydı, eminim bundan. Teşikilat Lang'ın dosyasını polise verdi ama o gizli dosyayı o adamlar da ele geçirdiler. Seninle olan arkadaşlığını da o dosyadan öğrendiler. Adamlar onun geçmişini olduğu gibi öğrendiler ve birinin onu bulup bunu ona söylemesi gerekiyor."

Jacob bunu duyunca piposunu bile bırakıp koltuğa oturdu. "Lanet olsun! Eğer onun Teşkilat kayıtlarını buldularsa...."

Gurt, "Londra'da nereye giderse gitsin bulurlar onu," diye tamamladı onun sözünü. "Onu bulup uyarmam gerekiyor."

"Buradan çok hızlı kaçtı, şu anda nerede olabilir ben de bilmiyorum. Şu küçük balkondan kaçıp kayboldu."

Gurt gidip daracık balkonun sürgülü cam kapısını açtı ve sanki Lang'ı orada bulacakmış gibi dışarı baktı. "Polisiz diyen adamlar geldiğinde ne konuşuyordunuz onunla peki?"

Jacob kendini toparladı ve piposunu yine eline alıp yaktı. "Benim tanıdığım bir tarihçiyi görüp bilgi almak için Oxford'a gitmiş, yeni dönmüştü. Tapınak Şövalyeleri hakkında bir şeyler öğrenmek istiyordu."

Gurt balkon kapısının önünde durup meraklı bir ifadeyle ona baktı. "Tapınak Şövalyeleri mi?"

"Evet, onlarla ilgili birtakım...."

O sırada aşağıdaki sokaktan silah sesine benzeyen iki ses duyuldu. Jacob ve Gurt balkona koşarak aşağıya baktılar ama aşağıdaki çalılar ve karanlık yüzünden ateş edeni görmeleri mümkün değildi. Koşup evden çıktılar ve asansöre atlayarak aşağıya indiler.

6

Lang daha önce hiç insan öldürmemişti ve adeta rüyada görmüş gibi yaşadığı bu olayı asla unutamayacaktı. Beretta tabanca sanki onun elinden kaçmak ister gibi geri tepti, adamın göğsüne düştü, bir daha zıpladı, bir kez daha patladı ve adamın yanı başında kaldı. Üzerine ışık düşen sarı mermi kovanı bir yıldız gibi parladı.

Adam sanki hiç beklemiyormuş gibi ilk kurşunu yiyince şaşırdı ve yüzünü acıyla buruşturdu. Lang adamın göğsündeki iki kurşun yarasından fışkıran kanları görmese belki de onu vuramadığını düşünecekti. Tabancayı yerden aldı, garanti olsun diye bir el daha ateş edecekti ama adam hareketsiz kalınca Lang da tekrar ateş etmekten vazgeçti.

Büyük Amerikan şehirlerinde sokakta duyulan silah sesleri herkesin evlerinin güvenliğine sığınmasına neden olur, insanlar pencereden bakmaya bile korkarlardı. Ama Londra'da sokaklarda silah sesleri duyulması hâlâ bir yenilik sayılıyordu.

Evlerin ışıkları yanmaya, pencerelerde meraklı insanların başları görülmeye başladı. Herkes birbirine neler olduğunu soruyor, silah seslerinin nerden geldiğini öğrenmeye çalışıyordu.

Lang karanlıktan yararlanarak iki adamın da ceplerini karıştırdı ama sadece sahte polis kimlikleri buldu. Beretta'yı beline taktı, iki cesede bir kez daha baktı ve yürüdü. İntikamının hiç olmazsa bir bölümünü aldığı için kendini biraz daha rahatlamış hissedeceğini sanıyordu ama öyle olmadı, sadece hafifçe midesi bulanıyordu. Kardeşinin ve onun üvey oğlunun Atlanta'daki mezarlarını düşündü ve rahatlayacağını sandı ama bunun da pek yardımı olmadı.

Sevdiği insanları öldüren canilerden üçünü öldürmüştü ama bunun ona bir yararı olmuyordu. Döndü ve ambulans ve polis siren seslerinin geldiği yönün aksi yönüne hızlı adımlarla yürüyerek uzaklaştı oradan.

7

Müfettiş Fitzwilliam asık bir yüzle geldi bürosuna. Böyle olaylar nedense hep BBC haber saatinde olurdu. Haber dinleyeceği zaman onu çağırırlar ve işini bitirip evine döndüğü zaman da yemeği buz gibi soğumuş olurdu.

Olay yerine geldiğinde ilk gördüğü manzara, parlak ışıklar altında toplanmış olan meraklı kalabalığı oldu. Ama kalabalığın arasından insanları omuzlayarak olay yerine varınca haberleri de, soğuyan yemeğini de bir anda unutuverdi. Cesetler çocukken severek seyrettiği Amerikan filmlerindeki Kızılderili katliamlarını andırıyordu adeta, her yer kan içindeydi. Cesetlerden birinin yüzü parçalanmıştı, kandan görünmüyordu, diğerinin göğsünde de iki kurşun yarası vardı.

Burası polislerin engelleyemediği gangster savaşlarının yaşandığı New York ya da Los Angeles değil, Londra idi. Ne demek oluyordu bu? Adamlar sokak serserilerine de benzemiyorlardı. Üzerlerinde takım elbiseler vardı ve kravatlıydılar.

Ekip başı olan genç dedektif Fitzwilliam'ı görünce elinde not defteri ve kalemiyle onun yanına geldi. Ağzı köri baharatı kokuyordu ve esmer yüzü de ter içindeydi; belki bu genç dedektif ilk kez görüyordu böyle vahşice işlenmiş cinayetler.

Fitzwilliam, "Merhaba Patel," dedi. "Neler olduğunu öğrenebildin mi bari?"

Patel esmer yüzünde bembeyaz görünen gözlerini iyice açarak, "Burada bir silahlı saldırı yaşanmış, Müfettiş," dedi. "Bu cesetlerin ikisinde de omuz kılıfları ve polis kimliği var. Ama kimlikleri sahte. Şurada, otların arasında bir Beretta tabanca bulduk. Başka silah da yoktu etrafta."

Müfettiş onu dinledikten sonra başını salladı. İngiltere'de polisler, askerler ve bazı güvenlik teşkilatı mensupları dışında kimse silah taşıyamazdı. Silahlar ve sahte kimlikler olduğuna göre, bu adamlar organize suç örgütlerinden birine, muhtemelen de bütün Avrupa'yı tehdit eden Rus mafyasına ya da Kolombiya uyuşturucu karteline mensup olabilirlerdi.

Müfettiş cesetlere yaklaştı ve onları yakından inceledi. Bu loş ışıkta bile ikisinin de Slav ya da Latin ırkından olmadıkları belliydi. "Üzerlerinde başka hiçbir kimlik belgesi ya da ona benzer bir şey çıkmadı mı?" diye sordu.

Patel başını iki yana salladı. "Sağlık karnesi bile yoktu Müfettiş."

Fitzwilliam kurşun yarası almış olan cesedin yanına çömeldi ve kıyafetini inceledi. Adamın elbisesi de ayakkabıları da bir şeye benzemiyordu; Ruslar terzi dikimi İtalyan elbisesi severler, Kolombiyalılar da şık çizmelere bayılırlardı. Bu adamlar iki gruptan da değildi, emindi bundan. İkisinin de tabanca kılıfları boş olduğuna göre, tuzağa düşürülmemiş, en azından kendilerini savunmaya çalışmışlardı. Fakat tabanca taşıyan bir adam nasıl olur da böyle bıçaklanırdı?

Müfettiş içini çekti ve yavaşça doğrulup ayağa kalktı. Lambeth Yolu dışındaki bu South Bank semtinde garip bir şeyler var gibiydi. Daha önce buraya hiç gelmemişti, ama....

Reilly'nin şu eski arkadaşı olan eski Mossad ajanı Annulewicz South Bank'da bir yerde yaşamıyor muydu? Müfettiş aklına gelen bu adamın adresini bulurum umuduyla elini cebine attı.

Patel onun ne aradığını merak ederek, "Yardım edebilir miyim, Müfettiş?" diye sordu.

Müfettiş adresi aramaktan vazgeçti ama Reilly'nin o eski arkadaşının buralarda bir yerde oturduğunu biliyordu, emindi bundan. Bu olayda Amerikalının parmağı varsa belki o arkadaşından bir şeyler öğrenebilirdi, ama kesin değildi bu.

Genç dedektife bakıp başını iki yana salladı ve "Hayır, teşekkür ederim," dedikten sonra olay yerine toplanan kalabalığa baktı. Ve kalabalığa baktığına da memnun oldu. Meraklı insanların arasında duran şu uzun boylu güzel kadın, Reilly'nin Alman kız arkadaşının resmindeki kadına çok benziyordu. Müfettiş kadına doğru ilerlerken, o da kalabalığı yarıp oradan uzaklaşmaya çalışıyordu.

Müfettiş, yakasındaki polis kimliği yetmezmiş gibi cebinden deri kaplı kimliğini çıkarıp ona gösterdi ve "Özür dilerim Hanımefendi," dedi. "Siz Bayan Fuchs değil misiniz acaba?"

Genç kadın onu duydu ama duymamış gibi davrandı ve yoluna devam etmek istedi. Müfettiş, kadın çok kontrollü, diye düşündü. "Sizi tanıyorum Bayan Fuchs. Karakola gitmeden burada biraz konuşabilir miyiz sizinle?"

Kadın bunu duyunca durdu ve ona baktı. Müfettişten bir baş kadar daha uzun boyluydu.

"Evet? Ne istediniz?"

Müfettiş elindeki kimlik de yetmezmiş gibi, "Ben Müfettiş Fitzwilliam, Şehir Polisinden," diye konuştu. "Sizin eski bir arkadaşınızı arıyoruz. Bir Amerikalı, adı Langford Reilly."

Genç kadın buz gibi bir ifadeyle baktı onun yüzüne. "Ama onun nerde olduğunu ben nerden bileyim, Müfettiş? Beni tanıyorsanız onu on yıldan beri görmediğimi de bilirsiniz herhalde."

"Bir zanlıyı gizlemenin suç ortaklığı olduğunu size hatırlatmama hiç gerek yok, değil mi Bayan Fuchs?"

Gurt başını salladı. "Bana gelip sığınacak bir yer ararsa bunu hatırlarım, Müfettiş."

Genç kadın sırtını dönüp karanlıkta onun yanından uzaklaşırken, Müfettiş birden öfkelendi. Hemen üniformalı bir polis çağırıp ona bir talimat verdi ve sonra yine cesetlerin başına döndü. Polis memuru birkaç dakika sonra geri dönerek ona karşıdaki gökdelenlerden birini gösterdi ve "Kadın şu binaya girdi ve on ikinci kata çıktı," dedi. "O binada yaşayanların listesi asansörün yanında asılı."

Müfettiş ona teşekkür etti ve gösterdiği binaya gitti. On ikinci kata çıkıp öğrendiği kapıyı çalar çalmaz kapı hemen biraz aralandı ve saçları dökülmüş, gözlüğü burnunun ucuna inmiş bir adamın başı göründü aralıktan. Müfettiş ona kimliğini gösterdi ve "Bay Annulewicz, değil mi?" dedi. "İçeriye girebilir miyim?"

Kapı kapandı, zincir çıkarıldı, kapı iyice açıldı ve Müfettiş bir divanda iki kadının yan yana oturduğu bir odaya girdi. Kadınlardan biri Bayan Fuchs idi ve diğeri de Bayan Annulewicz olacaktı. Müfettiş onları selamladı ve kendini diğer kadına da tanıttı.

Annulewicz, Müfettişin sorusuna omuz silkti ve "Onu görmedim, Müfettiş," diye cevap verdi. "Scotland Yard'ı benim kapıma kadar getirecek ne yaptı ki bu adam?"

Müfettiş onların oyun oynadığını bildiği halde inanmış gibi göründü ve "Polis meselesi," dedi. "Onunla biraz konuşmak istiyorduk."

Annulewicz Alman kadına döndü ve "Gurt, eski dostumuz Langford Reilly'nin buraya geldiğini biliyor muydun sen?" diye sordu.

Gurt başını iki yana salladı ve "Bu Bay bana sorana kadar bilmiyordum," dedi.

Müfettiş, "Anlıyorum sizi," diye devam etti. "İngiltere'ye bundan önce en son ne zaman geldiniz Bayan Fuchs?"

"Bunu şu anda hatırlayamıyorum, Müfettiş."

"Göçmen kayıtlarına göre yaklaşık on yıl önce Bayan Fuchs. Birden sıla hasreti çekmeye başladınız galiba, öyle mi?"

"Çok uzun zaman oldu Bayım."

"Herhalde ikiniz de pencerenizin altında, sokakta olanlar konusunda hiçbir şey bilmiyorsunuz, değil mi?"

Annulewicz, "Sokakta bir sesler duyduk ve aşağıya indik," diye konuştu. "Birinin yaralandığını görünce hemen yukarıya çıktım ama ben daha telefon etmeden polisler geldi."

Müfettiş elini cebine atarak iki kartını çıkardı ve onlara uzatarak, "Uzun zamandır görüşmediğiniz için sizi daha fazla rahatsız etmek istemem," dedi. "Ama Bay Reilly'den bir haber alırsanız beni hemen arayın lütfen."

Onlar başlarını sallarken Müfettiş evden çıkıp gitti. Aşağıya inerken Alman kadınla diğer adamın çok samimi dostlar olduklarını düşündü, ama olacak şey değildi bu. Çünkü CIA'dan aldığı bilgiye göre, Fuchs ve Annulewicz daha önce tanışmıyorlar ve ilk kez görüşüyorlardı.

8

Lang, Lambeth North Metro istasyonunun merdivenlerinden kimsenin dikkatini çekmeyecek çok sakin adımlarla indi ve gelen ilk trene bindi. Vagonda çok az yolcu vardı ve bunun nedeni muhtemelen çalışma saatlerinin sona ermiş ve bu semtin daha çok yerleşim bölgesi olmasıydı. Birkaç dakika sonra yerinden kalktı ve her vagonda bulunan renkli tarifeye göz attı. Bu hat Waterloo hattıydı ve üç ya da dört durak sonra antikacı Mike Jenson'un öldürüldüğü yere birkaç blok mesafede olan Piccadilly Circus'a gelecekti. Adam daha dün mü öldürülmüştü?

Piccadilly aslında tanınmamak için iyi bir yerdi, bu semtte restoranlar ve tiyatrolar çoktu, her zaman kalabalık olurdu caddeler. Şansı varsa o kalabalık caddelerden birinde tanıdık bir yüze rastlaması bile mümkündü.

Tren bir istasyona girdi ve sarsılarak durdu, genç bir çift gülüşerek bindiler vagona. Delikanlının saçları pembeydi ve boynunda bir ejderha dövmesi vardı. Kızın sivri birer diken gibi olan saçları ise yeşile boyanmıştı. Üzerine incecik bir tişört giymişti ve göğüslerinin uçları iyice belli oluyordu. Başlarının ve yüzlerinin bazı yerlerine delikler açılmış ve halkalar geçirilmişti.

Lang bunları görünce, Ansley Galerisindeki kızı ayıpladığı, ona güldüğü için utandı. Gençler vagonun sonuna oturdular ve içerde sanki hiç kimse yokmuş gibi davranmaya başladılar. Ama kafalarındaki ve kollarındaki halkalarla birbirlerine nasıl rahatça sarılabildiklerini de anlayamadı Lang.

Vagondaki diğer iki yolcu olan orta yaşlı kadınlar onların hallerini görmemek için uzun süre gözlerini kapalı tutmak zorunda kaldılar. Ama bazen de, ayıplamakla beraber, merakla ve belki de kıskanarak onlara bakmaktan alamıyorlardı kendilerini.

Lang topladığı bilgileri gözden geçirirken, bir yandan da trenin sarsılarak durmasından rahatsız olan genç âşıklara bir göz atıyordu. Tapınak Şövalyelerinin tercüme edilen hikâyelerine bakılırsa, belki de araştırma yapmak için Fransa'ya, Languedoc'a gitmesi gerekecekti. Burgundy'nin büyük kırsalında Pegasus operasyonu rastlantı olamazdı.

Modern, milyarlarca dolarlık bir şirket adını yedi yüz yıl önce resmi olarak dağıtılmış bir manastır düzeni simgesinden mi almıştı, yoksa Tapınak Şövalyeleri yeniden mi vücut bulmuşlardı? Pietro Tapınak Şövalyelerini Papadan gemiler dolusu para alan bir organizasyon, yani Pegasus olarak anlatmıştı. İki bin yıllık bir gizli örgüt hem Pietro'nun, hem de

Lang'ın döneminde yaşamış ve yaşıyor olabilir miydi? Bu gizli düzenin sırrı küçük bir ressamın yaptığı bir dinsel tabloda mı gizliydi?

Lang bu sorulara uzun süre cevap bulmaya çalıştı ama başı ağrımaya başlayınca düşünmekten vazgeçti.

Punkçu âşıklar el ele tutuşarak, öpüşüp koklaşarak Westminster'de trenden indiler. İki orta yaşlı kadın onların arkasında çeşitli duygularla, ama hiç kuşkusuz acıyarak ve başlarını sallayarak baktılar bir süre.

Şövalyeleri anlatan kâğıtlar elindeydi ama Lang yine de bu konuda çok şey biliyor sayılmazdı. Teşkilatta görev yaparken, eski darbımesellerden söz eder, bilinmeyenlerin çok fazla zararlı olamayacağını söylerlerdi onlara. Ama bunun klasik bir örneği, birlikler Domuzlar Körfezine gelene kadar, Kennedy'nin onlara hava desteğini açıklamama kararıydı. Bu bir fiyaskoydu ve bu harekâta katılmış olan hiçbir eski asker de bilinmeyenin insana zarar vermeyeceği hikâyesine inanmazdı.

Teşkilat onlara EDFA'yı öğretmişti ki bu kısaltmanın anlamı, "Kendini soruna göre eğit, İstenen sonuç konusunda karar ver, Bu sonucu alacak planı yap ve Harekete geç," idi.

Elbette. Bunu yapmak zorunda olmayan bir insan için hiçbir şey olanaksız değildi.

Lang'ın şimdilik öğrendiklerine göre, karşısında muhtemelen kökleri tarihe dayanan, muazzam ekonomik gücü olan bir örgüt vardı ve Janet'le Jeff gibi onu da öldürmek istiyordu. Burada arzu edilen sonuç, bu hergelelere, Lang Reilly'yi tanıdıkları için pişmanlık duygusunu tattırmaktı, onu tanıdıklarına pişman olmalıydı bu caniler.

Ama Lang bu konunun en gerekli bölümünü henüz çalışmamış, bir plan yapmamıştı. Eğitim sürecine geri dönmeli ve her şeye yeniden başlamalıydı. Pegasus'u iyice anlamadan ona asla zarar veremezdi. Önce Pegasus'un Tapınak Şövalyelerine gerçekten bağlı olup olmadığını öğrenmeliydi.

Kolay iş değildi bu elbette.

Lang aslında dindar bir adam sayılmazdı ve bunun nedeni de büyük ihtimalle, çocukluğunda her Pazar sabahı erkenden yatağından kaldırılarak kiliseye götürülmesi ve orada sert ve rahatsız tahta sıralarda bir saat boyunca oturmak zorunda bırakılmış olmasıydı. İsyan edemeyecek kadar büyüdüğü için katlanmıştı buna. Fakat istemeyerek gittiği kilisede verilen vaazlarda hiçbir zaman Hz. İsa'nın evlendiğini ve Dr. Wolffe'un bir notunda anlattığı gibi, çarmıha gerildikten sonra yaşadığını duymamıştı.

Yirmi birinci yüzyılda Ortaçağ dinsel emirleri geçerli olabilir miydi ki? Açıkça sahtekârlıktı bu.

Eğitim konusu da vardı.

Şimdiye kadar aklında cevaplardan çok sorular çıkıyordu ön plana.

Örneğin Jacob'un evine nasıl gelmişlerdi bu adamlar? Lang Oxford'dan itibaren, ya da Temple Bar'a giderken takip edilmediğine emindi. Ama onu izlemedilerse oraya gittiğini nasıl öğrenmişlerdi? Sherlock Holmes ne demişti: "Bütün muhtemel çözümleri saf dışı bırakırsan sadece mümkün olmayanlar kalır elinde." Onun Jacob'la olan dostluğunu hizmet dosyasından öğrenmiş olmaları mümkün değildi.

O zaman cevap neydi peki?

Lang bunları düşünürken birden eski arkadaşlarından bir başkasını hatırladı ki, bu arkadaşına ait bilgiler çok gizliydi ve hiçbir teşkilatın dosyalarında bulunamazdı.

Yeraltı tren istasyonu merdiveninden caddeye çıkarken saatine baktı. Saat dokuzu çeyrek geçiyordu ve şimdi Atlanta'da öğleden sonra dördü geçiyor olmalıydı. Bürosunu Roma'dan aradığı zaman Sara Chen'den söz etmiş ve Lang da bu müvekkilini binanın altındaki ödemeli sokak telefonundan aramıştı. O anda bürosunda polisler olduğu için Sara ona açık konuşamamıştı ama dört beş yıllık eski bir müvekkilin adından söz etmesinin nedeni ancak bu olabilirdi.

Lang istasyondaki bir telefondan ödemeli bir telefon açtı ve konuşmalar İngilizce olduğu için İtalyan santral memuruyla olduğundan çok daha rahat sağladı bağlantıyı. Ama büro telefonunun dinlenebileceği ihtimalini düşünerek kısa kesti konuşmasını.

"Sara, Bay Chen'i hatırladın mı?" diye sordu ve kapadı telefonu.

Eğer bu saniyelik konuşmayı da izleyebiliyorlarsa, dinleme teknolojisi sandığından çok daha fazla gelişmiş demekti. Star-69 sistemi uluslararası telefon hatlarında işe yaramıyordu tabii. Bilgisayar açılan telefonun onun bürosuna gittiğini saptayana kadar çok uzun zaman geçmesi gerekiyordu ki, telefon o zamana kadar çoktan kapanmış oluyordu.

Lang bir başka sokak telefonuna gitti ve orada konuşmak için Herr Schneler'in Visa kartını kullandı. Şükür ki Gurt onun kredi hesabını henüz kapatmamıştı. Telefonun tuşlarına basarken, bürosunun bulunduğu binadaki diğer numarayı yanlış hatırlamamış olması için dua ediyordu.

"Lang?"

Lang telefonda Sara'nın sesini duyunca sevinçten bir çocuk gibi zıplamamamak için zor tuttu kendini.

"Tamam, benim. Sen iyi misin?"

"Şimdi iyiyim elbette. Şu detektif utanmasa diş fırçasını da getirecek ve bizim büroya yerleşecekti neredeyse, adam bizim bürodan çıkmaz oldu. Sen ne yapıyorsun peki? Söylediklerine göre buradaki olaydan sonra bir de Londra'da birini öldürmekle suçlanıyormuşsun."

"Sen bakma duyduklarına, herkes her şeyi abartıyor Sara. Dinle, uzun konuşamam. Rahibi ara ve bu akşam onunla konuşacağımı söyle, telefonumu beklesin."

"Yani Peder...."

Lang kendini tutamadı ve "İsim yok!" diye bağırdı telefona, ama sonra da bunu yaptığına pişman oldu. O anda Echelon'un, onun eski arkadaşlarının isimlerini öğrenmeye çalıştığını düşünmüştü. Bu aslında pek mümkün değildi ama olabilirdi de. "Bu bir uydu telefon hattı, onun için güvenli değildi."

Sara ona inanmak zorundaydı. "Tamam, Lang. Onu uyaracağım... Senin kimseyi öldürmediğini de biliyorum, merak etme."

Lang bunu duyunca sokakta bıraktığı iki cesedi düşündü ve başını hafifçe iki yana salladı; onlardan birinin göğsünde onun sıktığı iki kurşun vardı. "Teşekkür ederim, Sara. Her şey yoluna girecek, sakın endişelenme sen."

Bunu söylerken, kendine daha fazla güvenmek istediğini de düşünmeden edemedi.

Bölüm Dört

1

Picadilly'nin akşam kalabalığına karışan Lang, her birkaç adımda bir vitrinlerin önünde duruyor ve onları seyreder gibi yaparak etrafını kontrol ediyordu. Fakat bir kez gördüğü yüzleri bir daha görmediği için oldukça rahattı. Regent ve Jermyn Sokaklarından ikişer kez geçerek büyük bir tur attı ve Roma imparatoru kıyafeti içindeki William of Orange'ın atlı heykelini seyretti ve tarihi hatırlayarak gülümsedi. Di, Fergie ve benzeri skandallar öncesinde İngilizler kraliyet ailesini çok daha ciddiye alıyorlardı.

Lang çevresini kontrol ederek ağır adımlarla yürürken hâlâ izlenmediğini düşünüyor, seviniyordu. Birden saatine baktı ve sanki karısı evde onu yemeğe ya da tiyatroya gitmek için bekliyormuş gibi adımlarını hızlandırdı. Jermyn 47 numaralı kapının önünde durdu ve kapının solundaki düğmelere ve isimlere baktı.

Bir düğmeye basınca hoparlörde ince bir kadın sesi Cockney aksanıyla, "Kim o?" diye sordu.

Lang sokaktan geçenlerin duymaması ve daire kapısındaki kadının da daha iyi işitmesi için ağzını hoparlöre iyice yaklaştırdı ve "Nellie'ye söyle, eski bir dostuyum ben, bakan ama dokunmayan adam geldi dersin," diye konuştu.

Hoparlör hafif bir çıtırtıyla kapandı.

Eski adı Neleska Dwvorsik olan Nellie O'Dwyer, bir zamanlar Londra'nın oldukça lüks tele-kız işletmelerinden birinin patronuydu. Fahişelik yasadışı bir işti elbette, ama İngilizler hiçbir hükümetin yok edemediği bir iş alanına karşı savaş vermek için vakit ve para harcamayacak kadar akıllı insanlardı. Nellie'nin kızları sorun çıkarmadığı sürece kimse çalışmalarına ses çıkarmazdı.

Doğu Avrupa'nın işçi merkezlerinden kaçıp Londra'ya iltica eden erkeklerin çoğu biraz rahata kavuşunca ilk iş olarak kadın aramaya başlarlardı. Ondan sonra aranan ikinci şey viskiydi. Rahatlayan ve mutluluğu bulan adamlardan bilgi almak çok daha kolay oluyordu. Lang da Londra'ya atandığı zaman, tele-kızları bilgi kaynağı olarak kullanmak zorunda kalmıştı. Teşkilatın bilgi toplamak için tele-kızlara ödediği paralar, Kongre kontrolüne tabi olan bütçede "danışma ücreti" olarak gösterilirdi.

Lang ülkesi adına yaptığı bu hizmetin dosyasında kayıtlı olmadığına emindi. Birisi onun dosyasına girebilse bile Nellie'nin adını orada görebilmesi mümkün değildi.

Marksist–Leninist devletlerdeki rüşvet düzenine alışık olan Nellie, Londra'da çalışırken Lang'ın da kendine bir yüzde ya da en azından kızlardan yaralanmak isteyeceğini düşünmüştü. Bir genelev patronunun ortağı ya da müşterisi olmanın bir istihbarat ajanına ne sorunlar getireceği açıktı.

Lang, Nellie'nin imalı rüşvet tekliflerini her zaman reddetmiş ve kızların sağladığı bilgiler için kadın patrona teşekkür ederek, "Ben kızlarına zevkle bakarım ama dokunmam," demişti.

Onun bu esprisi bir süre sonra herkesin ağzından duyulur oldu, kızlara gelen yabancı müşteri erkekler bile bunu kendi dillerinde söylüyor ve kahkahalar atıyorlardı. Lang bilgi almak için tele-kızların kaldığı eve geldiği zaman çıplak kızlar ona sarılır ve çeşitli İngiliz aksanıyla onun esprisini söyler, gülerlerdi.

Nellie de bayılırdı onun bu esprisine. Çok geçmeden hoparlörde Nellie'nin, "Lang! Eski dostun Nellie'ye geri döndün!" diye bağıran sesinden sonra kapı kilidinin açıldığını belirten ses duyuldu. Lang kapıyı açıp içeriye girerken yukardan Nellie'nin, "Hemen yukarı çık!" diye bağırdığı duyuldu.

Lang, Nellie ve kızlarının çok meşgul ve televizyon haberlerinde onunla ilgili bir şeyler duymamış olmalarını umut ediyordu. Ahşap merdivenden yukarı çıkarken bir an elini beline götürdü ve Beretta tabancaya dokundu.

Pegasus onun Jacob'la olan ilişkisini dosyasından başka bir yoldan öğrenmiş olabilir miydi acaba? Nellie hakkında da bilgi almış olabilir miydi bu adamlar? Basamaklarda bir an durup arkasına, tek kaçış yoluna baktı. Nellie'nin dairesine girdiği anda bu kaçış yolu da kapanmış olacaktı.

Tabii adamlar oradaysa ve onu bekliyorlarsa....

2

Jacob ve Gurt binadan çıktıklarında sokakta mavi ışıklar dönüp duruyordu. İkisi hiç konuşmadan kalabalığın arasına karıştılar. Dört üniformalı polis halkı geride tutmaya çalışırken, iki sivil dedektif de cesetlerin yanında yere diz çökmüş inceleme yapıyorlardı. Bir üçüncü sivil polis de yaşlıca bir kadının verdiği ifadeyi bir deftere yazıyordu.

Gurt ifade veren kadına doğru yaklaşarak ona doğru eğildi ve ". . . Bir adamın kaçtığını gördüm . . . polise telefon eder etmez cama koştum ve buraya baktım . . . ama her yer çok karanlıktı," dediğini duydu. Sonra kaldırımda birbirine yakın yatan iki cesede baktı. Birisi Lang olamayacak kadar tıknazdı. Diğerini yüzü ise yere dönüktü. Karanlıkta hiçbir şey net olarak görülemiyordu zaten.

Biraz daha yaklaşmak için birini iterken, omzunun üstünden, "Hey ne oluyor Bayan..." diyen bir ses duydu. Ama insanları ittiği için ona kızan adam Gurt'un uzun boyunu, güçlü yapısını ve özellikle de yüzündeki tehditkâr ifadeyi görünce sustu ve geri dönüp uzaklaştı ondan.

Gurt ağzına kan tadı gelince şaşırdı ve o zaman dudağını gereğinden fazla ısırdığını anladı. Cesetleri daha önce yakından göremediği için birinin Lang olduğunu düşünmüş, ama polis onu engellediği için bundan emin olamadan Jacob'un evine girmişti. Fakat sonra tekrar dışarı çıktı, Lang'ın ölüp ölmediğini anlamalıydı. Bir ara Lang ondan kaçtığı için ona çok kızmış ve yerde yatan cesetlerden biri o olsa bile üzülmeyeceğini düşünmüştü. Fakat sonra böyle düşündüğü için pişman oldu ve Lang'ın sağ olması için dua etti.

Gurt bunları düşünürken Jacob yanı başında belirdi ve "Korkma, Lang değil onlardan biri," diye mırıldandı. Gurt şaşırdı, Jacob'un o kalabalık arasından sıyrılıp yanına geldiğinin bile farkında olmamıştı. "Lang yok orada, kaçmış o."

"Nasıl emin olabiliyorsun bundan?"

"Bu ikisi polis olduklarını söyleyip onu aramak için benim daireme gelen adamlar. Demek onu sokakta yakaladılar, ama Lang bitirdi onların işini!"

Gurt derin bir nefes aldı ve "Gott sei danke'" diyerek Tanrı'ya Almanca teşekkür etti. Fakat Lang'ın iki kişiyi birden nasıl öldürebildiğini de pek anlayamamıştı. Gerçi Lang Teşkilat eğitiminde savunma dersleri almış ve gerektiğinde düşmanını öldürmeyi de öğrenmişti ama insan öldürecek bir adam değildi. Akıllı, usta bir ajandı o, bir katil değildi.

Jacob'a baktı ve "Onu bulmamız gerekiyor," dedi. "Nereye gitmiş olabilir acaba? Bu konuda bir fikrin var mı?"

Jacob ceplerini yoklayarak piposunu aradı ama evde unuttuğu için bulamadı ve başını iki yana salladı. "Hiçbir fikrim yok."

Gurt gözlerini kapadı ve ona bakanlar bu güzel kadının cinayetlere dayanamadığı için böyle davrandığını sandılar. "Lanet olsun!" diye söyledi. O da içinde sigara paketinin bulunduğu çantasını Jacob'un evinde bırakmıştı.

3

Nellie'nin iki katlı dairesinin merdiveninden çıkıp önündeki kapıdan giren Lang, karşısında bir turist sınıfı otel lobisi gibi bir yer bulunca şaşırdı. Ucuz bir televizyonun karşısına birkaç sandalye dizilmişti ve eski bir sehpanın üstünde de rastgele atılmış dergiler vardı. Burası kızların bekleme ve dinlenme odasıydı. Müşteriler pek görmezlerdi bu odayı.

Burada antika eşyalar bulunsaydı bile Lang'ın onlarla ilgilenecek hali yoktu o anda. Odada yirmi yaşın biraz altında ya da üstünde birkaç kız vardı ve her renkten örnek bulunabilirdi burada. Çoğunun üzerinde kısa şort ve sadece sütyen vardı ve sadece birkaçı kimono giymişti.

Kızların hiçbiri ilgilenmedi Lang'la ve birkaçı canları sıkılıyormuş gibi baktılar ona. Bu kadar çok genç kadın tarafından bu şekilde karşılanmak pek hoşuna gitmedi Lang'ın, ama o anda yapabileceği bir şey olmadığının da bilincindeydi.

Nellie karşıdaki koridordan koşar adım geldi ve Herr Schneller'in bıyığı ile tombul yanaklarına şaşkın gözlerle baktı. İkisi bir süre, sokakta bakışan iki köpek gibi konuşmadan birbirlerini süzdüler. Lang onun hemen hiç değişmemiş olduğunu görünce şaşırdı. Kadının simsiyah saçlarında birkaç tel bile kır saç görünmüyordu. Onu yıllardan beri görmemişti Lang, ama Nellie'nin yüzünde minik kırışıklıklar bile yoktu, çenesi eskisi gibi sivri ve pürüzsüzdü. Kadın sadece Lang'ın eskiden hatırladığı mini eteklerden birini değil de, eteği dizlerine kadar inen normal bir elbise giymişti. Bacakları da hâlâ eskisi kadar güzeldi. Nellie'nin vücudunun önemli kısımları yıllara ve yerçekimine meydan okumuştu.

Lang onu kucakladı ve yanağından öptü. "Hâlâ çok güzelsin Nellie."

Kadın bir dişçiye model olabilecek kadar düzgün ve bembeyaz dişlerini göstererek güldü. "Sen şimdi hem bana ve hem de beni bu halde tutan pahalı plastik cerrahıma iltifat ediyorsun."

Nellie hâlâ eskisi gibi Balkan aksanıyla konuşuyordu. Birden geriye çekilerek onu baştan aşağıya süzdü ve "Ama sen çok değişmişsin dostum," diyerek güldü.

"Hepimiz senin gibi güzel yaşlanmıyoruz elbette."

Kadının saçları Lang'ın en sevdiği yerlerinden biriydi ve Nellie bunu bildiği için başını salladı ve simsiyah saçlarını dalgalandırdı. "Ben senin kötü yaşlandığını söylemek istemedim, hayatım."

Lang bıyığına ve içerden dolgulu yanaklarına dokundu. "Ama makyajım güzel değil mi? Londra'da beni tanımasını istediğim tek kişi de sensin zaten."

Nellie gülümseyerek onun gözlerine baktı ve "Ben senin Teşkilattan ayrıldığını sanıyordum," diye konuştu.

Lang onun sustuğunu görünce kuşkulanarak çevresine bakındı. Ama artık bir şey yapacak halde değildi, Pegasus onu orada beklemiş olsaydı şimdi zaten ölmüş olurdu. Nellie'nin cevap beklediğini görünce, "Evet, Teşkilattan ayrılalı çok oldu," dedi. "Şimdi polisten saklanıyorum."

Nellie yine güldü. "Yaa, demek polisten kaçıyorsun haa sevgilim? O zaman doğru yere geldin."

"Ben de senden bunu söylemeni bekliyordum zaten."

Lang gözlerini yine çevrede, oturan ve ayakta duran genç kızların üstünde gezdirdi ama kuşkulu hiçbir şey göremedi. "Geceyi burada geçirmek ve mümkünse telefonunu kullanmak isterdim, Nellie."

"Demek birine telefon edeceksin haa? Benim kızlarım çok mu çirkin de sen başkasını çağıracaksın yani?"

Lang güldü ve başını iki yana salladı. "Hayır canım! Amerika'daki bir arkadaşımla konuşmak istiyorum, kendisi aslında bir rahiptir."

Nellie bir kahkaha attı. "Bir rahip mi? Ben rahiplerin neler yaptığını iyi bilirim hayatım. Benim kızlarımı neden hiç istemediğini şimdi anlıyorum."

Onun bu sözünü yakında oturan kızlar da duydu. Ama Lang'ın kafası Pegasus'la o kadar meşguldü ki, onların neler düşündüğü aklına bile gelmedi.

Nellie onu elinden tutarak biraz önce geldiği koridora götürdü. Burada bir otelde olduğu gibi yan yana odalar vardı ama kapıların üzerlerinde numara yoktu. Beyaz bir kapının önünde durdular, Nellie elini göğsüne soktu ve Lang itiraz etmek üzereydi ki, bir anahtar çıkardı ve kapıyı açtı.

"Burası Sue Lee'nin odası, Lang. Bu kız bir müşteriyle beraber İspanya sahillerinde tatilde."

Odanın içinde Lang'ın tanıyamadığı garip bir koku vardı ve Nellie de burnunu kırıştırdı. "Bu kız bu odada yemek de yapar. Vietnamlı mı, Japon mu nedir, bilmiyorum? Bu kokuya biraz sonra alışırsın. Bir kız arkadaş istemediğine emin misin, hayatım?"

Oda bir üniversite kızlar pansiyonundaki odalardan birine benziyordu. Duvarlardan birine küçük bir aynası olan bir tuvalet masası monte edilmişti. İçerde bir tahta sandalye, birkaç çekmeceli bir metal dolap ve tek kişilik bir yataktan başka eşya yoktu. Pahalı bir fahişenin vaktini böyle basit bir yerde geçirmesi Lang'ı şaşırttı.

Nellie onun ne söyleyeceğini merak etmiş gibi konuşmasını bekliyordu. "Kızlar müşteriyi kendi odasına almaz," diye konuştu. "Çalışmak için kendi dairelerini ya da iyi otel odaları kullanırlar." Tuvalet masasının diğer yanındaki bir kapıyı gösterdi. "Şurası tuvalet ve aynı zamanda yandaki odaya da açılır. Yani tuvalete gideceğin zaman dikkatli ol, komşu odanın sahibi de gelebilir. Telefonu istediğin gibi kullanabilirsin."

"Teşekkür ederim."

Nellie dışarıya çıkarken yine durdu ve "Hiçbir şey istemediğine emin misin?" diye sordu.

Lang gülümsedi ve başını iki yana salladı. "Hayır, teşekkür ederim."

Kadın ona sanki ilk kez görüyormuş gibi garip bir ifadeyle baktı ve "Polisten kaçtığına göre karnın da aç olmalı," diye devam etti. "Kızlardan bazıları yakındaki bir lokantadan Çin mutfağı balık ve kızarmış patates alırlar, sana da alalım, hiç sorun olmaz."

Lang bunu duyunca gerçekten aç olduğunu hatırladı; dün gece Rachel'in, midesini berbat eden Hint yemeğinden beri bir şey yememişti. Midesi artık iyice düzelmişti ve bir şeyler yiyebilirdi.

Cebinden biraz para çıkarıp Nellie'ye uzattı ve "Gerçekten aç olduğumu hatırladım, Nellie," dedi. "Evet, bir şeyler yiyebilirim."

Nellie gidince Lang masanın üzerinde duran ve fildişi ve altın yaldızlı süsüyle antikaya benzeyen telefonun yanına gitti, ahizeyi alıp çevir sesini alınca önce uluslararası, Amerika ve Atlanta, sonra da bilgi servisinin tuşlarına bastı. Bilgisayarlı bilgi servisindeki Amerikan aksanını duyunca sevindi.

Bir dizi garip seslerden ve zırıltılardan sonra hattın diğer ucundan tanıdık bir ses geldi ve o kadar yakından ve net geldi ki, konuşan kişi sanki Atlantik'in diğer ucunda değil de yandaki odadaydı.

"Lang?"

"Benim, Francis. Senin dinsiz dostun."

Francis'in gülüşü okyanusun ötesinden çok net duyuluyordu. "Sesini duyduğuma çok sevindim dostum, ama gazetelerde çok pis şeyler okudum, çok şaşırdım." Telefonun kordonu uzun olduğu için Lang yatağa rahatça uzandı. "Fama Volat, Francis, söylentiler hızlı yayılır, bilirsin. Medyayı da iyi tanırsın sen, önce suçlarlar, ölüm ilanlarında da affederler."

Rahip üzgün bir ses tonuyla, "Sanırım haklısın," dedi. "Suçlamaları yazarlar ama delillerle çürütmeleri ve aklanmaları atlarlar."

Lang, "Kanlı haberler işe yarar dostum," diye devam etti. "TV altı haberlerinde reytingi artırmak ve reklâm almak gerekir."

"Herhalde sadece bu suçu işlemediğini söylemek için aramadın beni, sekreterin beklememi söylerken oldukça heyecanlıydı Lang."

Lang derin bir nefes alıp verdi ve "Hayır, her zamanki gibi haklısın," dedi.

"Ayaklarının cehennem yoluna çıktığını anladın ama itirafını duymamı istemiyorsun, öyle mi?"

Lang'ın kafası yorgunluğun etkisiyle bulanıyordu ama yine de gülmekten alamadı kendini. "Benim bütün itiraflarımı dinlemeye senin ömrün yetmez, Peder."

"O halde benim din bilgimden ve parlak zekâmdan yararlanmak istiyorsun sen."

"Siz din adamları alçakgönüllü, mütevazı olma yemini etmez misiniz? Her neyse, şimdi iyi dinle beni, dikkatli dinle. Daha sonra bir test gelecek."

Lang onunla yaklaşık yirmi dakika konuştu ve sadece bir soruya cevap vermek ve kendisine kutu içinde Çin pilavı ile pirzola getiren genç kadına teşekkür etmek için kesti konuşmasını. Rahip dostuna istediklerini anlatırken bir yandan da yemeğini yedi ve ikisini aynı zamanda bitirdi.

Francis, "Tapınak Şövalyeleri ha?" dedi. "Vatikan'dan yılda bir milyar dolardan fazla para mı geliyormuş onlara?"

Lang parmaklarını yalayarak uçlarındaki yağları temizlerken, "Bu konuda bildiğin bir şeyler var mı peki?" diye sordu.

"Vatikan'dan çıkan böyle büyük paralar hakkında küçük rahiplere bilgi verirler mi sanıyorsun sen? Ama Tapınak Şövalyeleri ve Fransa'nın o bölgesi konusunda bir şeyler duymuştum. Neydi adı....?"

"Languedoc."

"Evet, Languedoc ve şu keşiş Pietro'nun sözünü ettiği kale, Blanchefort. Bazı insanlar Hz. İsa'nın kullandığı söylenen Kutsal Kâsenin o bölgede bir yerlerde saklandığını söylerler."

"Yani Hz. İsa'nın son akşam yemeğinde kullandığı kâse mi?"

"Richard Wagner ve Steven Spielberg de öyle demişlerdi. Operayı ve Indiana Jones filmini hatırlar mısın? Bu kâse Arthur efsanesinde de vardı. Ama bu her şey olabilir. İlk efsanelerde onun mistik özellikleri olan bir taş parçası olduğu söylenir ve bazı bilim adamlarına göre de bu, on emrin yazılı olduğu taş tabletlerin bulunduğu sandıktır ki o da Hz. İsa'dan bin yıl önce Kudüs'ten kaybolmuştur. Hitler de bunun Hz. İsa'yı yaralayan Longinus mızrağı olduğunu söylerdi. Şu senin dostun Pietro'nun Gnostik belgede bulduğu kap da olabilir."

Lang, "Ama sen böyle bir şeyin varlığı kuşkulu mu diyorsun?"

Francis yeni açılıyor gibiydi. O zaten tartışmaların sonlarına doğru açılırdı hep. "Kilisenin bu konudaki pozisyonunu bilemiyorum," diye devam etti. "Sanırım birkaç yüz yıldır bu konuya pek değinmediler. Bildiğim kadarıyla, sanırım o bölgede, Rennes-le-Chateau denen küçük kasabada bir rahip vardı. Yanılmıyorsam adı Sauniere idi ve on dokuzuncu yüzyılın sonlarına doğru yaşadı."

"Bütün bunları bir ilmihal gibi hatırlıyorsun sen, öyle mi? Yani kilisenle ilgilenirken bir de bütün bunları okuyup ezberlemen müthiş bir hafıza gerektirir."

"Bu söylediğini iltifat olarak kabul edeyim. Ama şunu rahatça söyleyebilirim ki, birkaç yıl önce Fransa'ya gittim, uluslararası bir Kilise konseyine katıldım ve geri dönüş için ucuz bir havayolu ararken de bölgede birkaç gün dolaştım. Sauniere oldukça iyi bir turizmciydi diyebilirim. Eğer dinleyecek vaktin varsa bunu da anlatabilirim sana."

"Tamam, tamam, dinliyorum."

"Sauniere cemaati fakir olan bir kilisenin fakir rahibiydi. Bir gün parası olmadığı için kilisede bazı şeyleri tamir etmeye kalktı. Sunakla uğraşırken onun ayaklarından birinin oyuk ve o oyukta da eski bir parşömen rulosu olduğunu gördü. Heyecanlandı, onu etrafındakilere gösterdi ama okutmadı. Zaten orada yaşayanlar okuyamazdı onu; yazı Latince, İbranice ya da başka bir dilde yazılmıştı. Belki de Tapınak Şövalyelerinin bahsettiği Gnostik belgeydi bu.

"Kilise cemaati birden zenginleşti, kilise onarıldı, büyük bir misafir evi inşa edildi ve Langudec'ta kimsenin aklına gelmeyecek kadar çok para geldi kiliseye. Her yerden kardinaller ziyarete gelmeye başladılar. Fakir rahip Sauniere de birdenbire zengin bir rahip oluverdi. Kendine yeni cüppeler satın aldı, evine bir hizmetçi tuttu, şarap mahzeni yaptı. Yani gerçek bir kilise prensi olup çıktı."

Lang kendini tutamadı ve "Herhalde kendine küçük oğlanlar ya da cariyeler de satın almıştır," deyiverdi. Francis kilisenin hafif kusurlarını pek gizleyemiyordu.

"Bir edepsizlik daha yaparsan kapatırım telefonu, haberin olsun, Lang. Her neyse, Sauniere bütün bu paraların kaynağını kimseye açıklamadı. O ve evine bakan hizmetkârı esrarengiz koşullarda ölüp gittiler."

Lang, "Bırak da tahmin edeyim," diyerek araya girdi. "O rahip bir yangında öldü, değil mi?"

Francis'in şaşırdığı belliydi. "Aslında öyle değil, küçük bir teknenin devrilip batması sonucunda boğularak öldü o rahip. Kimse onun nehirde bir teknede ne yaptığını öğrenemedi."

"Pietro da ateş, rüzgâr, su ve toprak olarak dört elementten söz ediyordu. Devam et."

"O bölgede yaşayanlar o rahibin bulduğu parşömenlerin bir tür hazine haritaları olduğu konusunda konuştular ama onları bulamadılar. O öldükten sonra bölgede bir daha kilise büyükleri ve paralar hiç görünmedi."

Lang gerindi ve başını iki yana salladı. "O halde adam gömülü bir hazine buldu ya da sunağın oyuk bacağında bir sürü ve hepsi de kazanan piyango bileti vardı. Peki, ama bütün bunların Tapınak Şövalyeleriyle ne ilgisi var ki?"

Lang hattın diğer ucunda Francis'in kıkır kıkır güldüğünü duyabiliyordu. Rahip, "Biraz sabırlı ol bakalım, dinsiz imansız adam! Hikâye daha bitmedi ki. Altmışlı yıllarda basılan bir kitapta Sauniere'in, Tapınak Şövalyelerine ait bir hazineyi bulduğu yazıyordu. Şövalyeler o bölgede yaşamıştı ve Pietro'nun sözünü ettiği o kale de onlara ait yerlerden biriydi. Sauniere o beyaz adamların kaçarken gömdükleri muazzam hazineyi bulmuş olabilirdi."

Lang şaşırdı ve "Hazine mi?" dedi. "Ben şu Oxford bilim adamının yazdığı tercümeyi okuyana kadar, Tapınak Şövalyelerinin fakir, dürüst yaşamak için yemin etmiş bir tarikat mensubu olduklarını sanıyordum."

"İşin başında öyleydiler zaten. Hıristiyan hacıları Müslümanlardan korumak için Kutsal Topraklara gittiler, Haçlı Seferlerine katıldılar ve iyi şeyler yaptılar. Sanırım tarikat bin yüzlü yılların başlarında kuruldu. Diğer keşişler gibi onlar da fakirlik yemini ettiler. Ama ondan sonraki iki yüzyıl içinde her şey değişti ve tarikat çok zengin oldu. Ama paranın kaynağı konusunda kimse bir şey bilmiyor.

"Avrupalı krallar bu savaşçı keşişlerin şatolara, topraklara ve hatta gemilere sahip olmalarını izlediler. Filistin düştükten sonra Tapınak Şövalyeleri de Avrupa'ya döndükten sonra adeta kendi başlarına bir ulus oldular. Papa ve Fransa Kralı Philip dâhil pek çok kral hem çok hırslıydılar ve hem de korkuyorlardı.

"Philip 1307'de Tapınak Şövalyelerinin Fransa'daki şatolarına, mallarına el koydu ve bazılarını hapse attı. Papa Clement V, Avrupa'da en güçlü kralın Philip olduğunu bildiği için onun kendine yakın durmasını istedi ve o da Şövalyeleri suçlayan bir ferman çıkardı.

"Diğer kralların çoğu da Tarikat mal ve mülklerine el koyabilmek için bu düzene katıldılar. Bazı tarikat mensupları işkence görerek tarikattaki homoseksüellik dâhil, işlenen günahları itiraf ettiler. Bu yüzden en azından Fransa'da yakıldı bunlardan bazıları. İngiltere ve Almanya'daki Tarikat mal ve mülkleri Fransa'da olduğu kadar zengin olmadığı için oradakiler fazla işkence görmediler.

"Şövalyelerden bazıları önceden haber alarak Philip'in emrinden önce ülkeden kaçtılar. Ondan sonra da, onlara ait gemiler ve ellerinde kalan hazineler asla bulunamadı."

Lang birkaç saniye düşündü ve sonra, "Yani şimdi onların bu hazineleri Languedoc yakınlarında bıraktıkları mı sanılıyor?" diye sordu.

"Bu konuyla ilgilenenlerin bazılarına göre, kaçan Şövalyeler İskoçya'ya gittiler ve orada Kral Robert de Bruce, aforoz edildiğinden ve Papa Clement ile arası açıldığından onları destekledi. Bazıları da onların hazinelerini alarak şimdi Nova Scotia olan adaya gittiklerini söylediler. Ama bazılara göre de Tapınak Şövalyelerinin hazineleri diye bir şey yoktu ortada ve onların zenginliği topraklarından geliyordu."

"Sen ne düşünüyorsun peki?"

Hattın diğer ucunda Francis'in iç çekişi duyuldu. "Aslına bakarsan ben bu konuda ne diyeceğimi bilmiyorum, bu konuda hiçbir fikrim yok. Bana sorarsan Tapınak Şövalyeleri tarihin ilginç bir parçası ama o kadar işte. Onların hazineleri konusuna gelince, ben derim ki, Kaptan Kid'in hazinesini gizlediği yer dedikleri şu Long Island Sound'un uydurma haritalarından birini alsan paranı ve zamanını daha iyi harcamış olursun."

"Haklısın galiba, Kaptan Kid hiç olmazsa insanları öldürmüyor."

"Ayrıca Tapınak Şövalyeleri çoktan silindiler yeryüzünden, ama Masonların ve Rosicurician'ların onların devamıyla bir ilişkileri olduğu söyleniyor. Bu iki düzende de üyelerin hayatlarıyla ilgili sırlar saklanıyormuş."

Land buna inanmıyormuş gibi hafifçe güldü. "Şu garip şapkaları giyen adamlara ya da Prozac'la ilgili deli saçmalarına aldırmıyorum, ayrıca sizin oradaki Mason tapınağında kimsenin boğazının kesildiğini de duymadım. Onlar zararsız insanlar, ama bu Pegasus örgütündeki hergeleler çok ciddi caniler. Sırlarını gizlemek için öldürmekten hiç çekinmiyor bunlar. Sanırım bu işin içinde Vatikan'dan gelen paralarla ilgili bir şeyler var. Ayrıca bu konu Fransa'daki . . . neydi şu adamın adı?"

"Sauniere. Evet, onun bulduğu hazine konusu da var burada."

Rahip Francis yine iç çekti. "Evet, ama senin şu çobanlarla ilgili resmin ne ilgisi olabilir ki bununla? O resimdeki yerin Fransa'da değil, Arcadia, Yunanistan'da olması gerekiyor. Fakat . . . Arcadia şiirlerde kırsal güzellikler ve barış için de kullanılır. O tablodaki yerin anlamı coğrafi değil, mecazi de olabilir."

Lang eski bir istihbaratçı olarak, bir bulmacada tüm parçaların ancak bir kurguda birbirine tam olarak uyduğunu biliyordu. Böyle durumlarda çoğu zaman sorunla ilgili olmayan bir bilgi parçası çıkardı insanın karşısına. Burada da Pegasus'un öldürmek pahasına korumak istediği bir sırrı olduğu açıktı.

Lang, "Bunda haklı olabilirsin," diye konuştu. "Fakat Pietro adlı şu keşişin ve senin söylediklerin beni Languedoc'a doğru yönlendiriyor. O tablonun bu duruma uyup uymadığını şu an bilemiyorum, ama mutlaka bir ilişkisi olmalı. Öyle olmasaydı, Pegasus o tablodan bir anlam çıkarması mümkün olan insanları öldürmezdi."

Francis anlaşılmayan bir şeyler homurdandı. "Evet, tamam, ama nedir o anlam?"

"Gnostik hurafe ile bir ilgisi olabilir mi acaba? Yani Arimathea'lı Joseph'in Hz. İsa'nın erkek kardeşi ve Mary Magdalene'in de karısı olması inanışıyla ilgisi mi var acaba?"

"Kutsal kitaplarda, en azından Kilisenin tanıdığı İncil'de Hz. İsa'nın kardeşi ve karısıyla ilgili bir şey yok. O dönemlerde yaşayan Yahudi aileler çoğunlukla kalabalık oldukları için Hz. İsa'nın kardeşleri olmuş olabilir. İbrani yasaları genç erkeklerin ve özellikle de Hz. İsa gibi bir hahamın evlenmesi gerektiğini söylerdi. Bazı bilgelere göre düğün, Onun suyu şaraba çevirdiği Cana'da yapıldı. Hz. İsa'nın kardeşleri ve evli olması, aile soyundan gelenler olması gerektiğini söylüyor ki, Kilise de bu tür soruların sorulmamasını tercih ediyor. Tercümeyi yapan Dr. Wolffe, Roma'nın çöküşünden sonra bir iki yüzyıl Fransa'nın o bölgesinde hüküm sürmüş olan Merovingian hanedanı konusunda yanılmıyor. Onlar Hz. İsa'nın soyundan geldiklerini söylediler ve bu da Papalık için büyük sorundu.

"Gnostiklere göre Tanrı Hz. İsa'yı bir fani olarak yarattı ve Hz. İsa ölünce bedeni değil, sadece ruhu cennete çıktı ki Yahudi Mesih inanışı bunun tersidir. Fiziksel dirilme yok, Mesih yok. Gnostik inanış Nicea Konseyi tarafından onu destekleyen kutsal kitaplarla birlikte reddedildi."

Lang başını salladı ama hattın diğer ucundaki rahibin söylediklerini anlamakta da zorlanır gibiydi. "Anlattıkların ilginç kilise hikâyeleri ama şu söz konusu tabloyla ilişkisi ne bunların? Pegasus'a göre mutlaka bir ilişkisi var. Ben bu işin sırrını çözmek ya da en azından Pegasus'un neyi koruduğunu anlamak istiyorum. Yaptıklarının acısını çıkarabilmem için bunu yapmak zorundayım."

Hattın diğer ucundan yine rahibin iç çekişi duyuldu. "Lang, intikam duygusu geri teper. Bana sorarsan bırak da polis halletsin bu meseleyi."

Lang sinirli bir ifadeyle, "Francis, sen hayal peşindesin," diye konuştu. "Paris polisinin elinde hiçbir şey yok. Onlara kalırsa bu cinayet konusu unutulup gidecek. Ben sonuç istiyorum. Adamların Atlanta'da beni de öldürmek istediklerini unutmadın herhalde, değil mi? Bunu beceremediler ama beni birkaç cinayet işlemiş bir cani olarak göstermeyi başardılar. Bana büyük borçları var o hergelelerin."

"Dinle beni, Lang. Başkalarını da öldürmek zorunda kalmadan ya da kendin ölmeden önce bırak bu işi polisler çözsün. Tanrı yardım edecektir sana."

"Sayın Rahip, rivayete göre Tanrı ancak kendine yardımcı olana yardım edermiş."

"Sen şimdi Sayın Rahip diyerek dalga geçmeyi bırak da beni dinle biraz, yapabilir misin bunu?"

"Kulaklarım sende."

"Illıgitimi non carborundum."

"Francis, Latince 'hergelelerin seni alt etmesine izin verme,' demene hiç gerek yok burada."

"O halde kıçını kolla dostum."

Lang telefonu kaparken büyük sorununa rağmen sırıtmaktan alamadı kendini. Uykusu gelmişti ama kendini zorladı ve cüzdanında duran portrenin Polaroid resmini çıkardı. Resme tekrar dikkatle baktı ama yine hiçbir şey anlayamadı.

Tekrar esnedi ve kendi yatağında tekrar ne zaman uyuyabileceğini düşündü. Evini ve sabahları kahvesini ve gazetesini alarak balkona çıkıp oturmayı, şehri seyretmeyi ve kahve içerek gazete okumayı öylesine özlemişti ki!

Birden gazetesindeki bulmaca geldi aklına. Bulmacadaki karışık harfler gerektiği gibi dizilince bilinen bir ifade çıkardı ortaya. Ya buradaki bu Latince yazı da bu bulmacada olduğu gibi karışık dizildiyse ve düzgün sıralandığında belirli bir ifade verecekse, o zaman bir şeyler bulmuş olmaz mıydı?

ETINARCADIAEGOSUM.

ET IN ARCADIA EGO (SUM).

Bütün yorgunluğuna rağmen yatağından kalktı ve çekmeceyi karıştırıp bir şeyler aradı, bir Harrods satış fişi buldu. Sonra tuvalet masasındaki bir kaş kalemi fişini de alıp önüne koydu. Fişlerin boş olan arka yüzlerini defter gibi kullanarak harfleri yeniden sıralamaya başladı. Çobanın parmağıyla gösterdiği harfi en öne koydu, bulmaca çözer gibi uğraşmaya başladı.

Yirmi dakika sonra uykuyu unutmuş, önündeki ifadeye bakmaya başlamıştı Lang. Acaba doğru mu okuyordu bunu? Latincesi oldukça iyi sayılırdı ama bu iş o kadar kolay görünmüyordu. Birden atılıp odanın kapısını açınca o sırada oradan geçen bir genç kadın korkuyla sıçradı.

Lang, “Özür dilerim hayatım,” dedi. “Nellie nerede acaba?”

Genç kız parmağıyla koridorun diğer ucunu gösterdi ve Lang’ın tanıyamadığı bir aksanla, “Ofisi holün sonunda,” dedi.

Nellie bilgisayar önünde oturmuş ve ekranın mavi rengi yüzüne vurmuştu. Dünyanın en yeni teknolojisi artık dünyanın en eski mesleğinin de hizmetine girmişti.

Nellie onu fark edince döner koltuğunu çevirerek yüzüne baktı ve “Fikir mi değiştirdin yoksa? . . . Tanrım, nedir bu halin!" diyerek gözlerini açtı. "Ne oldu sana Lang? Hayalet görmüş gibi bir halin var, hayatım!"

Oda eskiden giysi odası olarak kullanılmış olabilirdi, o kadar küçüktü. Onun için Lang kapıda durdu ve "Gerçekten de hayalet görmüş gibiyim, Nellie," dedi. Senden garip bir isteğim olacak hayatım."

Kadın ona cilve yapar gibi baktı ve başını salladı. "Bizim işte garip arzular her zaman vardır hayatım! Kayışlar, zincirler, türlü garip arzuları olanlar hep bize gelirler."

"Benim talebimi bir başka garip bulacaksın Nellie. Gecenin bu saatinde bir Latince-İngilizce sözlüğü nerde bulabilirim acaba?"

Kadın meslek hayatında herhalde ilk kez bu kadar şaşırıyordu. "Latince mi? Ben burada bir üniversite mi yönetiyorum yoksa? Bir dakika bakalım.... Üniversite yakınında bir kitapçı var, ama bu saatte açık olacağını sanmam."

Lang bekleyemeyecek kadar heyecanlıydı. Daha fazla düşünmedi ve "Ben hemen gidip bir bakayım," dedi. "Odamı sakın başkasına verme."

Kadın onun kolunu okşadı ve gülerek, "Sen üzme tatlı canını, hayatım!" dedi. "Bir kızım müşteri için Bloomsbury'ye gittiydi, biraz sonra işi bitiyor ve telefon edecek. Onu hemen Müze Sokağına gönderirim. Şimdi sokağa çıkıp polislere yakalanmana hiç gerek yok, değil mi?"

Müze Sokağı kafeler ve eski yeni kitaplar satan kitapçılarla dolu bir yerdi. O sokaktaki kitapçıların çoğu geceleri geç saatlere kadar açık kalırlardı.

"Teşekkürler, Nellie."

Lang bir saat kadar sonra kapağı eskimiş Latince-İngilizce lügati elinden bıraktı ama haklı olduğunu öğrenmişti, şoktaydı. Tablo artık bir bulmaca olmaktan çıkmıştı ama verdiği mesaja inanmak için inancında büyük bir değişiklik olması gerekecekti. Fakat Pegasus onun mesajına inanmıştı ve bu nedenle de acımadan insan öldürüyordu.

Pietro'nun hikâyesi ve yazdıkları da inanılmaz görünmesine karşın aynı şeyi söylüyordu. Şimdi Lang'ın yapması gereken şey, polisleri ve kötü adamları yeterli bir süre için atlatmak, binlerce kilometrekarelik bir alanda belirli bir yeri bularak, yedi yüz yıl önce ölmüş olan bir keşişin anlattıklarını doğrulamaktı.

Artık Fransa'ya gidecekti, mecburdu bunu yapmaya.

TAPINAK ŞÖVALYELERİ
BİR TARİKATIN SONU

Sicilyalı Pietro'nun Hikâyesi

Ortaçağ Latincesinden Dr. Nigel Wolffe'un Çevirisi

5

Tedarikçinin yardımcısı olarak Tapınak kölelerinin üretimlerini kontrol eder ve hesaplarını yaparak kayda geçirirken, günler de su gibi akıp gidiyordu.(1) İşlerim dışında kalan zamanlarımı kütüphanede harcayarak Gnostikler ve onların kötü inanç sapmalarını öğrenmeye başladım, bunlar berbat belgelerdi ve bir tanesi de içi boş bir sütunda saklanmıştı. Bunun varlığını sadece birkaç din kardeşim öğrenmişti ki ben onlardan biri olmayı çok isterdim! Kutsal Kitaplara karşı gösterilen bu büyük saygısızlık beni üzdü ama bu eski kitaplarda sözü edilen kapta ne olduğunu da merak ediyordum. Ayrıca hiçbir tehlike oluşturmayan Serres ve Rennes gibi iki basit köyü koruyan Tapınağa Papalık neden bu kadar para gönderiyordu, bunu merak ediyordum.

Böylece yılanın Hz. Havva'yı tahrik etmesi gibi, bu belgeler de beni tahrik etti ve karanlıkta kalmış olan gerçekleri araştırmaya başladım.

Sırlar birbirini izledi, dışarıya çıkıp araştırmalarımı sürdürerek Tapınak yetki sınırlarının dışına, uzaklara, Sals Nehri boyunca yürüdüm, tepelere çıktım ve sonunda Cardou denen Beyaz dağa tırmandım. Bu yolu seçtim, çünkü dinsizlerin yazılarında eski Roma yolu olarak adı geçen ve buralara gelen Arimathea'lı Joseph ve Mary Magdalene'in kullandığı yazılan yola benzeyen bir yoldu bu.(2) İşlerimi ihmal ettiğim için, arkadaşlarıma ve Tanrı'ya Tapınak sınırlarını aştığımı bilmeden, sınırlar içinde dolaştığımı söyleyerek affettirecektim kendimi. Bu daha da büyük bir günahtı, çünkü ben yasaklanmış olan bilgiyi arıyordum.

Gittiğim yerde yaşayan insanlardan bir şey öğrenemedim, çünkü konuştukları dili anlayamadım. Ama Frenkçe ya da Latince konuşsalar bile kafamdaki sorulara cevap verebileceklerini sanmıyordum. O kadar pis insanlardı ki, onların da Tanrı kulu olduklarına inanamadım. Benim de onlar gibi insanların çocuğu olmam bile üzmüştü beni. Her gün et ve güzel yemekler yediğim, temiz giysiler giyebildiğim için onların yanında kibirlenerek günah işlediğimi hissettim.

Ekim ayında bir gün yine böyle tapınak çevresinde yürümüş, geri dönüyordum. Kış yağmurları henüz başlamamıştı ve toprak kuru, yollar toz içindeydi. Etraftaki meyve ağaçları olgun meyvelerle doluydu, sonbahar bitkileri büyümüş, bağlar budanmıştı. Batıdan soğuk bir rüzgâr esiyordu, Languedoc'un son bulup İberya ülkesi Katalonya'nın başladığı Pirenelerin tepelerinde beyaz karları gördüm. O zaman düşündüm; şövalyeler bu dağların ötesindeki toprakları dinsizlerin ellerinden neden kurtarmamışlardı?(3)

Cardou denen dağın eteklerinde biraz durup dinlendim ve etraftaki manzara ve dünyayı altı günde yarattığı için Tanrı'ya şükrettim. Duamı bitirmiş ve "Âmin" demiştim ki etraftaki güzel otlar ve meyvelerle beslenmiş tombul bir tavşan ayaklarımın dibinden hızla geçti, biraz ilerde durdu ve adeta küstahça bir ifadeyle dönüp bana baktı.

Hayvanın bu bakışı beni şaşırttı, ikimizi de yaratmış olan Tanrı'yı sanki unuttum. O anda baharatlı tavşan eti yemeden geçirdiğim yaz aylarını düşündüm. Asamı aldım ve kalkıp dikkatle yürümeye başladım. Birkaç adım atınca birden ayağım takıldı, düştüm. Ama hemen kalkıp yere düşen asamı aldım ve önümdeki otların arasından önümde, içine düştüğümden çok daha büyük bir çukur, bir boşluk olduğunu fark ettim.

Önümde bir çukur ve otlardan görünmeyen, gizlenmiş beyaz kayalarda oyulmuş bir mağara duruyordu. Yere düşüp etrafıma bakınmasaydım belki de mağaranın yanından geçip gidecektim. Mağara duvarında taşçıların oyduğu oymaları görünce bunların insan eliyle yapılmış olduğunu anladım.

Bu yerin ne olduğunu merak ettim ve mağaraya doğru ilerledim. Mağaradan içeri girdim, burası insan eli tarafından büyütülmüştü. İçerisi karanlık olduğu için etrafı göremiyordum ama kollarımı kaldırınca tavana değemedim ve sağa sola açınca da ellerim yan duvarlarla temas etmedi.

Karanlıkta mağaranın ortasında, toprak zeminde duran bir taş levha gördüm.(4) Yanına yaklaşınca taş levhanın üzerinde kabartma yazı olduğunu anladım, İbranice, Aramice ya da Latince olabilirdi bu yazı. Mağara girişinden sızan hafif ışıkta parmaklarımla yoklayarak yazının ne olduğunu anlamaya çalıştım.

Gnostik belgede adı geçen taş kap ya da levha olabilir miydi bu? Taş Languedoc kayaları yapısında, beyazdı ve muhtemelen burada kazılmıştı bu yazı,(5) yani bu kadar ağır bir taşın Kutsal Topraklardan getirilmiş olması ihtimali daha zayıftı. Ama kayaya kazılmış kabartma yazıyı okumadan bunun ne olduğunu anlamam mümkün değildi, o anda meraktan ölebilirdim.

Kaya üzerindeki yazıyı görebilmem için ışığa ihtiyacım vardı. Tapınağa çok yakındım, yaklaşık on beş dakikada varabilirdim oraya. Tapınaktan bir tek mum alsam onun ışığında bile kayanın üzerindeki yazıyı rahatça görebilirdim.

Koşarak tapınağa vardım ve kapıda beni selamlayan keşiş kardeşin şaşkın bakışları altında avluyu geçtim. Beni o halde görenler meraklı gözlerle bakıp ne olduğunu anlamaya çalışıyorlardı ama ben kimseye bakmadım. Daha sonra neler olabileceğini bile düşünemiyordum.(6) Öyle telaşlıydım ki avlunun çevresindeki sütunların arasından geçmeyi bile akıl edemedim, ortadan koşarak herkese gösterdim kendimi.

Kendi hücreme girip bir mum bularak kiliseye gittim, orada sürekli yanan mumlardan biriyle elimdeki mumu yaktım ve diz çökerek dua etmeyi unutmadan ayrıldım oradan. Mağaraya dönerken daha sakindim, çünkü koşarak elimdeki mumun sönmesine neden olabilir ve onu yeniden yakmak için tekrar Tapınağa dönmek zorunda kalabilirdim.

Mağaraya girince üzeri yazılı taşın yanına diz çöktüm ve mum ışığını elimle koruyarak yazıyı okumaya çalıştım. Ama Latince yazı çok eski bir diyalekt ile yazılmıştı ve okuyamadım onu. Yazının kazıldığı taş levhanın bazı yerleri de kırılmıştı.

Yazıyı çözmek için uğraşırken bir an sanki Şeytanın soğuk elinin kalbimi sıktığını hissetim ve karanlığın içinde düşüp bayıldım. Ne kadar baygın kaldığımı bilmiyorum, ama ayıldığım zaman kendime geldiğime pişman oldum. Taşın üzerindeki yazıyı tekrarlamaya şimdi bile cesaret edemiyorum. Biraz sonra bana verilecek olan ateş bile bu taşa kazılan yazının kalbime verdiği zararı temizlemek için yeterli olmayacaktır.

Ne yapacağımı bilemiyordum, belki de ruhumu şeytanlar almıştı, çünkü taşın bir ucunu kaldırmaya çalıştım ama Tanrı buna izin vermedi. Bunu yapabilseydim belki de Lot'un karısının akıbetine uğrayacaktım, gözlerim iğrenç şeyler görecekti. Bir süre sonra, bulduğumu benden daha akıllı ve din bilgisi daha güçlü olan kişilerle paylaşmayı düşündüm, belki onlar bulduğum bu taşın ne olduğunu açıklayabilirlerdi. Şimdi anladığıma göre, Şeytan günahını Hz. Adem ile paylaşması için Hz. Havva'yı da böyle tahrik etmiş, günah bilgiyi bir salgın hastalık gibi etrafa yaydırmıştı.(7)

Aklım başımda değildi, çünkü bir kısmı yanan mumu orada bıraktım, ama şeytanın bana verdiği merak yüzünden işlediğim en büyük ihmal ya da kusur bu olmayacaktı. Tapınağa yaklaştığım zaman birçok atlının dışarı çıktığını gördüm, aralarında savaşa gider gibi zırhlarını kuşanmış şövalyeler de vardı. Çok geçmeden onların arasında Guillaume de Poitiers, Alman Tartus ve diğer birkaçı gibi savaşçı Tapınak Şövalyelerini de gördüm. Uzun bir sefere çıkıyormuş gibi yanlarına yük eşeklerini de almışlardı. Ben onların yanına varana kadar onlar arkalarında bir toz bulutu bırakarak uzaklaştılar.

Kale kapısındaki demir parmaklığın kaldırılmış olduğunu ve kapıda nöbetçiler olmadığını görünce şaşırdım. Çünkü savaşçı kardeşler düşmanı karşılamak için sefere çıktılarsa, kendi kalelerinin güvenliğini de sağlamış olmalıydılar.

Kalenin surları içinde her şey karmakarışıktı, domuzlar, sığırlar yerlerinden çıkmış etrafta rahatça dolaşıyorlar, bütün kümes hayvanları ayaklar altında koşuşup duruyorlardı. Phillipe'i bulamadım, belki de efendisiyle beraber sefere çıkmıştı. Levazımcı depoda yere yayılmış şarap fıçıları ve diğer malzemeler arasında şaşkın bir ifadeyle dolaşıyordu.

Levazımcı ya da Tedarikçi yaşlı ama düzenli bir adamdı ve çok üzgün görünüyor, konuşurken sesi titriyordu.

Ben daha neler olduğunu sormadan, "Gittiler," diye yakındı. "Paris'ten, Molay Kardeşten bir atlı geldi.(8) Görevleri olmayan bütün kardeşlere kutsal eserleri, hazineyi ve yedi günlük malzeme alarak buradan ayrılmaları söylendi, ama bunun nedenini bilmiyorum."

Görevleri olmayanlar savaşçılardı ve onlar kaleden ayrılıp gidiyor, kale yönetiminde görevli olanları ise savunmasız olarak yalnız bırakıyorlardı, çok garip bir olaydı bu. Şövalyeler gerçekten savaşa gitselerdi Tapınağın kutsal eserlerini ve hazinesini de yanlarına almazlardı herhalde. Ama ben kendi keşfime öylesine dalmıştım ki bu olanlar bile fazla telaşlandırmadı beni ve mağarada bulduğumu kime açıklayacağımı düşünmeye başladım.

Akşam duasından sonra Kale Efendisi akıllı bir adam olduğunu gösterdi. Duadan sonra rahipler meclis binasında toplandık ve durumu tartışmaya açtık. Cüppemin ceplerinde mürekkep hokkası, kalem ve kâğıt vardı, konuşmalardan sonra işimin başına gidip hesapları yapmam gerekiyordu ama mağarada bulduklarımdan sonra en basit matematik işlemi bile yapabileceğimi sanmıyordum. Görüşmemiz sona ermek üzereydi ki odanın kapısı açıldı ve(9) kralın Serres ve Rennes valisi girdi içeri. Yanında silahlı askerler de vardı.

Oradaki rahiplerin en kıdemlisi olan Manastır Kilercisi, "Ne istiyorsunuz kardeşim?" diye sordu.

Kral temsilcisi, "Ben senin kardeşin filan değilim," dedi.

Bu adamın adını bilmiyordum ama daha önce görmüştüm onu kale surlarının içinde. Domuz gözüne benzer küçük gözleriyle etrafı kontrol ediyor, nereden ne çıkarabilirim acaba diye düşündüğü yüzündeki ifadeden belli oluyordu.

Kilerci, "Böyle habersiz gelmek de ne oluyor?" diye sordu.

Valinin işaretiyle içeriye silahlı askerler doldu ve bütün kapıları tuttular, ama zaten orada zaten bir kapı daha vardı ki o da ambara açılıyordu. Vali etrafa bakındı ve "Fransa Kralı

Philip adına hepinizi tutukluyorum," diye bağırdı. "Buradaki her şeye el konmuştur."

Keşişler arasında bir homurdanma oldu ve Kilerci, "Bunu yapamazsınız," dedi. "Bizler Kiliseye bağlı din adamlarıyız, Philip yasaları geçersizdir bizim için."

Vali köpek havlamasını andıran bir sesle güldü ve üzerinde krallık mührü olan bir kağıdı açarak okudu: "Kralınız tarafından aşağıda sayılan suçları işlemekle suçlanıyorsunuz: Gizli köşelerde birbirinize sarılıp okşamak, öpüşmek, ölen keşiş ve rahipleri yakıp küllerini genç keşişlerin yemeklerine karıştırmak, küçük çocukları yakarak onların yağlarıyla putları yağlamak, genç bakirelerin katıldığı gizli ayinler yapmak ve burada söylenemeyecek kadar çok ve ahlaksızca davranışlarda bulunmak." (10) Bu durumda kilise mahkemelerinde kendinizi savunma hakkınız bile yok sizin."

Rahiplerden biri, "Bunun hesabını Kutsal Papa'ya vereceksiniz!" diye bağırdı.

Vali, "Kutsal Papa Kral Philip'in emirlerine itaat eder," diye cevap verdi.

Ondan sonra hepimizi iterek dışarı çıkardılar, eşek arabalarına bindirdiler ve soluk ay ışığı altında, karanlık yollarda Tapınaktan uzaklaştırdılar. Valinin suçlamaları gerçeklerden o kadar uzaktı ki kalbim sıkışmış gibiydi, zor nefes alıyordum. Sadece bir tek şey teselli edebiliyordu beni; diğer kardeşlerimiz olacakları önceden öğrenmiş ve buradan kaçabilmişlerdi.

Çok geçmeden düşünmeye başladım; acaba kralın askerleri o yazılı belgeyi bulmuşlar mıydı, yoksa belge hâlâ gizli yerinde duruyor muydu? Bu tür bir yazılı belgenin bulunması hepimizi suçlu bulmak için yeterli olurdu.

Bizi nereye götürdüklerini bilmiyordum ama o yere varınca neler olabileceğini kestirebiliyordum. Bize hiç kuşkusuz cadılara, büyücülere ve putperestlere uyguladıkları cezaları vereceklerdi. Ama mağarada öğrenebildiğime göre kurtuluş umudumuz yok gibiydi. Öğrendiklerime bakılırsa ben, bizi alıp götüren bu adamların söylediklerinden de daha tehlikeli bir din karşıtıydım.

Çevirmenin Notları:

1. Var oldukları iki yüzyıl boyunca, Tapınak Şövalyelerine, çoğunda toprak kölesi de olan geniş topraklar verildi. Böylece her Şövalye feodal bir toprak sahibi haline geldi.
2. Bu eski Roma yolu motorlu araçlar için uygun olmamasına rağmen yine de rahatça kullanılabilir. 1733-1789 yılları arasında baba oğul, Jacques ve Cesar-François Cassini de Thury tarafından yapılan Fransa haritasında bu yolun bölgeye giden ana yol olduğu görülür.
3. İspanya'nın bazı bölgeleri 1492'ye kadar Faslılar, Berberler tarafından işgal edilmişti, fakat Pietro'nun notlarını yazdığı dönemde Müslüman yönetiminde olan eyalet Katalonya değil, Endülüs idi.
4. Keşişlerin kopya ettiği el yazmaları için standart bir ölçü yoktu ama tahminlere göre ortalama boyutlar kırk ile altmış santim ve yaklaşık otuz santim de kalınlık olabilirdi.
5. Yazar Latinceyi in situ, yani orijinal ya da doğal pozisyonda kullanır. Üzerinde kabartma yazı olan bir taş bloğun doğal ya da orijinal pozisyonda olması güç olduğundan, çevirmen orijinal metin kullanmıştır.
6. Ortaçağ manastır düzenlerinde, oradaki tefekkür, derin

düşünme ortamlarına ters düştüğü için koşmak, acele etmek, telaşlanmak gibi davranışlar çoğu zaman yasaktı. Tapınak'ta da bunun böyle olup olmadığı bilinmiyor. Pietro belki de daha önce yaşadığı manastırı düşünüyordu.

7. Avrupa'nın yaklaşık üçte birini öldüren Kara Ölüm, Veba hastalığı elli yıl sonra ortaya çıktı. Pietro'nun zamanında da daha kısıtlı olarak görüldü bu salgın."
8. Tarikat Efendisi Jacques de Molay, 1293-1314. De Molay, Papa Boniface VIII'den İngiltere'de Tarikatın vergiden muaf tutulması emrini Edward I'e vermesini sağladı. Ama bundan üç yıl önce de Papalık ona Tarikat taşınmazları ve taşınabilir mallarına asla el konulamaz konusunda bir söz vermişti.
9. Rahipler meclis odası, rahip ve keşişlere Tarikat kurallarının okunduğu, Tarikatla ilgili dinsel ya da dünyevi işlerin tartışıldığı odaydı.
10. Hepsi seksen yedi tane olan suçlamalar Tresor des Chartres adlı kitapta vardır ki bunların içinde hayvanlara tapmak gibi putperestlik türleri ve Büyük Efendiye günahları affetme yetkisi vermek gibi suçlar da bulunur.

Kısım Dört

Bölüm Bir

1

Lang'ın içindeki çalarsaat uyandırdı onu. Bir an için bir gün önce yaşadıkları sanki bir rüya imiş gibi geldi ona. Pegasus ve Tapınak Şövalyeleri sanki bir kâbustu ve onların aklından çıkıp gitmesini bekliyordu. Şu anda Atlanta'da Janet ve Jeff işe ve okula gitmek üzere hazırlanıyorlardı. Lang da o günkü işlerini kontrol etmek için elektronik not defterine bakmalıydı.

Fakat odadaki kadın kokusu ve dün akşam yediği yağlı Çin yemeğinin değişik tadı biraz daha gerçekçiydi. Bir de, bir gece önce adamın midesine vurduğu yumruktan sonra hâlâ acıyan elinin durumu ona çok daha gerçekçi görünüyordu.

Lang hiç soyunmadan yatmıştı yatağa. Odadaki tuvalet masasının aynasında gördüğü buruşmuş elbiseli hali ve bir günlük sakallı yüzüyle hiç beğenmedi kendini. Saat sabah beş buçuktu ve Nellie'nin kızlarından biri bu saatte herhalde tuvalette olamazdı. Banyonun diğer odaya açılan kapısını içerden kilitledi ve üzerine ikinci bir ten gibi yapışmış olan elbise ve çamaşırlarını çıkardı.

Duşa girip gerekli ayarları yaptı. Sabunun ve şampuanın kokusu da tam bulunduğu eve uygun bir kokuydu, ama şimdilik burada kalacağına göre kimse onun bu kokusunu alamayacaktı, onun için bir sakıncası yoktu, kullanabilirdi onları.

Sıcak su sırtına masaj yaparken, Londra caddelerinden nasıl geçeceğini ve sınırı aşarak istediği Fransız kasaba ve şehirlerine nasıl ulaşabileceğini düşündü. İngiltere'deki bütün havaalanları, tren garları ve limanların gözetlendiğine emindi.

Banyosunu bitirdi ve istemeyerek de olsa oradaki tek havluyla kurulandı. Lavabodaki küçük aynalı dolapta kullanılmamış bir tıraş bıçağı bulunca çok sevindi ve takma bıyığının çevresine fazla girmeden sakal tıraşı oldu. Bıyığa da zamanla sanki kendi gerçek bıyığıymış gibi alışmıştı.

Giyindikten sonra aynada tekrar kendine baktı; elbisesi biraz buruşmuş, çalışan bir adam gibi görünüyordu artık. Üzerine giyinmek için yeni bir şeyler alabilse çok iyi olacaktı ama buna cesaret edemeyeceğini çok iyi biliyordu Lang.

Odadan çıkıp etrafa bakındı, ama henüz kimse görünmüyordu ortalıkta. Salonun yanındaki küçük mutfağa girince, parlak yeşil elbiseli, uzun boylu bir siyahî kadın gördü. Elbisenin göğsü çok açık ve etek de aşırı kısa olduğuna göre, büyük olasılıkla bir gece işinden yeni dönmüş olacaktı.

Kadın Batı Hint Adaları aksanıyla ve kısık bir sesle, "Günaydın," dedi. "Hangi kedi getirdi seni buraya Hayatım?"

"Nellie geceyi geçirmem için bir oda verdi bana."

Kadın ona dönerek yüzüne baktı ve meraklı bir ifadeyle bir kaşını kaldırdı. "Bunun sana kaça mal olduğunu düşünmek bile istemiyorum, Hayatım!"

Lang onun dediğini duymamış gibi, "Benim Manchester'e gitmem gerekiyor," dedi.

Uzun boylu güzel zenci kadın tezgâhın üzerindeki kupasına sıcak kahve doldurdu ve eğildiği için zaten kısa olan eteği daha da yukarı çıktı. Lang istemese de onun bu hareketinden etkilendi.

"Manchester'e mi gideceksin? Evinden çok uzaklaşmışsın Tatlım. Eve varınca güzel karın senin buraya geldiğini anlayacaktır, biliyor musun?"

Lang, "Beni götürene ücretini öderim," dedi.

"Ben taksi şoförü değilim Şekerim. Daha yeni geldim eve zaten. Sen de herkes gibi trene binmek zorundasın."

Kadın böyle dedi ama kahvesini yudumlarken düşünür gibi bir hali vardı. Lang hayal kırıklığı yaşar gibi başını iki yana salladı ve "Yazık!" diye mırıldandı. "Araba kiralamak zorunda kalacağım. Herhalde Nellie'nin bildiği bir oto kiralama şirketi...."

Siyahî kadın kahvenin renginde olan gözlerini kaldırıp meraklı bir ifadeyle ona baktı ve "Sen Nellie'nin özel bir dostu musun yoksa?" diye sordu.

Lang burnuna gelen kahve kokusuna fazla dayanamadı ve tezgâhın üzerinde duran bir kupayı alıp kadına doğru uzattı. "Ben de biraz kahve alabilir miyim acaba?"

Kadın başını iki yana salladı ve gözlerini onun yüzünden ayırmadan, "Kendin al," dedi.

Lang kupasına kahve koydu ve sonra, "Nellie'yi çok eskiden beri tanırım," diye cevap verdi ona.

Kadın kahvesini bitirdi ve dudaklarını yalayarak boş kupayı mutfak masasına bıraktı. "Manchester yolculuğu için ne vereceksin bakalım?"

Lang omuzlarını silkti. "Ne gerekiyorsa. Belki birkaç yüz."

Kadın bembeyaz dişlerini göstererek sırıttı ve "Bak Hayatım!" dedi. "İki yüz sterlin verirsen sana hayatının en zevkli yolculuğunu yaptırırım."

Lang kadının bunu başaracağından emindi ama şimdi başka şey düşünecek halde değildi. Fakat kadın birkaç saat sonra onu Manchester'deki British Airways terminaline bırakırken, kendisine elini bile sürmediğinden asla şikâyetçi olmadı. Lang kadının adını bile sormadığını ancak o gittikten sonra hatırladı ve zaten kadın da onun adını sormamıştı. Kadın zaten mesleği gereği hiç de meraklı biri değildi. Lang ona bir köprüde durmasını söyleyip inerek Beretta tabancayı sulara attığı zaman bile hiçbir şey sormadı kadın.

Heinrich Schneller kimliğini ve kredi kartını kullanmak tehlikeli olabilirdi. Jenson'un dükkânında unuttuğu şemsiyesi polise onun hakkında bazı bilgiler vermiş olabilirdi. Onun için uçak bileti alırken cebindeki nakit paradan kullandı. Avrupa Birliği ülkeleri arasında yolculuk yaptığı için pasaporta ihtiyacı yoktu ama kendisini bir İngiliz vatandaşı olarak göstermesi gerekiyordu.

Etrafına bakındı ve gazeteci kulübesinden bir şeyler alan bir adamı gözüne kestirdi. Adam bir Guardian gazetesi aldı ve cüzdanını ceketinin yan cebine koydu. Lang kalabalıkta adama hafifçe çarptı, özür diledi ve onun sürücü belgesindeki adam, Edward Reece adlı kişi oluverdi. Herr Schneller'in takma bıyığını çıkarmış, yeni aldığı bir güneş gözlüğü takmıştı ve en kalabalık bilet satış gişesinde sıraya girdi. Bilet satış memuru onun sürücü belgesindeki yüzüyle gerçek yüzünü karşılaştırmak için bakarken, Lang acelesi olan yolcuların telaşı içinde yerinde duramıyor, saatine bakıp duruyordu.

Genç kadın kontuarın üzerinden ona uçak biletini uzatırken hemen rahatlamış görünmemeye çalıştı. "İyi uçuşlar Bay Reece. Londra'ya indiğinizde çıkıştaki memura Tolulousese-Blagnac uçuş kapısını sorabilirsiniz."

Lang uçaktaki koltuğuna otururken bir yandan her zamanki uçuş korkusundan kurtulmaya çalışıyor, bir yandan da oraya kadar kazasız belasız geldiğine seviniyordu. Londra, Gatwick havaalanında iç hatlardan uluslararası uçuşlar terminaline giderken, kendisini arayan polislerin bulunacağı güvenlik hattından geçmeyeceği için rahattı. Heathrow havaalanında uluslararası uçuş terminaline geçişte metal detektörleri, yolcuları izleyen polisler ve kameralar olduğu için oradan kaçınmıştı.

2

Lang telaşla oradan oraya gidip gelen işadamları arasında hiç dikkat çekmedi. Çünkü bu adamların çoğu da onun gibi bavul taşımıyordu.

Arkasından gelen yolculardan birinin, çeşitli yerlere uçan uçakların kalktığı uçuş kapılarından birine devam etmek yerine hemen yandaki tuvaletlerden birine girdiğini görseydi belki de biraz kuşkulanabilirdi ondan. Adam bir tuvalete girip kapısını kapadı, ama tuvaletin kapağı üzerine oturarak bir cep telefonu çıkardı ve sadece, "Yola çıktı," dedi.

3

Londra, Mayfair

Saat 1102

Gurt bilgisayar ekranı başına oturdu ve aldığı sonuç hoşuna gitmiş gibi başını salladı. Tahmin ettiği gibi Visa kartı Lang'a harika bir finans kaynağı sağlarken izini bulma konusunda da yardımcı olmuştu. Gurt kendisini kutladı. Erkeklerle ilgili kehanette bulunmak çok zor değildi aslında.

Toulouse-Blagnac'ta ne işi vardı ki bu adamın? Lang'ın Jacob'a bahsettiği kâğıtlarda, şu Oxford'daki kâğıtlarda Languedoc adı da geçiyordu. Demek ki Lang, onu öldürmesine çok az kalmış olan Pegasus sırrını orada bulacağını sanıyordu. Belki de haklıydı ama başının belada olması ihtimali de çok yüksekti.

Gurt sigara içmenin yasak olduğu bilgisayar odasından çıkıp koridorda bir sigara yaktı ve bir süre düşündü. Bilim ve Teknoloji Bölümü olan İkinci Direktörlükten birkaç arkadaşını görüp onlardan yardım istemesi gerekiyordu. Ama ihtiyacı olan şey aslında bilimsel ya da ileri teknoloji ürünü olan bir şey değildi.

Ama önce güvenli kara hattından birini aramalıydı. Sigara düşmanlarının öfkeli bakışlarına aldırmadan, sigarasını elinde gizleyerek asansöre bindi ve aşağıya, zemin kata inerek binadan ayrıldı. Kısa bir yürüyüşten sonra yeraltındaki Metro istasyonuna indi ve duvar kenarındaki sokak telefonlarından birine gitti.

Bir numara tuşladı ve diğer yandan cevap gelince telefona bozuk para attı, sonra hiç beklemeden, "Haklısın," dedi. "Fransa'ya gidiyor. Aslında uçağı şu sıralarda iniyor olmalı." Gurt bir an hattın diğer ucundaki kişiyi dinledi ve sonra, "Tamam, buluşalım," dedi.

4

Toulouse-Blagnac Uluslararası Havaalanı
Saat 11.42.

Uçak bir Avrupa Birliği ülkesinden geldiği için çıkışta gümrük ve pasaport kontrolü yoktu ve Yedi No.lu Kapıda duran iki jandarma Lang'a bakmadılar bile. Onlar gözlerini karşıdaki küçük kafeteryada çörek yiyen genç kadına dikmişlerdi. Genç kadın göğüslerinin fazla da anormal olmayan güzel iriliğiyle onların dikkatini hemen çekmeyi başarmıştı.

Lang büyük ve modern terminal binasına girince çevresine bakındı, Birmingham ya da Peoria terminalinden hiçbir farkı yoktu bunun da. Uçak yolcusu arkadaşları kısa sürede ayrıldılar oradan ve Lang çok geçmeden çıkış kapılarının bulunduğu bölgede tek yolcu olarak kaldı. Orada biraz daha kaldı ve izlenmediğinden emin oldu.

Gatwick'den ayrılmadan önce rezervasyon yaptırdığı Peugeot Junior araba Nellie'nin banyosundan bile küçükmüş gibi geldi ona, bavulları olsaydı belki de sığmayacaktı bu arabaya. Ama Euro Car kartı ile sadece bunu yapabildi, Bay Reece'in sürücü belgesini gösterip araba kirasını nakit olarak ödedi ve direksiyona oturdu. Reece çok geçmeden cüzdanını ve içindeki kredi kartlarıyla sürücü belgesini kaybettiğini gerekli yerlere bildirecekti elbette.

Lang küçük arabayla şehir merkezine doğru gitti ve araba parkı bulmakta pek zorluk çekmedi, küçük arabayı eski bir Deux Cheveux ile bir Renault arasına kolayca park etti. Renault'nun üstünden bakınca Basilique St-Sarnin'in pembe tuğla kulesini gördü, havaalanından aldığı turizm rehberine göre on birinci yüzyıl manastırından geriye sadece bu kule kalmıştı.

Peugeot'yu park ettiği yer oldukça dardı ama Lang yine de arabanın kapısını kolayca açarak dışarı çıkabildi. Bir blok kadar yürüdü ve küçük şehrin merkez meydanına geldi, burada da pek çok Avrupa şehrindeki gibi bir katedral vardı. Bu sabah küçük şehrin merkez meydanında pazar kurulmuştu. İlkbaharın başında olmalarına rağmen tezgâhlarda hemen bütün sebze ve meyve türlerini görmek mümkündü. Bazı tezgâhlarda buz kalıpları üzerine dizilmiş balık, kabuklu deniz hayvanları ve midyelerin kokuları, yan taraflardaki çiçeklerin kokularına karışıyordu.

Kadınlar küçük çocuklarının ellerinden tutmuşlar, satıcılarla pazarlık ediyorlardı. Roma pazarları gibi burada da erkek sayısı azdı. Lang pazaryerinden ayrıldı ve taş döşeli dar bir sokağa girdi, vitrininde yolunmuş, temizlenmiş av hayvanları ve kuşlarıyla sosisler asılı olan bir mezecinin önünden geçti. Birkaç adım sonra da etrafa güzel kokular yayan bir pastacıyı geride bıraktı. Alışkanlık olarak dükkân vitrininden etrafı kontrol etti ama kuşkulu bir durum göremedi.

Biraz daha ilerde kamp malzemeleri satan ve vitrininde küçük bir çadır olan bir dükkân gördü. Languedoc Pirenelerin eteklerinde, büyük bölümü kırsal olan küçük bir eyaletti. Etrafta fazla turist yoktu. İnsanlar Fransa'nın güneyinden söz ederken genellikle Languedoc'un doğu komşuları olan zenginlerin sayfiyelerini, yani Riviera, Cannes, Nices ve Cap d'Antibes'i anlatırlardı. Languedoc'ta ise peyniriyle ünlü Rochefort'u herkes bilirdi.

Bu bölgedeki tepeler dağlar ise Cote d'Azur tatilcilerinin dışında kalan yerel dağcıları, kampçıları çekerdi kendine. Buralara gelenlerin çoğu genç, maceraperest ve Alplerdeki pahalı otellere gidemeyen orta halli insanlardı.

Dükkân sahibinin asık suratlı, ters bir adam olmasının nedeni de bu olabilirdi, zengin müşteriler yoktu buralarda. Lang bu dükkâna gelen müşterilerin çoğu kadar genç sayılmazdı ama onlardan biraz daha paralı göründüğünden emindi. Lang'ın aradığı şey bir çift dağ botuydu, Mephisto denen yürüyüş botlarından arıyordu o. Dükkân sahibi onun ne aradığını öğrence sevindi, gülümsedi. Bu botlar dükkândaki en pahalı malzemeden biri olmalıydı. Lang dükkândan ayrıca Indiana Jones tarzı kenarı deri bantlı bir fötr şapka, yarım litrelik plastik bir matara, iki kalın pamuklu şort, iki blucin pantolon ve bir dağcının ihtiyacı olan pusula, sapları katlanabilir kazma kürek ve yedek pilleri de olan bir el feneri gibi dağcı malzemeleri satın aldı. En sonra da ciddi dağcıların kullandığı hafif ve güçlü fiberglas halatlardan iki kangal istedi. Lang bu aldıkları için muhtemelen adamın bir haftalık satışına eşit miktarda para ödeyince dükkâncının daha önce asık olan yüzünde büyük bir mutluluk ifadesi belirdi.

Lang aynı sokakta birkaç metre daha ilerde fotoğraf malzemesi satan bir dükkâna girdi ve oradan da flaşlı ucuz bir fotoğraf makinesi, birkaç rulo film ve bu malzemeleri koyacağı bir çanta aldı ve bütün aldıklarını küçük Peugeot arabanın kısıtlı bagajına ve arka koltuğa sıkıştırdı.

Lang küçük şehirden ayrıldı ve iki şeritli dar ve kıvrımlı D118 yolundan güneye, Limoux'ya doğru yola çıktı. Bir süre sonra yeşil tepeler yerlerini topraktan çıkan dev kemikler gibi görünen sivri, beyaz kayalara bıraktılar. Sağında çok uzaklarda Pireneler puslu havada rüya gibi görünüyorlardı.

Yolda arabadan çok traktör vardı. Bir süre sonra kayalık arazilerde bol olan geniş bağları arkada bıraktı. Koyun sürüleri tepelerde pamuk yığınları gibi görünüyorlardı. Ay çiçeği ve tütün tarlaları da çok geniş alanları kaplamıştı.

Güneye doğru indikçe gördüğü eski harabeler de artıyordu. Yedi yüzyıl önce Pietro'yu ısıtan güneşin altında o zamanlar yükselen muazzam kalelerin, şatoların kalıntıları, harabeleriydi bunlar. Aklına bunlar gelince kendisini zaman içinde geriye doğru gidiyormuş gibi hissetti.

Bir süre sonra Limoux'yu da geride bıraktı. Arabayı kiralarken verdikleri haritaya göre Limoux sahile inmeden önce küçük şehir ya da kasaba denebilecek son yerleşim bölgesiydi. Çok geçmeden dibinden bir akarsu geçen derin bir vadinin kenarında yol almaya başladı. Aşağıda bazı köylerin kırmızı kiremitli damlarını gördü ve onların Esperaza ve Campagne-sur-Aude olabileceğini düşündü. Bu bölgede kullanılan İspanyolca benzeri isimler ona okuduğu bir şeyi hatırlattı; Languedoc'un bu kısmı, iki bin yıl boyunca sınırların değişmesine neden olan savaşların birinden önce Katalonya'ya bağlıydı.

Yolda Rennes-les-Bains tabelası görmeliydi ama onu kaçırmıştı galiba. Küçük köye varınca yolun kenarında sıvalı, çatıları kiremitli binalar gördü. Burası bir katedrali ya da meydanı olamayacak kadar küçük bir yerdi ama sokakta bir traktörün arkasına yaklaşınca yavaşlamak zorunda kaldı. Traktör eski, sürücüsü de oldukça yaşlıydı.

Lang traktörün koyu egzoz dumanına rağmen Hostellerie de Rennes-les-Bains tabelasını tam zamanında gördü ve iki yanında meyve ağaçları olan toprak yola döndü. Biraz ilerde, hafif bir yokuşta pembe badanalı bir bina vardı. Turizm rehberine göre bu bölgedeki tek otel burasıydı.

Lang arabadan inmeden önce bıyığı tekrar taktı. Otelin girişinde zemini kireçtaşı olan bir küçük salon vardı. Koyu renk duvar kaplaması ikinci kata kadar çıkıyordu. Tavandan sarkan şamdan bir araba tekerleğiydi. Kapının karşısında basit bir kayıt bürosu vardı. Sol taraftaki kemerli kapı arkasında otelin küçük restoranı ve onun tek penceresinden de Aude Vadisi görünüyordu.

Lang valizini yere bıraktı ve etrafa bakınmak için birkaç adım ilerledi. Bir kadın lokantanın kirli tabaklarını temizliyordu. Kadın başını kaldırıp onu birden görünce irkildi ve "Oui?" dedi.

Lang'ın Fransızcası da ancak İtalyancası kadardı ve "Chambre?" diyerek oda olup olmadığını sordu. O anda Paris'te Bristol Otelde kaldığında yaşadığı bir olayı hatırladı. Orada oda servisinden bir şey isterken kullanabileceği bir İngilizce-Fransızca lügat bulmuştu. Lügatte aradığı şeyi bulmuş ve Fransızca konuşurken aksanı da taklit etmeye çalışarak soğuk bir içecek istemişti oda servisinden. Ama birkaç dakika sonra ona bir soğuk balık salatası getirmişlerdi. Şimdi burada da aynı zorluğu yaşamak istemiyor, ne yapacağını düşünüyordu.

Ama kadın mükemmel bir İngilizceyle ona, "Amerikalı mısınız?" diye sorunca şaşırdı.

Lang uygun bir Teutonic gerginliğiyle, "Alman," diye cevap verdi.

Kadın onun milliyetiyle pek ilgilenmiyormuş gibi ellerini önlüğüne silerek gülümsedi ve İngilizce konuşmaya devam ederek, "Odamız var Bayım," dedi. "Hem de bu manzarası var." Bunu söylerken eliyle arkasındaki pencereyi gösterdi.

Kadınla birlikte kayıt masasına gittiler ve Lang hiç istemediği halde ona Schneller'in pasaportu ile Visa kartını verdi. Şansı yaver giderse pasaportun Paris polis bilgisayarlarında görünmesi birkaç gün sürer ve o otelden ayrılana kadar da kadın kredi kartını kullanamazdı. Kadın ikisinden de sonuç alamayınca üzüldü, sadece pasaportun numarasını yazdı ve kartın da fotokopisini aldı.

Lang bu konuyu da kolayca atlattığı için sevinirken kadın arkasındaki levhada asılı duran anahtarlardan birini aldı ve merdivene doğru yürüdü. Üst katta bir kapıyı açan kadın arkasında duran Lang'a girmesi için işaret etti. Oda fena sayılmazdı ama kadının dediği gibi Aude manzarası gerçekten güzeldi. Kireçli, bembeyaz kayalar arasında akan nehrin suları güneşin altında pırıl pırıldı.

TAPINAK ŞÖVALYELERİ
BİR TARİKATIN SONU

Sicilyalı Pietro'nun Hikâyesi

Ortaçağ Latincesinden Dr. Nigel Wolffe'un Çevirisi

6

Altı günlük bir yürüyüşten sonra bizi esir edenlerin yerine vardık. Mürekkep yapacak boyam ve fazla kâğıdım olsaydı bu hain insanların bize yaptıkları eziyetleri de yazabilirdim burada elbette, ama artık bunların da pek önemi kalmadı.

Getirildiğimiz yer hakkında bir şey bilmiyordum, ama burası, nehre bakan bir tepe üstünde bir şehirde, çift kuleli bir kral şatosuna benziyordu. Konuşmamızı engellemek için hepimizi ayrı hücrelere koydular. Benim hücrem yeraltındaydı, penceresi yoktu, duvarlar öyle kalındı ki yatağımdaki samanları kemiren farelerin sesinden başka ses duyamıyordum.

Günde bir kez domuzlara bile verilmeyecek bir tepsi yiyecek kapımın altından sürülüyordu ama tepside farelere karşı kullanacağım bir çatal ya da bıçak bile olmadığından parmaklarımla, bir domuz gibi yemeye çalışıyordum. Üç günlük hapisten sonra, beni böyle de olsa yaşattığı için Tanrı'ya şükretmeye başladım.

Bizi yakaladıkları zaman, üzerimizdekiler dışında bir şey almamıza izin vermediler. O gün akşam yemeğinden sonra çalışmak için yazı malzemelerimi yanıma almamış olsaydım bu yaşadıklarımızı da yazamayacaktım.

Oraya geldiğimiz gecenin sabahında beni alıp büyük bir odaya, bir kürsünün önüne götürdüler ve orada oturan adamın Paris Engizisyon Mahkemesi üyesi olduğunu söylediler. O da bana aynı suçlamaları okudu. Ben suçlamaları kabul etmedim ve o zaman beni sürükleyerek çığlıkların ve inlemelerin geldiği bir başka odaya doğru götürdüler.

Kudüs Tapınak Şövalyesi Kardeşlere yüklenen suçlamaları itiraf etmem için burada bana da işkence yapacaklarını düşündüm. Orada durup başkalarına yapılan işkenceleri izlemek mi, yoksa bana yapılacak olan işkenceye dayanmak mı daha zor olacaktı bilemiyordum.

Bana yapılacak olan işkencelere dayanma gücü vermesi için Tanrı'ya dua etmek istedim ama o lanetlenmiş olan mağarada öğrendiklerim beni engelledi, çünkü kime dua edeceğimi bilmiyordum. O sırada işkence odasından gelen bağırışlar kesildi ve ölmüş olan bizim kilercinin cesedini dışarı çıkarıp götürdüler. Aslında Tapınağın en şanslı üyelerinden biriydi o.

Beni yere oturtarak bir demire bağladılar ve bacaklarımı, diğer yanında ateş yanan bir bölmeye doğru uzattılar. Ayaklarımın altına yağ sürdüler ve bölmeyi kaldırdılar, tabanlarım geyik pirzolası gibi kızarmaya başladı. Yanmayı ayarlamak için bölmeyi bazen kapatıyor, bazen açıyorlardı. Arada sırada aynı suçlamaları tekrarlıyor, kabul etmemi istiyorlardı ama ben her seferinde bunları reddediyordum.

Bağırabildiğim kadar bağırdım ve en sonunda dünyam karardı, bayıldım.

İşkenceciler beni rahat bırakmadılar, ayılttılar ve aynı şeyler yeniden başladı. Ertesi gün iki dişimi söktüler. Bir gün sonra bileklerimden bağlayarak baş aşağı sarkıttılar ve bu şekilde arada sırada yere düşürüp başımı parçalamaya çalıştılar.

O korkunç acılar içinde kıvranarak hücremde, saman yatağımın üzerinde ne kadar yarı baygın bir halde kaldım bilemiyorum. Bütün kaslarım parçalanıyor, yanıyor gibiydi ve bir ara gözlerimi zorla aralayınca karşımda bir çocuk gördüm. Çektiğim acıların sonucu bir hayal olacaktı bu. Ama o bir gerçekti ve yaralarıma bakmak, saman yatağımı düzeltmek ve kovanın içindeki pis suyu döküp bana taze su vermek için gönderilmişti.

Delikanlının adı Stephan'dı ve bana önemli haberler verdi. Anlattığına göre, Papa Clement V bile bizi terk etmiş, selefinin verdiği söze rağmen Kral Philip ile işbirliği yaparak Tarikatı yok etmek istemişti. Öğrendiğime göre, Papa bütün Tarikat Kardeşlerini din değiştirenler olarak ilan etmiş, Tarikatın mal ve mülklerine el konulmasını ve yaşamasına son verilmesini emretmişti. Tarikat Kardeşlerinden bir kısmı, hazinenin bir bölümü ve Tarikat gemileri ortadan kaybolmuştu. Yine öğrendiğime göre, suçlamaları kabul etmeyen Tarikat Kardeşleri Paris'deki Tapınak önünde yakılacaklardı.

Bu bir bulmacaydı: Ya suçlamaları kabul edip işkencelerden kurtulacak ama ruhumun lanetlenmesini kabul edecek, ya da reddetmeye devam ederek işkencelere katlanmaya ve sonuçta yakılarak ölmeye razı olacaktım. Yakılarak ölmek kurtuluş olacak mıydı bu şekilde? Bu durumda başka seçenek olmadığını anlıyordum. Çünkü Cardou Dağında öğrendiğime göre, kurtuluş olup olmadığını da bilmiyordum.

Sicilya'daki manastırımda fakir bir keşiş olarak yaşamaya devam etseydim bunların hiçbiri gelmeyecekti başıma. Bunları düşünürken birden notlarımı, mürekkebimi, kalem ve kâğıtlarımı hatırladım, onları bulurlarsa hemen alırlardı. Suyla karıştırıp mürekkep yaptığım boya tozum azalmıştı ama zaten yazmak için fazla yaşayamayacaktım, her yerim yara içinde, tırnakları sökülmüş olan parmaklarım şiş olduğundan yazacak gücüm de gittikçe azalıyordu.

Beni alıp tekrar işkenceye götüreceklerini düşünürken, aynı engizisyon hâkiminin karşısına çıkardılar ve Tarikata nasıl katıldığımı anlatmamı istediler. Onlara göre Tarikat efendilerinin emrinde olmak günahtı, o zaman kendi arzularımızı yok ediyorduk. Tarikata nasıl katıldığımı anlattım onlara: Tarikata üye olurken ruhani mecliste bana başkalarıyla tartışıp tartışmadığımı, borcum olup olmadığını sormuşlardı. Evli olup olmadığımı da sordukları zaman ben ve oradaki diğer Tarikat Kardeşlerim benim Sicilya'daki basit keşiş hayatımı hatırlamış ve gülmüştük. Bir vücut sakatlığım olup olmadığını da sormuşlardı. Sakat olmadığımı söylediğim zaman ruhani mecliste beni sorguya çekenler birbirlerine itiraz olup olmadığını sormuşlar ve Tarikata girişimi oy birliğiyle kabul etmişlerdi.

Engizisyon yargıcı, kâtibin benim anlattıklarımı yazmasını bekledi ve sonra bana Tarikatta yemin ettirilip ettirilmediğini sordu. Onlara gerçeği anlattım; her zaman namuslu, iffetli, itaatkâr olacağıma, mal mülk sahibi olmadan yaşayacağıma Kutsal Kitap ve Haç üzerine yemin etmiştim. Bunun üzerine Büyük Efendi beni ağzımdan öpmüş ve bana öğüt vermişti; bu öğüde göre artık hiç soyunmadan, üzerimdeki cüppemle uyuyacak, hamile kadınların bulunduğu bir yere asla girmeyecek, düğüne ya da kadınların temizlenmesi törenine katılmayacak, savunmam dışında hiçbir zaman bir Hıristiyan'a el kaldırma-

Onlara bu ifadeyi verdikten sonra tekrar hücreme döndüm. Stephan'ın daha sonra bana anlattığına göre, sorguya çekilen diğer Tarikat Kardeşlerimin ifadeleri de benimkinin aynıydı ama engizisyon yargıcı bizim ifadelerimize yalan diyordu.

Beni sorguya çeken değişik engizisyon yargıçları bana diğer Tarikat Kardeşlerimin suçlarını itiraf ettiğini söylediler ve Stephan bana gerçeği anlatmasaydı neredeyse inanacaktım onlara. Gerçekten de sonradan gelen engizisyon yargıçları işkence yapan diğerlerinden daha korkunçtu, çünkü bana yakınlık gösterdiler, halime acır göründüler ve riyakârlıkla konuşturmaya, benden itiraf almaya çalıştılar.

Acılar geçiyor ama lanetler kalıcı oluyor. Ben Tarikata ya da Kardeşlerime karşı yalan yemin etmemeye karar verdim. Bedenim alevlerde yanmadan önce engizisyon yargıcının beni astırması için Tanrı'ya dua ettim. Dualarımda Tanrı katında çabuk affedilmemi ve azizlerin beni cennete kabul etmesini diledim. Dua ediyorum ki Tanrı beni eski yerimi beğenmeyip oradan ayrıldığım, aramak zorunda olmadığım bilgileri aradığım için affetsin. Bu arama sırasında inanç konusu olan şeyleri sorguladığım için affetsin Tanrı beni, bu yüzden acılar çekerek ölebilirim.

Bu yazdıklarımı bulanlardan isteğim, benim için dua etmeleri, çünkü ömrüm ve yazı malzemem büyük bir hızla tükeniyor.

Çevirmenin Notu

Ekim 1307 ve Nisan 1310 tarihleri arasında Paris'te kazığa bağlanarak yakılan Tapınak Şövalyeleriyle ilgili ve günümüze kadar gelmiş olan tam bir liste yok, zaten böyle bir belge olup olmadığı da bilinmiyor. Tarikatın itibarının yeniden geri verileceğine inandığı için Molay asla kaçma girişiminde bulunmadı.

Böyle bir listenin varlığı çok kuşkuludur, Philip itiraf etmeyenleri konuşturmak, onlara korku salmak için kurbanların adlarından söz etmedi. İsimsiz ölmek ayinsiz ölmek ya da kutsanmış toprağa gömülmemek anlamına geliyordu ki bu da ruhun sonradan dirilmemesi demekti—on dördüncü yüzyıl başlarında korkutan bir ihtimaldi bu.

Pietro'nun mağarada bulduğu ve inancını sarsan şeyin ne olduğunu öğrenemedik ve belki hiç bilemeyeceğiz, belki önemli bir şey de olmayabilir. Önemli olan, onun Filistin'den döndükten sonra, bir savaşçı olmasa bile, bir Tapınak Şövalyesi olarak yaşadığını kendi anlatmasıdır.

Onun hikâyesi tarihçilerin uzun yıllar ilgisini çekecektir.

N. W.

Bölüm İki

1

Bir yatak yayını andıran dolambaçlı ve daracık yolda arabayla Rennes-le-Chateau'ya gitmek sadece birkaç dakika sürdü. Tepede bir sürü taş ve sıvalı bina vardı. Francis, Sauniere'in bir turizm merkezi olduğunu söylerken haklıydı. Daracık boş sokaklarda ellerinde fotoğraf makineleriyle dolaşan birkaç çift turist gördüm. Küçük turizm merkezinde Sauniere'nin ne bulduğu konusunda çeşitli dillerde yazılmış küçük kitaplar ve onun resimleriyle süslü posta kartları satılıyordu. Etrafta, üç lisanda yazılmış levhalarda, kamu alanlarında kazı yapmanın yasak olduğu yazıyordu. Belli ki rahibin bulgusu gömülü hazine hikâyelerinin ortaya çıkmasına neden olmuştu.

Küçük Romanesk kilise de kasabanın diğer binalarından pek büyük değildi ve onlardan tek farkı, alçak kapısı etrafındaki yaldızlardı. Turist rehberi kitabına göre Mary Magdalene kilisesi 1867'de inşa edilmişti.

Sauniere'nin kilisesiydi burası.

Lang kiliseye girdi.

Kapının hemen yanında, kutsal su kabının altında çökmüş, öfkeli gözlerle bakan ve vücudu kırmızıya boyanmış taştan bir şeytan heykeli görünce şaşırdı Lang. Altı, yedi metre yüksekliğindeki kemerli çatıda birçok resim vardı. Kilisenin içi dörtgen şeklindeydi ve sekiz oturma sırası ortadan dar bir koridorla ikiye ayrılmıştı. Buraya yüz kişi ancak sığardı, ama içerdeki ayrıntılar ve süsler büyük bir katedralde olduğu kadar zengindi.

Kürsünün üzerinde kabartma bir resim vardı; bir melek boş bir mağara önünde duruyordu.

Hz. İsa'nın mezarından çıkıp orayı boş bıraktığı anlamına geliyordu bu resim.

Yerinde bir görüntü olabilirdi bu.

Kilisenin her yerinde uzman ellerden çıktığı belli olan resimler, süsler vardı. Sauniere burada gösterişten uzak ama vakur ve kaliteli bir kilise yapmak istemişti. Rahip kendisine sonradan görme bir din adamı denmesini istememişti.

Lang kilisenin içinde bir kez daha dolaştı, her yeri tekrar inceledi, oymalı meşe sunak parmaklığı ve kürsü merdivenine hayran oldu. Beyaz mermer olan sunak üzerinde Hz. İsa'nın doğumu, çarmıha gerilmesi ve boş mezar yanında bir melek kabartmaları vardı. Bu son sahne nedense kronolojik olarak sona değil de kabartmaların ortasına konmuştu.

Duvarlarda çarmıh istasyonları vardı ki bu da bir Katolik kilisesi için normaldi. On dördüncü son istasyonda Hz. İsa'nın yarısı bir kefene sarılmış, mezarına taşınıyordu. Fakat adamların üstünde, ayda bir gariplik var gibiydi. Lang'ın bildiği kadarıyla, Yahudilere göre, cenaze Sebt gününden önceki Cuma günü güneş batmadan önce gömülmeliydi. O zaman bu resimde cenaze mezara götürülmüyordu.

Ölen rahibin bir başka mesajı olabilir miydi bu?

Lang rahibin bulguları konusunda bazı kuşkular taşıyorsa bile Sauniere'nin kilisesi bunları yok etmişti.

Lang kiliseden çıktı, arabayı park ettiği yerde bıraktı ve küçük kasabada biraz yürüdü. Bir parça ekmek, peynir, sosis ve bir şişe maden suyu alarak kilisenin ön tarafında bir banka oturdu ve kilise cephesine bakarak karnını doyurdu.

Sonra kalktı, üzerindeki kırıntıları çimlerin üzerine attı ve yine küçük arabasına binerek ayrıldı oradan. Tepeden aşağı inerek Rennes-les-Bains'in diğer tarafına geçince yol yokuş yukarı çıkmaya başladı ve çok geçmeden ikiye ayrıldı. Lang arabayı yolun kenarına çekti ve araba kiralama şirketinin verdiği haritaya baktı. Ama harita küçüktü ve ayrıntılı değildi. Onu bıraktı ve bir süre yolun çatal olduğu yerde sağa sola bakınarak düşündü.

Biraz sonra birkaç metre ilerde, sol tarafta taş bir haç gördü. Katolik ülkelerde bu olağandı ve haçın biraz ilerisindeki Hz. İsa heykeli de bu bölge için normal sayılırdı. Fakat Lang daha önce haçla Hz. İsa heykelini böyle bir arada gördüğünü hatırlamıyordu. Ayrıca bu heykel biraz farklıydı; yoldan geçen arabalara değil de yola yan dönmüş, ileriye bakıyordu.

Lang arabadan indi ve yokuş yukarı tırmanarak haçın yanına gitti. Taşın üzerinde bir isim yoktu ama geleneksel IN RI ve yılların ve hava koşullarının aşındırdığı bir tarih zor okunuyordu. Heykel insan boyundaydı ve sanki Hz. İsa'ya daha iyi bir görüş kazandırmak için bir kaideye oturtulmuştu. Heykelin dirsekten kırılmış sağ kolu ileriye doğru uzandığına göre, bir zamanlar bir yeri işaret ediyormuş gibi duruyordu.

Lang heykelin yanına gitti, ayaklarının ucuna yükseldi ve kırılmış olan kolu inceledi. Kırık kol diğerlerinden biraz daha yüksek olan bir tepeye yöneltilmişti. Haritada ayrıntılar iyi gösterilmemiş olmasına rağmen Lang bunun Cardou tepesi olduğunu tahmin etti, Pietro'nun keşfini yaptığı tepe olmalıydı bu.

Bu heykel bir ipucu muydu, yoksa yol üzerinde herhangi bir kutsal nokta mıydı?

Lang geriye dönerek tekrar haçın yanına gitti. Haç heykel kadar yüksek değildi ama yine de Lang'ın baş hizasını geçiyordu. Yokuş yukarı biraz daha çıkarak heykelle haçı bir silahın gez ve arpacığı gibi hizaya getirdi. Cardou üzerindeki bu nokta bir hedefi andırıyor ama etraftaki tepelerden fark edilmiyordu, etraf ağaçlarla kaplı kireçtaşı tabanlı tepelerle sarılmıştı.

Lang satın aldığı pusulaya bakınca yaklaşık yetmiş beş derecelik bir başa yöneldiğini gördü, doğuya yakın, biraz kuzeydeydi. Pusulayı mümkün olduğunca dengede tutmaya çalışarak haçın etrafından dolanıp ön tarafına gitti, iyice aşınmış olan tarihe dikkatle baktı. Tarihin 1838 olması mümkün olabilirdi.

Ya da resimdeki kelime bulmacanın matematiksel eşitliği olması da mümkündü.

1838

8 – 1 = 7

8 – 3 = 5

Ortaya çıkan rakam yetmiş beşti. Yetmiş beş dereceyi gösteriyordu bu rakamlar.

Bu bir pusula başı mıydı, yoksa bir tarih miydi? Lang bir hafta önce, birkaç gün önce, bir haç üzerindeki bir tarihte şifreli bir mesaj görmezdi herhalde. Ama o zaman tabloların harita ya da Latince anagramlar olabileceğini de düşünemezdi.

Manyetik kuzey gerçek kuzeyden sadece farklı olmakla kalmıyor, her birkaç yılda bir, biraz hareket ediyordu. Sauniere'nin zamanındaki yetmiş beş derece de bugün için doğru baş (yön anlamında) olmayabilirdi. Ayrıca her pusulanın kendi içinde bir hata derecesi olurdu. Gemilerde ve uçaklarda pusulayla beraber kullanılan düzeltme kartı olmadan aletin ne kadar hata yaptığını kestirmek mümkün olamazdı. Fakat alet hiç hata da yapmayabilirdi.

Lang arabadan fotoğraf makinesini aldı ve haç ve Hz. İsa heykelini Cardou fonuyla aynı hizaya getirerek birkaç fotoğraf çekti. Sonra tepeden aşağıya indi, Sals'ın ayrıldığı noktada Aude'yi geçti ve doğuya yakın bir yöne döndü. Sol tarafında öğleden sonra güneşinde koyu bir leke gibi gördüğü şey Blanchefort'un beyaz bir kulesiydi.

Eski şatoyu görmek oraya varmaktan daha kolay oldu. İki kez beyaz toprak yollara saparak tepeye doğru tırmandı ama istediği yere varamadı. Birinci yokuş onu bir çiftlik avlusuna, bir domuz ağılına çıkardı. İkinci yol daha da dolambaçlıydı, eski Tapınak Şövalyeleri kalesine doğru gitti, bir süre sonra dik bir inişe geçti, sağa döndü ve tekrar domuz ağılına çıkan yola geldi.

O sırada aklına Dawn'ın bir sözü geldi; Dawn bir erkeğin yol sormadan önce aradığı yeri kendi bulmak için inat ettiğini ve pek çok hatalı yere girip çıktığını söylerdi. Lang da ona bir gün bir adamın Kral Herod'a Hz. İsa'nın doğduğu yeri sorduğunu ama bunun da birçok çocuk için iyi sonuç vermediğini söylemişti. Erkekler o zamandan beri başkalarına yol sormaktan hoşlanmazdı, ama burada durum farklıydı, Lang etrafta yol sorabileceği birini bulsa sormaktan kaçınmayacaktı.

Lang arabayı çok yavaş kullanıyordu ama arkasında yine muazzam bir toz bulutu oluşuyordu. Bir ara haritaya bir kez daha bakmak için yolun kenarına çekerek durunca, arkadan gelen toz bulutu açık camdan içeriye doluverdi. Lang toz toprak içinde kalmasına aldırmadan yola devam ederek tepeye tırmanmayı sürdürdü. Bir süre sonra yol iyice darlaştı ve zirveye yaklaşık yüz metre kala bir düzlüğe geldi.

Lang durup el frenini çekti ve vitesi takarak arabanın kendiliğinden harekete geçmesini kesin olarak engelledikten sonra arabadan indi. Araba frenden ve vitesten kurtulup kendiliğinden harekete geçer ve yokuş aşağı uçup giderse, bu dağ başında kalıp kilometrelerce yürümeye mahkûm olabilirdi. Yolda bazı tekerlek izleri vardı ama oldukça silinmişlerdi, epey eski oldukları belliydi. Lang biraz ilerde gördüğü eski kaleye doğru çok dik bir yokuştan yukarı tırmanmaya başladı.

Aşağıdan gördüğü tek kule zirvede gökyüzüne doğru yükseliyor, beyaz taşları otuz metre sonra paslanmaya başlamış çelik yapı iskelesine ulaşıyordu. Birisi burada yenileme çalışması başlatmış ama çalışma uzun zaman önce terk edilmişti.

Lang hayal kırıklığına uğradı.

O bundan fazlasını bulacağını, en azından duvarların ve binaların yerlerine ait izler göreceğini umut etmişti. Her erkeğin içinde bir çocuk yattığını biliyordu ve işte şimdi onun içindeki çocuk da burada eski bir manastır bulamadığı için hayal kırıklığı yaşıyordu. Belki zırhlı birkaç şövalye, belki de Pietro'yu bile bulmayı hayal ederek gelmişti buralara.

Ama etrafta taş yığınlarından başka bir şey yoktu ve bölge halkı belki de kendi evini yapmak için buradan taşlar alıp götürmüştü. Kule ya da kalıntısı, oradaki taşların sökülmesi kolay olmadığından biraz da olsa yerinde kalmıştı. Harap kulenin içindeki kalıntılara ve atılmış prezervatif ve grafiti resimlere bakılırsa burası kuşlara, âşıklara ve politik hicivcilere yuva olmuştu.

Pietro ve tarikat kardeşleri burada neler olduğunu bilseler ne derlerdi acaba? Lang bunu düşününce kendini tutamadı ve gülümsedi.

Kulenin içindeki bazı merdiven taşlarında yüzyılların aşındırdığı ayak izleri vardı ve hepsi de Lang'ın ayaklarından küçüktü. Döşeme kirişlerinin yuvası olduğu belli olan kare şeklindeki deliklere bakılırsa bina bir zamanlar birkaç katlıydı. Lang geriye dönüp yürürken gözlerini açıp etrafa dikkat etti. Yanlış bir adım canının yanmasına neden olabilirdi.

Üst kat tamamen yok olmuştu. Merdivenler mazgallı siperlerin bir iki metre altında son buluyordu. Lang merdivenin üst basamağına kadar çıktı ve soğuk taşlara dayanarak mazgal deliğinden etrafı gözden geçirdi. Sol geride Rennes-le-Chateau'nun kırmızı kiremitlerini görebiliyordu.

Rennes ve Serres.

Pietro haklıydı; Blanchefort askeri açıdan ikisini de savunacak pozisyonda değildi. Buradan gidecek olan bir askeri birlik nehri geçmek zorundaydı ki bir düşman kuvveti de o nehri kolayca tutabilirdi. Şimdiki adı Rennes-le-Chateau olan Rennes çok uzaktaydı ve orada neler olduğunu görmek zordu. Blachefort'dan o kasabayı korumak için gidecek olan birlik onun saldırıya uğradığını ancak yakıldığı zaman, çıkan dumanlardan anlayabilecekti.

Serres ve Rennes'i savunamayacak olduktan sonra bu kalenin görevi neydi? Ne için inşa edilmişti burası?

Cardou yakındı ve Lang buradan onu görüyordu. Emin değildi ama dağın haç ve heykel bulunan yüzüne baktığını sanıyordu. Buradan oraya daha yakındı ve tepeden aşağı inerken meydana gelen birkaç yüz metrekarelik düzlüğü rahatça görebiliyordu. O düzlükte bir sürü de beyaz taş yığını vardı.

Lang kulenin duvarına dayanarak orada da birkaç fotoğraf çekti. Bir elinde fotoğraf makinesi varken pusulayı çıkarması kolay olmadı ama dengesini muhafaza ederek başardı bunu ve baktığı zaman yine yetmiş beş derece gördü. Yanılıyor da olabilirdi, ama bu durumda pusulanın ibresi ona haçın, heykelin ve kulenin aynı nişan hattı üzerinde olduğunu söylüyor, Cardou tepesinde bir noktayı işaret ediyordu.

Üst kısmı olmayan merdiven çok dardı ve fotoğraf çektiği noktadan aşağıya geri adım atarak ve çok yavaş inmek zorunda kaldı.

Kulenin gölgesi oldukça uzamıştı, akşam oluyordu ve Cardou'yu karanlıkta dolaşıp keşfetmesi zor olacaktı. Lang çevreyi bir kez daha gözden geçirdi ve kiralık Peugeot arabasına atladı.

2

Cardou
Saat 16.49

Peugeot araba yokuştan aşağıya inip gözden kaybolunca keskin nişancı tüfeğini aşağıya indirdi. Silahın teleskopik nişangâhı ve flaş göstermeyen namlusu Lang'ın kuleden çıkışından beri ilk kez hedeften ayrılıyordu.

Keskin nişancı ayağa kalktı, uyuşmuş olan dizlerini açmak için bacaklarını hareket ettirdi ve İsrail yapımı Galil tüfeğini yere bıraktı. Tüfek uzun mesafe keskin nişancı atışları için her zaman kullanılan silahlardan biri değildi. Çok hafifti, taşınması kolaydı, ama elektronik Leupold M1 Ultra 10x nişangâhı hedef üzerinde uzun süre tutmak çok zordu. Yaklaşık 1.5 m boyuna ve otuz librelik ağırlığına rağmen keskin nişancıların çoğu tarafından tercih edilen sürgülü .50 kalibre Barrett tüfeğinden daha fazla konsantrasyon ve kontrol gerektiriyordu. Ama Galil tüfeği bir üçayak sehpaya monte edilse bile, namluyu hedefte belirli bir süre sabit tutmak yine büyük sabır ve ustalık isterdi.

Atıcının arkadaşı boynuna asılı duran Zeiss dürbünü elinden bıraktı ve "Bundan daha iyi bir fırsatı zor yakalarsın," diyerek sırıttı.

Keskin nişancı tüfeğin namlusunu, kabzasını ve yirmi mermi alan şarjörünü çıkarıp tüfeği söktü ve her parçayı özel çantadaki yerine koydu. Sonra, "Pişmanlık için artık çok geç dostum," diyerek Paris plakalı Opel arabanın kapısını açtı ve çantayı içeri yerleştirdi. "Ama yarın bu işi bitireceğim."

3

Lang, Limoux'da kapısında kırmızı-sarı Kodak reklâmı olan dükkânı bulduğunda hava kararmıştı. Adamla kelimelerden çok işaret diliyle anlaşarak filmi banyo ettirmek istediğini anlattı ve adam da ona, dükkânı dokuzda kapadığını ve o zamana kadar onun işini yapacağını belirtti. Güney Avrupa'da dükkânlar öğle saatlerinde kapandığı için akşam geç saatlere kadar açık oluyordu.

Sigara dumanı dolu, kalabalık bir birahaneye giren Lang garsona işaretle bir kara tahtaya yazılmış olan mönüyü istediğini belirtti ve kalın bir dana pirzolasını bir kupa ucuz şarapla bitirdi ve sonra çıkıp postaneye gitti. İçerde bir şehirlerarası telefonda öfkeli bir ifadeyle konuşan bir genç adamdan başka kimse yoktu. Lang bir zarf satış makinesine biraz bozuk para attı ve üzeri pullu bir zarf aldı. Makineye biraz daha para atarak birkaç pul daha aldı, bunlar zarfı okyanus ötesine göndermeye fazlasıyla yeterdi. Yazı tezgâhının üzeriden boş bir kâğıt alarak uzun bir not yazdı.

Telefondaki genç adam biraz sonra, "Merde!" diye söyleyerek ahizeyi hızla yerine taktı ve öfkeli adımlarla postaneden çıkıp gitti. Herhalde bir kadın, para ya da her ikisini de içeren bir sorunu vardı. Lang köşede duran eski fotokopi makinesine gitti ve onun deliğine de birkaç bozuk para atınca makineden birkaç cızırtı ve garip ses çıktı, makine sanki gecenin bu saatinde çalışmak istemiyor gibiydi. Lang yazdığı birkaç sayfa notun fotokopilerini alarak cebine soktu. Notun orijinalini pullu zarfa koydu ve uluslararası posta kutusuna attı.

Fotoğrafçıya gidip filmden çıkan resimlere baktı ve oteline döndü. Odasında resimleri dikkatle inceledi. Fotoğrafları çektiği noktalar arasında belirli bir mesafe olduğu için, iki grup resmin Cradou yamacında aynı yeri gösterip göstermediği belli olmuyordu. Zordu ama olanaksız da değildi. Yol kenarında çektiği fotoğraflarda görülen yeşillik, kuleden çektiklerinde görülen bodur sedir ağaçları olabilirdi. Daha uzakta görülen beyazlık da düşüp parçalanmış beyaz kayalar olacaktı. Kuleden çektiği fotoğrafları, gölgeleri, simetrik görülen ya da doğal şekilli olan her şeyi dâhil olmak üzere büyük bir dikkatle inceledi.

Resimlerde yüzyıllardan beri rüzgârın, yağmurun ve kaya parçalanmalarının meydana getirdiği değişiklikler dışında bir şey göremediği için hayal kırıklığına uğradı.

Yarın Cardou'yu kendi gözleriyle görecek, inceleyecekti.

4

Toulouse-Belagnac Uluslararası Havaalanı

Saat 23.30

Havaalanı gece kapanıyordu ve gelecek olan ilk uçak sabah 08.24'te Cenevre'den gelecekti. Havaalanında piste inen Gulfstream IV küçük özel jet uçağına, portatif televizyonunu izlemekte olan bekçiden başka hiç kimse dikkat etmedi. Terminal binasının kenarında bir yerden aniden çıkan ve yavaşça uçağa doğru giden siyah Citroen arabayı gören hiç kimse olmadı.

Uçak terminal binasına yakın bir yerde durdu ve yolcu kapısı açılarak apronun betonuna indi. Uçaktan dört kişi çıktı ve genç olan üçünün ellerinde küçük birer valiz vardı. Adamların valizleri çok dikkatli taşıdıklarına göre, içlerinde herhalde normal yolcu eşyasından fazla bir şeyler olacaktı.

Yolcuların en yaşlısı uçaktan en sonra çıktı, kolunda bir pardösü dışında bir şey taşımıyordu ve otoriter bir tavırla yürüdü, emir vermeye alışık biri olduğu hemen anlaşılıyordu. Başında şapka yoktu ve gümüş rengi saçları omuzlarına kadar iniyordu. Üç genç adamdan biri Citroen arabanın arka kapısını açtı ve yaşlı adamın binmesini bekledi.

Uçağın iki kişilik uçuş ekibi, yaşlı adam onlara el sallayana kadar merdivenin en üst basamağında durup ona baktılar. Ekip uçağa girdi, kapı kapandı ve çok geçmeden rölantide çalışan jet motorlarının devri arttı. Citroen araba havaalanı güvenlik kapısından çıkıp giderken Gulfstream de gürültüyle gecenin karanlığına doğru havalandı, bir süre tırmandıktan sonra batıya döndü ve çok geçmeden gözden kayboldu.

Yaşlı adam arabada kadın sürücünün yanında otururken, üç genç adam arka koltuğa yerleştiler. Yaşlı adam mükemmel bir Fransızca ile "Nerede şimdi?" diye sordu.

Rennes-les-Bains adlı pansiyonun sahibesi olan kadın, "Odasında uyuyor," diye cevap verdi.

Bölüm Üç

1

Lang uyudu ama gördüğü rüya yüzünden sanki daha çok yoruldu. Bildiği kadarıyla Dawn Fransa'nın bu bölgesine hiç gelmemişti. Ama Dawn onu Blanchefort'ta bekliyordu ve yanında bir adam vardı. Lang rüyada adamın kim olduğunu göremiyordu ama rüyanın güvencesiyle onun Sauniere olduğunu biliyordu.

Lang bunların ne anlama geldiğini bilmiyordu ama Dawn'ın yaşamında bıraktığı boşluğun asla doldurulamayacağının farkındaydı. On yıldan beri onu düşünmediği bir tek günü olmamıştı. Hastanede yattığı zamanki hali, yüzünün görüntüsü gözlerinin önünden gitmiyordu. Onun hastalanmadan önceki halini hatırlamakta bile güçlük çekiyordu. Onu rüyalarında hasta haliyle gördüğü zamanlar hep yaşlı gözlerle uyanıyordu.

Hafızası ona bir sadist gibi davranıyordu.

Sabah güneşinin pencereden giren ışınları onu biraz rahatlattı. Bulutsuz gökyüzüne bakarken üzgün olmak zordu. Otelin aşağısında Aude Vadisi sis içindeydi ve güneşte, gümüş renkli bir örtüyle kaplanmış gibi görünüyordu. Lang giyinip kahvaltısını edene kadar bu sis örtüsü de kalkacaktı tabii.

Otelin lokantasında sert sabah kahvesini yudumlarken önündeki kırışmış Polaroid resme baktı Lang. Resimdeki yüzlerin ve yazının kırışıp bozulmuş olması onun için önemli değildi artık, bunları ezberlemişti. O şimdi resimdeki arka planı, uzaktaki dağları ezberlemeye çalışıyordu.

Bir saat sonra otelden çıktı ve küçük Peuogeot arabayla Blanchefort'un altındaki düzlüğe doğru çıkmaya başladı. Dün bıraktığı lastik izleri rüzgârın etkisiyle toprakla dolmuş, oldukça silinmişti. Yola bakarak başka araba izleri olup olmadığını anlamak istedi, ama yolda başka lastik izi yoktu, ondan başka kimse geçmemişti dünden beri.

Kulenin dibine gelince pusulaya baktı ve Cardou'ya doğru yürümeye başladı. Yoldaki çakıl taşları ve toprak yığınları yürümesini zorlaştırıyordu. Arada sırada durup pusulaya bakıyor ve beline halat kangalıyla bağladığı katlanabilir kazma küreğini kontrol ediyordu. İki kez durdu ve matarasından su içiyormuş gibi yaparak fötr şapkasının kenarından çevresini kontrol etti. İçinde izleniyormuş gibi bir his vardı ama çevrede kimseyi de göremiyordu. Uzaktan dürbünle gözetlendiğini belirtecek, güneşte parlayan bir dürbün camı da yoktu çevrede.

Hayal gücünü fazla çalıştırıyordu, Pietro'nun hikâyesi onu biraz fazla etkilemişti. Biraz sonra birden yansıyan bir güneş ışığı yüreğini ağzına getirdi. Hemen bir toprak yığını arkasına gizlenerek parıltıyı gördüğü yere baktı, uzun süre bekledi ve sonunda bunun, aşağıda, bir gün önce onun da geçtiği yoldan geçen bir arabanın cam parıltısı olduğunu anladı. Biraz daha dikkatli bakınca haçı da fark etti, ama Hz. İsa heykeli o noktada ağaçlarla karışıyor ve görünmüyordu.

Biraz daha gidince kuleden gördüğü taş yığınlarının yanına çıktı. Cüzdanından tablonun fotoğrafını çıkardı ve yavaşça döndürdü. Uzakta gri bir leke gibi görünen soldaki tepede, resimde görülen sivri boşluk vardı. Lang iyice eğildi ve başını da eğerek manzaraya mümkün olduğunda tersten baktı. Burun o kadar keskin değildi ve çene kaybolmuştu ama o boşluk, madeni çeyrek dolar üzerindeki Washington profiline oldukça benziyordu. Poussin bu tabloyu yaklaşık dört yüz yıl önce yapmamış mıydı? O zamandan bu yana jeolojik bir değişiklik olamaz mıydı yani?

Burası da her yer kadar uygundu.

Geniş bir alandı burası, bir futbol sahası kadar genişti. Burada gol hattı düz alanın Cardou meyline rastladığı nokta oluyordu. Lang orada dakikalarca durup düşündü. Bir noktada zemin diğer yerlerde olduğundan daha meyilli, dik bir yokuş gibi duruyordu ama orada da kayalar aynı yükseklikte toplanmıştı. Böyle meyilli bir yerde kaya parçaları zeminin düz olduğu yere kadar yuvarlanmaz mıydı?

Lang iri bir kaya parçasının üzerine tırmanmak istedi ve bunu yaparken dizini sivri bir noktaya sürterek kanattı. Kendini tutamadı ve küfretti, nasıl olsa etrafta onu duyacak kimse yoktu. Şimdi önünde, dibi yamaca gömülü ve insan boyunda bir kaya parçası vardı. Bu kaya bir mağara ağzını kapatmak için oraya getirilmiş olabilirdi. Kayayı yerinden oynatmaya çalıştı ama gücü yetmedi buna.

Bunun bir yolu olmalıydı. Sauniere bunu yalnız başına yapmıştı, aksi takdirde sırrını gizleyemezdi. Peki ama nasıl yapmıştı bunu? Bunun fiziksel bir yolu olmalıydı ama fizikte hiçbir şey basit değildi. Lang lisede fizik dersinde hiç de iyi olmamıştı.

Biraz geri çekilerek etrafına bakındı ve beş altı metre ilerde, yokuş yukarı bir kaya gördü, onun önünde duran kayanın büyüklüğündeydi bu da. Belindeki kazmayı çıkarıp açtı ve o kayanın dibini kazmaya başladı. Çok geçmeden gömleğini de çıkardı ve bir saat kadar kazarak, o kayanın yokuş aşağı bakan yüzünün dibinde yaklaşık otuz santim derinliğinde bir çukur açtı. Eğer dikkatli olmasa, aniden harekete geçen kayanın altında kalarak ezilebilir, dümdüz olabilirdi.

Gömleğini alıp yüzündeki terleri sildi, sonra belindeki halat kangalını çıkarıp açtı, bir ucunu altını kazdığı kayaya çepeçevre bağladı, diğer ucuyla da aşağıdaki kayaya aynı şeyi yaptı, onun da çevresini sarıp sıkıca bağladı.

Şimdi önünde biri yokuşun biraz üstünde, diğer ise aşağıda duran iki kaya vardı ve ikisi de kalın ve çok sağlam bir naylon halatla birbirlerine bağlanmışlardı. Lang kendisini kutladı ve matarasından bir yudum su içti. Fizik hocası bundan sonraki işlemi görse herhalde gurur duyardı onunla.

Kazmasını aldı ve yukarıdaki kayanın önünü temizledi, tümsekleri kazarak yok etti, sonra küreğin sapını önünü kazdığı kayanın altına soktu ve bir manivela gibi kullanarak kayayı harekete geçirmek istedi. Ama gücü yetmedi buna, küreği kayanın iyice altına itti, sapın üzerine çıktı ve dizlerini kırarak tramplenden atlayacak bir yüzücü gibi yaylanmaya başladı.

Fakat kayayı yerinden kımıldatamadı ve bir yudum daha su içti. O sırada bir gıcırtı duyar gibi oldu, dizlerini kırıp küreğin sapı üzerinde birkaç kez daha yaylandı. Koca kayanın yerinden kımıldar gibi olduğunu hissetti, ama hareket o kadar azdı ki belki de bunu hayal etmişti. Ama fizik hocasının dediği gibi, basit bir fizik kuralıydı bu; tonlarca atalet kinetik enerji haline dönüşmek üzereydi.

Lang birden umutlandı ve küreğin sapı üzerinde birkaç kez daha yaylandı. Koca kaya parçasının alt kısmından gıcırtıyla homurtu arası bir takım sesler geldi. Kayanın bulunduğu yerden yavaşça harekete geçtiğini hissedince kendini kürek sapından kenara attı ve kaya parçası önce yavaşça ve sonra hızla aşağıya doğru yuvarlanmaya başladı.

Lang şimdi, iki kayayı birbirine bağladığı naylon halatın söylendiği kadar sağlam olması için dua etmeye başladı.

Evet, halat gerçekten çok sağlamdı. Yukardan kopup gelen kaya aşağıdaki kayaya çarptı, biraz yavaşladı ve sonra naylon halat birden gerildi, önden giden kaya arkadakini de çekip bulunduğu yerden kopardı ve aşağıya doğru sürükledi. Çok şükür ki aşağıda sadece bir nehir vardı.

Aşağıdaki kayanın bulunduğu yer büyük bir toz bulutu içinde kaldı ve Lang bir süre ortalığın sakinleşmesi, tozların yere çökmesi için bekledi. Acaba Sauniere de o zaman böyle sağlam bir halat olmamasına rağmen aynı yöntemi kullanmış olabilir miydi? O zaman o koca kayayı o yere nasıl götürüp oturtmuş olabilirdi? Belki de tepeden başka bir kayayı yuvarlayıp getirmişti oraya.

İkinci kayanın sökülüp götürüldüğü yerde toz bulutu yavaşça yere çökerken arka tarafta, yamaçta karanlık bir açıklık meydana çıkmaya başladı, bir mağara ağzına benziyordu bu.

Lang o noktaya bakarken ne yapacağını bilemiyordu, harekete geçip geçmeme konusunda sanki hiçbir şey düşünemez olmuştu, beyni karıncalanmış gibiydi. Eğer tahminleri doğru çıkarsa, sadece Sauniere'yi değil, Pietro'yu da takip etmek üzereydi.

Matarasındaki suyun bir kısmını kullanarak gömleğini ıslattı ve sonra onu ağzına ve burnuna bağladı, böylece henüz tamamen yok olmamış olan tozlardan korunmuş olacaktı. Beline takılı olan cep fenerini aldı, çalışıp çalışmadığını kontrol etti ve sonra iki bin yıllık geçmişe doğru ilerledi.

2

Keskin nişancı tüfek dürbününden baktı ve "Mağara gibi bir yere girdi," dedi. "Göremiyorum onu."

Arkadaşı da gözlerindeki dürbünü çekti ve "Evet, ben de gördüm," dedi. "Artık çıkmasını bekleyeceğiz. Sen her an ateş etmeye hazır olmalısın. Mağaradan çıkar çıkmaz ateş edeceksin."

Atıcı yanağını Galil marka tüfeğin metal kabzasına dayadı ve nişangâhı mağara çıkışının hemen önünü vuracak şekilde ayarladı. "Merak etme, bu kez kaçırmayacağım. Dışarı çıkar çıkmaz aşağıya alacağım onu."

Parlak gökyüzünde bulutlar olsaydı, beyaz kayaların üstünde bulutların gölgesi dolaşıyor denebilirdi, ya da bu hareketli karaltılar, kayadan kayaya hoplayıp zıplayarak koşan ama çok uzaklarda oldukları için kendileri fark edilmeyen koyunların gölgeleri de olabilirdi.

Fakat keskin nişancı bundan pek emin değildi.

Adam silahın nişangâhını mağara ağzından on, on beş metre kadar ileriye kaydırdı.

3

Mağaranın ağzında hâlâ tozlar olduğu için Lang önce fenerin ışığında bir şey göremedi. Biraz daha ilerledi ama tozdan mağaranın ne duvarlarını görebildi, ne de tavanını. Ama biraz daha ilerleyince kafasını birden mağara tavanına çarptı ve sersemler gibi oldu.

Kafasını tekrar çarpmamak için yeniden ilerlerken öne doğru eğildi. Yüzyıllar önce insanların boyları bir buçuk metreyi pek geçmiyordu tabii. Şimdiye kadar gördüğü zırhlar hep kendi üzerine uymayacak kadar küçüktü.

Biraz daha bekledi ve tozlar iyice kaybolduğu zaman duvarlarda Pietro'nun da sözünü ettiği duvar ustalarının keski izlerini fark edebildi. Bu mağara Lang'ın aklına hiç gelmeyecek kadar ve çok ustaca genişletilmişti.

Zeminde birikmiş olan beyaz tozları kaldırmamak için çok ağır adımlarla ilerledi. Ama ne kadar dikkat ederse etsin, yerdeki incecik tozlar kalkıyor ve görüşünü engelliyordu. Birkaç adım daha gidince fenerin ışığında, ilerde taştan oyulmuş bir sandık gördü; boyu yaklaşık elli, eni kırk ve yüksekliği de otuz santim kadardı. Yüzyıllar boyunca tavandan düşmüş olan kaya parçalarından sadece şekli ile ayırt edilebiliyordu. Üzeri tozluydu ama kapağında bazı yazılar kazılmış olduğu görülebiliyordu. Lang taş sandığın üzerindeki tozları temizlerken bir sürü böcek uçup kaçtılar. Karanlık mağaranın içi serindi ama taş kutunun kapağı ona sanki sıcakmış gibi geldi.

Kapağı kaldırmak istedi ama başaramadı. Yüzyılların tozu ve nemi, sandığa çok güzel oturmuş olan kapağı oraya sanki yapıştırmıştı. Uğraşırken sandığın içinden bir sıcaklığın yayıldığını tekrar hissetti. Yerden biraz yüksekte duran taş sandığı daha iyi görebilmek için topuklarının üstüne çömeldi ve yüzünü ona biraz daha yaklaştırdı. Hukuk fakültesinde, kütüphanede yıllarca kullanılmamış kitaplara yaptıkları gibi, kapağın üstündeki tozları üfledi.

Yüzyıllar boyunca mağarada meydana gelen ısı değişimleri sonucunda kapağın üzerindeki kabartma yazıda bazı çatlaklar oluşmuştu. Bazı harfler bir zamanlar bir sinagogda gördüğü İbranice harflere benziyordu. Yahudilerin eski dili Aramice de olabilirdi. Latince olması da muhtemeldi, harfler çok zor okunuyordu.

Lang harfleri okumaya çalışırken bir ara farkında olmadan derin bir nefes aldı ve toz yutarak öksürmeye başladı.

Yine farkında olmadan kendini mağaranın zeminine oturmuş, ayaklarını iki yana açmış buldu. Buldukları onu serseme çevirmişti. Sauniere'yi, Pietro'yu düşündü . . . onlar da o zaman Lang gibi şaşkına dönmüş olmalıydılar.

Birden mağaranın içinde, arkasında kuvvetli bir ışık yanınca şoke oldu Lang.

"Büyük başarı Bay Reilly. Kutlarım sizi."

Lang bir an için polislerin sonunda kendisini bulduklarını sandı. Ama gelenlerin polis olmadığını anlayınca korkusu birden arttı.

Tavanın çok alçak olduğunu unutarak ayağa kalkmak istedi.

"Yaşamak istiyorsanız olduğunuz yerde kalın Bay Reilly. Ellerinizi de görebileceğim bir yerde tutun."

Lang herkesin bildiği teslim olma durumunu aldı, ellerini havaya kaldırdı. Bu adamları tahrik etmek hiç de iyi olmazdı, bundan emindi. Aslında onu öldürmeleri için tahrik edilmeye de ihtiyacı yoktu bunların. Arkasından biri gelip onu bileklerinden tuttu, ellerini aşağıya indirdi ve mağaranın duvarına yapıştırdı. Hızla üzerini aradılar, yüzündeki kurumuş gömleği çekip aldılar ve ceplerini boşalttılar.

Onun üzerini arayan adam, "Silahı yok," dedi. "Ama cebinde bir mektup kopyası buldum."

Lang'ın postanede çıkardığı fotokopiydi bu. Lang riski göze alarak dönüp arkasına baktı ama göz kamaştırıcı bir ışıktan başka bir şey göremedi. Başını hafifçe arkasındaki adamlara çevirdi ve "Bana bir şey yapmadan önce o mektubu okusanız iyi edersiniz," dedi.

Onu omuzlarından tutup iterek karanlık mağaradan çıkardılar ve Lang birden aydınlığa çıkınca gözlerini kapadı. Bir süre sonra gözlerini açıp bakınca ilk gördüğü adam, ellili yaşlarda ve bir işadamı gibi giyinmiş biri oldu. Lang'ın yazdığı mektubun fotokopisini okuyordu ama okuduğu satırlar onu pek memnun etmemiş gibiydi.

Tehlikede olanların her zaman yazdıkları "eğer bana bir şey olursa" tarzında bir mektuptu bu ve orijinal de değildi. Lang bu mektubun en azından şimdilik hayatını kurtaracağını biliyordu. O anda kendisini kurtaracak olan her türlü yönteme razıydı.

Takım elbiseli adamın yanında daha genç ve iri iki adam daha vardı. Bir zamanlar futbol, rugby, hokey ya da bunlara benzer, cüsseli, güçlü adamların yaptıkları sporlardan birini yapmış oldukları belliydi. Boyunları ve kolları kalındı ve hiç kuşkusuz güç kullanmaktan büyük zevk alıyorlardı. Lang'ın tahminine göre ayaklarında bin dolarlık ayakkabılar vardı. Ellerinde katlanabilen, küçük bir çantaya sığabilen Heckler ve Koch 10 mm MP 10 otomatik silahlar taşıyorlardı. Amerika'da Gizli Servis Başkanlık Koruma Timi ve Donanma SEAL ekibinin kullandığı silahtı bu, ama bu adamlar iki gruptan da değillerdi.

Lang arkasına dönüp bakmadı ama onu sırtından iterek mağaradan çıkaran adam da hiç kuşkusuz onlar gibi biriydi. Diğerlerinden yaşlı olan adamın gümüş rengi saçları omuzlarına dökülmüştü, ince bir yüzü vardı ve bir süre sonra gözlerini okuduğu mektup kopyasından kaldırıp Lang'a baktı.

"Kime gönderdin bu mektubu?"

Lang sırıttı ve "Noel Baba'ya," dedi. "Noel kalabalığına kalsın istemedim."

Adam çenesini hafifçe, selam verir gibi indirince Lang'ın arkasında duran adam onun kolunu kaldırıp büktü ve oldukça canını yaktı. Lang bağırmamak için zor tuttu kendini ve derin bir nefes aldı.

Adam hiç kızmadan, küçük bir çocuğa öğüt veriyormuş gibi sakin bir ifadeyle, "Kendini zeki sanan adamları kimse sevmez, Bay Reilly," diye konuştu. "Senden bir cevap alacağıma eminim. Sadece ne kadar dayanabileceğini merak ediyorum, hepsi bu."

Lang başını sağa sola çevirip etrafa bakındı ve "Philip ve çocukların kullandığı işkence aletlerinden hiçbirini göremiyorum buralarda," dedi. "Bu aletler olmadan sorgulayabilir misiniz beni?"

Arkasındaki adam tekrar kolunu büktü ve Lang yine dişlerini sıkarak bu korkunç acıya dayanmaya çalıştı. Gümüş Saçlı, "Evet, cevap bekliyorum," dedi.

Lang yine gülümsedi. "Cevap versem ne olacak peki? Bana teşekkür edip serbest bırakacağınızı hiç sanmıyorum."

Takım elbiseli adam Lang'ı bu şekilde sıkıştırıp konuşturmaya çalışan ilk insan değildi ve eğer Lang yaşarsa büyük ihtimalle sonuncu da olmayacaktı. Teşkilat eğitiminde ona böyle durumlarda vakit kazanmaya çalışmasını söylemişlerdi, zaman kazanarak bir çıkış yolu bulmak daha kolay olurdu. Ama çevresinde böyle otomatik silahlı ve güçlü adamlar olduğuna göre Lang'ın çok zamana ihtiyacı olacaktı galiba.

Diğerlerinin şefi olduğu anlaşılan daha yaşlı adam buz gibi bir gülümsemeyle Lang'ın yüzüne baktı ve "Anlayışlı bir adam olduğunuz belli, Bay Reilly," dedi. Sonra yanında duranlardan birine başıyla işaret etti. Genç dev adam elini iç cebine attı ve içinde bir iğne olduğu belli olan ince uzun bir kutu çıkardı.

Lang, "Arkadaşlar siz bir klinik açsanıza, "dedi. "Sizi ne zaman görsem bana bir şey yapmak istiyorsunuz, ama iğneye alerjim olup olmadığını bile sormuyorsunuz."

Şefleri yine bir baş işareti yaptı ve elinde iğne olan genç

adam Lang'a yaklaştı.

Lang, "Bu lanet şey de ne? Gerçek serumu mu?" diye sordu.

"Henüz değil Bay Reilly, ama daha sonra biraz sodyum pentotal ikram edebiliriz sana. Şimdilik seni biraz uyutacağız, Amerikalıların dediği gibi zevkli bir yolculuk yapmanı istiyoruz."

Lang, "Bir dakika, "dedi. "Birkaç sorum var size. Beni serbest bırakmayacağınızı sizin gibi ben de çok iyi biliyorum. Onun için hiç olmazsa birkaç soru sormama izin verirsiniz."

Gümüş Saçlı içini çekti. "Ee, o zaman sen de mektubu kime gönderdiğini bize söylersin herhalde, değil mi?"

"Elbette, o zaman siz de kız kardeşimi, oğlunu, bizim apartman kapıcısını ve antikacıyı öldürdüğünüz gibi beni de rahatça öldürebilirsiniz. Bunu size söylesem bile bana inanmazsınız ki."

O sırada tepenin alt taraflarından bir yerden bir parıltı yansıdı, ama yol tarafından gelmedi bu cam ya da metal parıltısı. Lang gerçekten de böyle bir parıltı gördüğüne emin değildi. Gümüş Saçlı adam ve yardımcıları da bunu gördüklerine dair bir belirti göstermediler. Lang orada bir şeyler olduğunu belli etmemek için ters yöne baktı ve onlara açık vermedi. Orada bir şeyler vardı ve büyük olasılıkla ona yardım için gelmişti.

Lang daha önce bundan daha çok yanılmış olabilirdi ama şimdi hatırlamıyordu bunu. Gümüş Saçlı adam yardımcısına biraz beklemesini işaret etti. "O zaman bana bu mağarayı ve içindekini nasıl bulduğunu söylersin belki. Burayı başkalarının da bulmasını istemem doğrusu. Eğer bana soru soracaksan o zaman dikkat et sorun kısa olsun, tamam mı, Bay Reilly."

Şef olduğu anlaşılan Gümüş Saçlı adam daha önce Lang'ın, tozların yatışmasını beklerken oturduğu düz kayanın üstüne oturdu ve mektubun kopyasını da dizlerinin üstüne açtı. Lang'ın kolunu sıkan genç adam elini biraz gevşetti. Ama daha önce kıvrılan kolu hâlâ acıyordu.

Lang, "Siz eski Tapınak Şövalyelerinden ya da Şövalyeler Birliğinden misiniz?" diye sordu.

Gümüş Saçlı adam başını salladı ve "Tamamen doğru, Bay Reilly," diye cevap verdi. "Eğer bizim kim olduğumuzu biliyorsan tarihimizi de biliyorsundur, yani 1307'de Fransa Kralı...." Durdu ve bir ihaneti hatırlamış gibi kaşlarını çattı. "Hain Philip adamlarına suçsuz olan Süleyman Tapınağı Şövalyelerini yakalama emri verdi. Ama bizim bütün saraylarda casuslarımız vardı ve neler olacağını öğrendik. Philip'in uşağı olan Clement yakalamasın diye çoğumuz İskoçya'ya kaçtı. O zaman İskoçya kralı olan Robert the Bruce Papa ile geçinemiyordu, arası açıktı."

Adamın aksanı biraz garipti ve Lang onun İngiliz olmadığını hemen anladı. Lang, "Demek çoğunuz kaçtı, ama bazılarınız da Engizisyon işkencelerinden kurtulamadı," derken Pietro ve benzerlerini hatırladı. "Kaçanlar bazı kardeşlerini hiç acımadan geride bıraktılar, onlar işkence gördüler, acımasızca öldürüldüler, kazığa bağlanıp yakıldılar."

Gümüş Saçlı adam ayaklarını uzatıp birbiri üstüne attı ve Lang onun Avrupalı erkeklerin tercih ettiği kısa çoraplardan giydiğini gördü. Adam, "Kimin gidip kimin kalacağına Şövalyeler değil, Tanrı karar verdi," dedi.

Lang Tanrı'nın kararını nasıl öğrendiklerini sormayı düşündü ama vazgeçti ve "Clement Şövalyeleri yakalasaydı çok mutlu olacaktı, değil mi?" dedi. "Çünkü bugün Papalığa şantaj yaptığınız gibi o zaman ona da şantaj yapıyordunuz."

Gümüş Saçlı adam elini ceketinin iç cebine atarak gümüş bir sigara tabakası çıkardı ve Lang'a doğru uzatarak, "Bunun

Judas'a verilmiş ve uğursuz denilen gümüş parçalarından yapıldığı söylenir," dedi. Bir sigara aldı ve tabakayı Lang'a uzatarak sigara ikram etti.

Lang başını iki yana salladı ve "Teşekkür ederim, ben sağlığıma dikkat ederim," dedi.

Adam onun yüzüne bakarak, "Şantaj sözü biraz ağır oldu dostum," diye devam etti. "Bana sorarsan, biz Papa'nın en büyük sırrını koruyoruz derim sana." Sigarasını yaktı ve derin bir nefes çekerek dumanı yana doğru üfledi.

"Demek Haçlı Seferleri sırasında onu öğrendiğinizden beri yapıyorsunuz bunu, değil mi?"

"Evet, bizler bir süre için Gerçek Kiliseye hizmet ettik."

Lang sesindeki öfke ve hakaret ifadesini gizlemeye gerek görmeden, "Ne hizmet ama!" dedi ve başını iki yana salladı. "Cinayetler işleyerek, şantajlar yaparak verilen bir hizmet. Nasıl Hıristiyanlıksa bu?"

Gümüş Saçlı adam onun bu sözlerine hiç aldırmamış gibi göründü ve o da başını hafifçe salladı. "Ne yazık ki öyle dostum! Dünya öyle berbatlaştı ki gerçek Hıristiyan değerleri pek kalmadı artık. Zaten bizimki Hıristiyanlıkla bağdaşmayan, savaş temeline dayanan bir birlikti, askeri bir Tarikattı aslında. Bu nedenle bazen Hıristiyanlık dışına çıkmak da zorunlu oluyordu ve halen de oluyor. Şükür ki günah çıkarma ayiniyle kendimizi Tanrı'ya affettirebiliyoruz."

"Kadın ve çocukları öldürmeniz de affediliyor mu yani?"

"Şimdi seninle ideoloji tartışması yapacak zamanımız yok, Bay Reilly. Sadece şunu söyleyebilirim; Kudüs'te bir üyemiz tarafından bulunan bazı belgeler bizi buraya kadar getirdi, yani Peder Sauniere'nin bulduğu belgenin aynısıydı bunlar. Senin de Sauniere hakkında bir şeyler bildiğinden haberimiz var. Yoksa Rennes-le-Chateau denen bu ıssız yere neden gelesin ki? Bizim burada, Cardou'da bulduğumuz şey her şeye rağmen, kim acı çekerse çeksin korunmalıdır."

"Demek o kadar değerli ha!"

Adam elinde Lang'ın mektup kopyası olduğu halde, diğer eliyle de oturduğu kayaya dayanarak oldukça çevik bir hareketle kalktı oturduğu yerden. "Evet Bay Reilly. Soruna cevap verdim, bir Tapınak Şövalyeleri Birliğindeniz. Şimdi de sen nazik davran da bana cevap ver, yoksa...." Başıyla elinde iğneyi tutan adamını işaret etti.

4

Keskin nişancının yanındaki arkadaşı, "Adam ona iğne yapmadan ateş etsen çok iyi olur," dedi. "O şırıngada berbat şeyler olduğuna eminim."

Keskin nişancı tüfeğini hiç kımıldatmadı. "Acele edip hedefi vuramazsam Reilly'nin kafasına yiyeceği darbe daha da berbat olacaktır."

Diğeri bir şey söyleyecekti ama vazgeçti, sustu. Bu mesafeden belirli bir hedefe isabet kaydedip vurmanın meteoroloji, matematik, kimya, fizik ve biyoloji gibi bilim dallarına bağlı bir ustalık gerektirdiğini o da biliyordu.

Atış mesafesi uzadıkça en hafif rüzgâr bile dikkate alınmalıydı. Mermideki barutun kalitesi, yanış hızı ve vereceği güç bile hesaplanmalıydı. Barut yeterli olmadığı zaman mermi kısa düşer, hedefe varamazdı. Çok fazla olduğu zaman da mermi hedefi aşabilir, vurmadan geçebilirdi. Yani bütün hesapların çok iyi yapılmış olması gerekiyordu.

Atıcının tetiğe basma anındaki fiziksel durumu, nefes alış verişi, ellerinin sabit durması ya da hafif olsa bile titremesi büyük önem taşıyordu. Atış anında meydana gelecek en küçük bir sapma yüzünden mermi hedefin bir iki metre açığından geçebilirdi.

Atışın tepeden aşağıya, ya da yamaçtan tepeye doğru yapılmasında da yerçekiminin mermi yolu üzerindeki rolü önemliydi. Atış dürbünü ayarı da büyük önem taşıyordu. Bir keskin nişancının bütün bunları düşünmesi ve çok sabırlı olması gerekiyordu.

5

Lang elinde iğne olan adamın dizlerinin çok ağır bir hareketle büküldüğünü görünce birden ne olduğunu anlayamadı, adam diz çöküp dua mı edecekti yoksa? Ama birkaç saniye sonra kulağına gelen patlama sesini duyunca beklenmeyen bir şeyler olduğunu anladı. İğne yapmak üzere olan adam yüzüstü yere kapanırken silah patlaması tepelerde yankılandı, adamın ensesinden biraz yukarda bir noktadan kan ve beyin parçaları fışkırdı.

Şaşkınlıkla kolunu tutan elin gevşediğini fark edince ondan kurtuldu, diğer adamın elindeki mektup kopyasını kaptı ve kendini yere atarak keskin taşların kendisini yaralamasına aldırmadan aşağıya doğru yuvarlandı. Büyük bir kayanın arkasına gizlenerek diğer üç kişinin hedef alanından çıktı.

Etrafta öldürücü bir sessizlik vardı. Rüzgâr bile kesilmişti sanki ve kumların hışırtısı bile duyuluyordu. Uzaktaki yolda araba sesi de yoktu. Lang bir ara sağır olduğu için hiçbir şey duymadığını bile düşündü.

Geride kalan üç Şövalye de kayaların arkasına saklanmışlardı. Silahın hemen kesilen sesi atışın oldukça uzaktan yapıldığını gösteriyordu. Atışı yapan keskin nişancı şimdi silah dürbününden onları gözlüyor ve bekliyor olmalıydı.

Lang hedefin kendisi olmadığına emindi. Hedef o olsaydı şimdi bu büyük kayanın arkasında olamayacaktı. Şövalyeler de onun bu mağarayı ve sırlarını nasıl bulduğunu ve mektubu kime gönderdiğini öğrenmeden onu öldüremezlerdi.

Lang o anda onlara ateş edenin kim olduğunu fazla düşünmek istemiyordu. Keskin nişancı onların ortaya çıkmasını önlerken kayadan kayaya, yokuş aşağı koşarak arabasına ulaşabilirdi belki. Şövalyeler ateş ederek onu öldüremezlerdi, çünkü ondan öğrenmek istediklerini öğrenememişlerdi. O halde uzaktan ateş eden keskin nişancı da Lang'ın düşmanı değilse kurtulma şansı büyük sayılırdı.

Ama böyle düşünerek hayatını tehlikeye atamazdı. Çok dikkatli olması gerekiyordu. Birkaç saniye daha düşündükten sonra arkasına gizlendiği kayadan dışarı fırladı ve önündeki kayanın arkasına koştu. Ama aynı anda yukarda kalan adamlardan birinin elindeki Heckler ve Koch MP10'lardan biri bulunduğu yeri taradı ve parçalanan kaya parçaları Lang'ın yüzüne vurup canını yaktı. Lang'ın üzerinde silah olarak çakı bile yoktu ve tabancası olmadan onlara karşılık veremiyordu.

Yine derin bir sessizlik başladı ve Lang ne yapması gerektiğini düşünürken bir ara kulağına kumlu topraktan bir hışırtı gelir gibi oldu. Birisi kumlu toprakta ağır adımlarla ona doğru yaklaşmaya çalışıyordu, ama adam aynı zamanda uzaktan ateş eden keskin nişancıdan korunmak için eğilerek yürüyor olmalıydı.

Lang mektup kopyasını çıkarıp bir kayanın altına gizledi, yakalanırsa onu da bir pazarlık kozu olarak kullanabilmeliydi. Büyük kayanın arkasında hareket ederek onu kendisiyle yaklaşan adam arasında tutmaya çalıştı. Yere eğildi ve avucunu dolduracak büyüklükte bir kaya parçasını eline aldı. Bu taş parçası bir otomatik silah karşısında etkili olamazdı elbette ama yine de silahsız sayılmazdı.

6

Keskin nişancının yanındaki arkadaşı, "Daha ne bekliyorsun?" diye sordu. "Hepsini yere indirdin işte, değil mi?"

Keskin nişancı ise gözünü silahın dürbününden ayırmıyor, sabırla bir şeyler bekliyordu. Arkadaşının ısrarına karşı, "Bekliyoruz," dedi.

"Neyi bekliyoruz peki, ne kadar bekleyeceğiz?"

"Ne kadar gerekiyorsa."

7

Lang kendisine yaklaşmaya çalışan adamın kösele tabanlı ayakkabılarının sesini duyabiliyordu, ama onun ayağındaki Mephisto marka spor ayakkabıların kauçuk tabanları hiç ses çıkarmıyordu. Fakat yine de o kayanın arkasında fazla kalamazdı. Adamlardan biri ona yaklaşırken diğeri de onun kayanın arkasından çıkmasını bekleyebilirdi. Ateş eden keskin nişancının kimliği belirsizdi ama yine de Şövalyelere ateş etmiş görünüyor ve Lang onun kendi tarafında olduğunu düşünüyordu.

Kayanın diğer yanından yaklaşan adam birkaç saniye durdu ve sonra Lang'ın sol tarafına doğru hareket etti. Lang elindeki taşı sıkarak birkaç adım sağa kaydı. Ama biraz daha giderse yukarıdaki adamların görüş alanına girmiş olacaktı. Onlar da silahlarını aşağıya, onun bulunduğu noktaya doğrultmuş bekliyor olmalıydılar.

Ama Lang'ın saldırıya geçeceğini asla düşünemezdi adamlar. Elindeki kaya parçasını kemerine sıkıştırdı ve büyük kayanın üzerinde bir çıkıntı bulup tutundu ve ayaklarının da yardımıyla kendini yukarıya doğru çekti. Arkasına saklandığı büyük kayanın yüksekliği yaklaşık altı, eni de üç metre kadardı. Onun üzerine çıkınca tamamen yüzüstü uzanamayacaktı Lang, ama adamlar onu aşağıda sandıkları için kenardaki çıkıntılar nedeniyle görmeyebilirlerdi. Ayrıca keskin nişancının hedefi olmadığını düşünmek de ona güç veriyordu. Gerçi hep ihtimallere dayanarak hareket ediyordu ama başka seçeneği de yoktu.

Kayanın üstüne henüz tırmanmıştı ki aşağıda bir ses duyup kenardan baktı ve gelenin saçlarının tepeden dökülmüş olduğunu gördü. Daha önce fark etmemişti bunu. Adam elindeki otomatik silahın katlanabilir kabzasını omzuna dayamış, kayanın diğer yanına geçmek için sessizce ve ağır adımlarla yürümeye çalışıyordu.

Lang kemerine sıkıştırdığı kaya parçasını eline aldı ve iyice çömeldi. Aşağıdaki adamı aşırtmak için aniden onun üzerine atlamayı düşünüyordu. Ama atlamadan hemen önce içinden gelen bir sese uydu, omzunun üzerinden geriye baktı ve yaklaşık otuz metre geride Heckler ve Koch silahlardan birinin kendisine yönelmiş olduğunu gördü. O silah bu mesafeden hedefi bulamayabilirdi ama otuz mermilik şarjörüyle usta bir nişancılık da gerektirmezdi.

Lang aşağıdaki adamın üstüne atlamak için fazla bekleyemezdi. Otuz metre geride otomatik silahını ona doğrultmuş olan modern Şövalye de tetiğe basmak üzere olmalıydı. Otomatik silah ateşe başlarken Lang da kendisini aşağıdaki adamın üzerine fırlattı. İkisi birden yere yuvarlandılar. Adam silahına davranmak isterken Lang kolunu onun koltuk altından geçirerek kaldırdı ve adamı yana doğru itince silahın namlusu yere dönük olarak, etkisiz kaldı.

Lang diğer elindeki kaya parçasını kaldırıp hasmının başına vurmak üzereydi ki arkasından sert bir ses duydu.

"Bu kadarı yeter Bay Reilly."

Lang Gümüş Saçlının bu sözünü dinlerken bir yandan da bir namlunun ensesine dayandığını hissetti. Demek ona tuzak hazırlamışlardı; adamlardan biri ona uzaktan silah gösterip ateş ederek oyalarken, biri kayanın dibinde ona tuzak kurmuş ve Gümüş Saçlı da onu arkadan yakalamıştı.

Lang'ı oyuna getirmişlerdi.

"O taşı yere at ve ellerini kaldırıp ensende kenetle. Çok yavaş, şimdi ayağa kalk bakalım."

Lang onun söylediklerini aksatmadan yaptı.

Lang'ın üzerine atlamasıyla yere düşen adam da yavaşça doğrularak yerden kalktı. Elbisesi biraz yıpranmış, bazı yerleri yırtılmıştı. Ama iyi haber sadece bu değildi, adamlardan ikisi bir daha kimseyi öldüremeyecekti. Keskin nişancı yukarıdakilerden birini daha vurmuştu.

Gümüş Saçlı, silahının namlusunu Lang'ın ensesinden çekmeden bir şeyler söyledi ama Lang onun konuştuğu dili anlayamadı. Diğeri sırtını Lang'a döndü.

Gümüş Saçlı, "Ellerini onun omuzlarına koy, Bay Reilly," dedi.

Lang onun dediği yaptı ve üçü beraber yamaca doğru yürümeye başladılar. Lang'ı ortalarına aldıkları için uzaktan ateş edecek olan keskin nişancı ne kadar usta olursa olsun, Lang'ı da vurabilirdi ve adamlar bu şekilde kendilerini garantiye almış oluyorlardı.

8

Adam ayağa kalktı ve dürbünle ileriye bakarken, "Lanet olsun!" diye homurdandı. "Oradan ayrılıyorlar."

Keskin nişancı gözlerini uzun zamandan beri ilk kez tüfek dürbününden ayırdı ve "Hepsi değil," dedi.

Diğeri bir şeyler homurdandı ve "Ne olursa olsun," diyerek dişlerini gıcırdattı. "Reilly'ye de aldılar, götürüyorlar işte. Onları gözden kaybetmeyelim de diğer ikisini de indirmeye bak sen."

"Fakat kazara Reilly'yi de vurabilirim. Adamlar aptal değillerse onu bir sandviç salamı gibi hep aralarında tutarak kendilerini garantiye alacaklardır."

Diğeri, "Benzetmeyi duysa Reilly de beğenirdi herhalde," diye söylendi. "Ama gittikçe uzaklaşıyorlar, bir şeyler yapmalıyız."

"Telaşlanma, artık buralarda kalmazlar, yola çıktıkları zaman da nereye gittiklerini göreceğiz."

9

Lang ve diğer iki adam bir süre sonra Cardou'nun diğer tarafında, iki kaya arasına park edildiği için uzaktan görünmeyen bir Range Rover arabaya geldiler ve araba ancak oradan çıktıktan sonra görülebildi.

Gümüş Saç başını hafifçe Lang'a çevirip, "Arkaya otur," dedi.

Lang arka koltuğa otururken vücudunun yavaşça uyuşmaya başladığını hissetti. Çok geçmeden gözleri bulanmaya başladı, arabayı sanki suyun içindeymiş gibi görüyor, her şey gözlerinin önünde dans ediyordu. Kolları ve bacakları öylesine ağırlaştı ki onları hareket ettiremiyordu. Lang neler olduğunu biliyordu, vücuduna iğneyle verdikleri ilacın etkisine karşı direnmeliydi. Ama bunu yapmak söylemek kadar kolay değildi elbette.

Çok geçmeden her yer karardı ve Lang kendini kaybetti.

Kısım Beş

Bölüm Bir

1

Lang kendine geldiğinde ne kadar baygın kaldığını ve nerede bulunduğunu bilemedi. Adamlar da onun bunları bilmesini elbette istemezlerdi, ama sorguya çekmek için beklediklerı belliydi. Ama Lang çok rahatsız bir yatakta yattığının ve eski moda bir gölgeliğe baktığının farkındaydı. Tepede kolunu kıvırdıkları için omzu da hâlâ çok acıyordu.

Lang Teşkilat eğitimi alırken, yerini ve zamanını tam olarak saptayamayan insanların sorgulama sırasında daha kolay çözüldüklerini öğrenmişti. Bir adamın geceyi, gündüzü, zamanı bilememesi, onun içindeki doğal saati kıtalararası saat farkı gibi etkilerdi. Fakat zaman farkına kolay alışırdı insan. Birini etkili biçimde sorgulamak için bir şeyi aynı zamanda iki kez yapmamak gerekirdi. Aynı şekilde sorguya alınan kişiye nerde olduğunu bildirmemek, onun bunu anlamasını engellemek de kişiyi sorgulanma sırasında endişelendirirdi.

Sorgulamada ışık konusu da önemlidir. Sorgulananı penceresiz bir yerde günün yirmi dört saati aynı ışık düzeyinde tutarsınız. Onu uyutmamak için böyle bir ışık düzeninde en iyi yöntem aniden oraya parlak ışık vermek olur. Uyumasını isterseniz kaldığı yere loş ışık verirsiniz.

Gerçek serumu denen ilaç romanlarda çok geçer ama gerçekte her zaman etkili olmaz. Sodyum Pentotal, skopolamin ve uyuşturucular beyni uyuşturur, insanın yalan söyleme yeteneğini kısıtlar ama onlar da tehlikelidir. İlaçları az verirseniz sorgulanan kişi yine yalan söyleyebilir, ama fazla kaçırırsanız adam ya derin bir uykuya dalar, ya da ölür. İlaç etkisinde konuşanların söyledikleri de anlaşılmaz.

Eski usul işkenceler de yeteri kadar güvenilir değildir. İtiraflarda belki işe yarayabilir ama bilgi almak için sorguya alınan insanda aynı ölçüde işe yaramaz. İşkence altında sorguya çekilen bir insan acıdan kurtulmak için aklına gelen her yalanı söyleyebilir. Lang Şövalyelerin de bunları idrak etmelerini umuyordu.

Lang'ın öğrendiğine göre, modern sorgulama yönteminin temeli, sorguya çekilenin yıpratılmasına, dayanma gücünün kırılmasına dayanmaktadır. Bunun bir başka tarzda söylenişi de beyin yıkama yöntemidir.

Lang zeminden yaklaşık bir metre yükseklikte olan yataktan aşağıya indi ve küçük odanın içinde biraz dolaştı. Duvarın kavisli olması meraklandırdı onu, nasıl bir binaydı burası acaba? Odada tek pencere vardı ama panjurlar kapalıydı ve hiç kuşkusuz dışarısı da demir parmaklıklıydı. Odanın kapısındaki kilit karmaşık sistemli bir sarı pirinç levhaydı. Eğildi ve bir gözünü kapayıp anahtar deliğinden dışarıya baktı ama hiçbir şey göremedi. Anahtar dışarıda delikte bırakılmıştı.

Tavandan sarkan ampulün loş ışığında odada yataktan başka bir eşya görünmüyordu. Ne yerde halı, ne pencerede perde, ne de duvarlarda resim vardı. Parke döşeme ve pahalı olduğunu sandığı duvar kâğıdı olmasa kendisini bir hapishane hücresinde sanabilirdi.

Etrafa tekrar bakındı ve bir banyo-tuvalet kapısı da göremedi. Eğilip yatağın altına bakınca porselen bir tuvalet kabı gördü. En azından bunu boşaltmak zorunda olan kişi kendisi olmayacaktı. Ne olacağını bekleyip görmekten başka yapabileceği bir şey yoktu.

Bir süre sonra parke zemindeki tahta çivileri saymaya başladı Lang. Zihnini meşgul etmek kafa karışıklığını önlemenin en iyi yoluydu. Zeminde altmış iki tahta çivi saydıktan sonra kapıda bir anahtar sesi duyunca hemen yatağa gitti, uzandı ve hâlâ baygınmış gibi davrandı.

"Hadi numarayı bırak Reilly," diyen ses yabancı değildi. "Sana verdiğimiz uyku ilacının etkisi çoktan geçti, biliyoruz. Baygın numarası yapmak sana hiçbir şey kazandırmaz, kalk hadi."

Lang gözlerini açtı ve gördüğü manzara karşısında şaşkınlıktan ağzı açıldı. Zaman yolculuğu yapmış ve yüzyıllarca geriye gitmiş gibiydi. Gümüş Saçlı adam kapıda duruyordu ama üzerinde bir zincirli zırh elbise ve onun üzerinde de yan tarafları açık, önünde kırmızı bir Malta Haçı bulunan beyaz bir zırh cüppesi vardı. Ayaklarına uçları sipsivri çelik ayakkabılar giymişti.

Lang gözleri açık şaşkın bir ifadeyle baktı ona ve "Büyücüye gidip birinin kalbini isteyecek gibi bir halin var senin," dedi.

Tapınak Şövalyesi ona boş gözlerle, bir şey anlamamış gibi baktı ve "Kusura bakma, ne dediğini pek anlamadım," diye konuştu. "Ama sanırım kıyafetimden söz ediyorsun. Şövalyeler tapınakta geleneksel kıyafetlerini giyerler."

Lang iyice şaşırdı. Demek bir tapınaktaydı ve muhtemelen bazı tapınak çılgınları tarafından kaçırılmıştı.

Gümüş Saçlı adam içeri girdi ve bu kez arkasında keşişe ya da rahibe benzer bir başkası vardı. Adamın ayaklarındaki üstü açık terliklerden topukları görünüyor, elindeki tepsiden de yemek kokusu geliyordu. Lang en son hatırladığı kahvaltıdan beri ağzına bir şey koymamıştı ama kahvaltıyı hangi gün yediğini de bilemiyordu.

Gümüş Saç ona, "Hiç kuşkusuz acıkmışsındır," dedi. "Kilerci sana manastır mutfağından bir şeyler getirdi. Mütevazı bir yemek bu elbette, bölgeye özgü tuzlu morina eti, ama besleyicidir."

Keşiş elindeki tahta tepsiyi yatağın üzerine bıraktı. Yemek şimdi daha güzel kokmaya başlamıştı ve Lang tabakta sebzeler içinde beyaz et görünce sevindi.

Gümüş Saç eliyle ona tabağı gösterip, "Hadi, buyur ye, afiyet olsun," dedi.

Lang önce ona, sonra yemeği getiren keşişe baktı ve "Peki ama bir çatal yok mu?" diye sordu.

Gümüş Saç başını iki yana salladı. "Çatal ancak on altıncı yüzyılda kullanılmaya başladı. Biz sadece atalarımız gibi bıçak kullanırız. Modern dünyanın saçmalıklarından kaçınırız biz."

Odada neden tuvalet olmadığını da böylece anlamış oldu Lang.

Eğilip yemeğin güzel kokusunu kokladı ve "Pekâlâ, ne yapalım!" dedi. "Biz de Adabı Muaşereti unuturuz burada."

Üzerinde kahverengi cüppe olan keşiş tepsiyi Lang'a doğru itti.

Gümüş Saç, "Korkarım ki yemek aletleri kullanmadan idare etmek zorundasın, Reilly," diye konuştu. "Sana neden bir bıçak vermediğimizi de anlamışsındır herhalde."

Lang çok aç olduğu için onunla tartışacak durumda değildi, parmaklarının ucuyla aldığı bir balık parçasını ağzına attı ve yemeye başladı, tadı gerçekten de çok güzeldi yemeğin. O yemeğini bitirmek üzereyken keşiş ve Gümüç Saç odadan çıktılar.

Kapı kapanmak üzereyken Lang, "Görüşmek üzere," dedi ve çok geçmeden kilidin sesini duydu. Tabağın içindeki yemek suyunu içip henüz bitirmişti ki oda birden gözlerinin önünde dönmeye başladı. Başı birden ağırlaştı, onu zor taşıyordu şimdi. Namussuzlar yemeğe baharattan başka şeyler de karıştırmışlardı demek ki. "Peki, ama neden uyutuyorlar beni?" diye düşündü. Uyurken sorguya çekemezlerdi ki onu?

Ama fazla dayanamadı ve gözlerini kapayıp yatağa uzandı.

2

Lang kendine geldiğinde midesinin hâlâ dolu olduğunu hissedince uzun zaman baygın kalmadığını anladı. Gözlerinin önünde parlak bir ışık vardı ve her yeri hâlâ uyuşuktu, başını zor tutuyordu.

Parlak ışığın arkasında duran tanıdık ses, "Bakıyorum bize geri döndün," dedi. "Artık birkaç soruya cevap vermenin zamanı geldi."

Lang kendini zorlayarak yatağın üzerinde doğrulup oturdu ve "Son cevabımı vermeden önce bir telefon edebilirim, değil mi?" dedi.

Ona cevap veren olmadı. Herhalde Gümüş Saç Amerikan TV'si izlemiyordu.

"Ben iki şey öğrenmek istiyorum senden Reilly; sırrımızı nasıl öğrendin ve o mektubu kime gönderdin?"

Lang sırıtarak başını salladı. "Pekâlâ, bunu söyler söylemez buradan çıkıp gidiyorum, değil mi? Ama daha nerde olduğumu bilmiyorum ben."

"Senin için bir şeyler yapabiliriz sanıyorum, merak etme."

Evet, kafasına bir kurşun sıkıp hemen kurtulabilirlerdi ondan. Ama Lang onların sorularına cevap vermeden önce kendi sorularına cevap istiyordu. "Aslında benim de size sorulacak birkaç sorum var," diye konuştu. "Örneğin, mademki Blanchefort sırrını muhafaza etmek istiyordunuz, neden Poussin'in onun haritası yerine geçecek bir tablo yapmasına izin verdiniz, yani atalarınız neden izin verdi buna?"

"Benim sabrımı deniyorsun sen galiba, Reilly. Ama ben yine de iyi niyetli olduğumu göstermek için bir cevap vereceğim sana. Önümüzde her zaman bir seçenek oldu; ya bu sırrı yazma riskini göze alacak, ya da üyelerimiz yok olunca onun kaybolmasına göz yumacaktık. Yüzyıllar önce salgınlar, günümüzde de teröristlerin katliamları yüzünden, Batıda ilk tahrip edici olma konusunda metanet, sebat kalmadı. Bu durumda Poussin zamanında, yani on yedinci yüzyılın ilk yarısında, keşfimizin bulunabileceği yerin kaydı konusunda bir şeyler yapmak mantıksız sayılamazdı. Üyelik ayinlerimizin sözlü kısımlarının yanında bir resim de yer bulunması konusunda yardımcı olabilirdi."

Lang başının dönmesini unuttu ve daha dik oturarak onu dikkatle dinlemeye devam etti. "Peki, ama Poussin'in sırrınızı açığa çıkarmayacağını nerden biliyordu atalarınız?"

Işık biraz değişince Lang Gümüş Baş'ın siluetini rahatça görebildi. Adam bir yerde oturur gibi görünüyordu ama odada yataktan başka oturacak yer yoktu. Herhalde içeriye bir sandalye getirmiş olacaklardı.

"Poussin bir farmasondu."

"Ee, ne olacak yani?"

"Farmasonluk tarikatımızın bir aletidir, onun üyeleri de

bize bağlıdır. Dünyanın her yerinde onları biz kontrol ederiz. Yakın zamana kadar sizin George Washington'unuz dâhil pek çok seçkin insan, ülkeniz kurucularından çoğu Masondu. Biz bu bağlantı sayesinde ulusların en gizli sırlarını öğrendik. Ama yeni bir 1307 deneyimi yaşamak istemiyoruz.

"Senin soruna daha direkt bir cevap vermek gerekirse, Poussin o tabloyu yapması emredildiği için yaptı, bugün Louvre'da duran eserinden çok az farklıdır o resim. Kendisi bunun önemini bilmiyordu. Biz her ruhani meclisimiz için onun bir kopyasını yaptırdık. Geçen yıl Londra evimizi naklettik ve bazı eşyalarını taşımamak için sattık. Nakliyeciler yanlışlıkla o tabloyu da satılan eşyalarla birlikte paket yapmışlar.

"Senin soruna cevap verdim ve sen de bana mektubunu nereye gönderdiğini söyleyeceksin."

Lang esnedi ve ağrıyan kolunu hareket ettirdi. "Daha önce de dediğim gibi, başkalarını da öldürmeniz için mi söyleyeceğim bunu? Hiç sanmıyorum."

Adam can sıkıntısıyla içini çekti ve "Pekâlâ, Reilly," dedi. "Seni biraz kendi haline bırakalım da durumunu biraz düşün istersen. Ama geri geldiğimiz zaman sabrımız kalmamış olacak. Artık eski işkence aletleri kullanmıyoruz ama timsah klipsleri, otomobil aküleri, basit elektrikli tencereler ve benzeri modern aletlerle korkunç şeyler yapabiliyoruz. Seni uyarıyorum, fazla vaktimiz de yok, bilesin."

Lang onların sorgulamaları nasıl yaptıklarını, konuşmayanları nasıl konuşturduklarını da böylece öğrenmiş oluyordu.

Gümüş Saç ayağa kalkarken, görünmeyen bir sandalyenin yerden kaldırılırken çıkardığı gıcırtı duyuldu. Lang derin bir nefes aldı ve yatağına uzanmak üzereydi ki ışığı söndürülen karanlık odada birileri onun kollarını arkaya kıvırarak yatağa kelepçeledi ve pantolonunu çıkardı. Lang bir anda omzunun yandığını hissetti.

"Hey, ne oluyor böyle! Bakın, bana...." diye direnmeye kalkarken birden kasıklarında bir metalin temasını ve ardından da korkunç bir acı hissetti, acı bütün bedenine yayıldı ve Lang ikiye katlandı. Kasıklarından itibaren bütün vücudu sanki alevler içinde yanıyordu. Gözlerinin önünde sadece kırmızı bir duvar vardı ve kanı tutuşmuş gibiydi.

Çığlık attı ama kendi bağırışını bile duyamadı, sanki bütün duyguları körleşmişti. Acıdan başka bir şey hissedemiyordu. Fakat çok sürmedi bu korkunç acı, mengeneler çıkarıldı ve Lang'ın kollarını serbest bıraktılar. Ama kasıklarındaki acı omzundaki ağrıdan çok daha korkunçtu.

Karanlıkta bir ses, "Bu düşük bir voltajdı," diye homurdandı. "Şimdi seni daha büyük voltajların ne yapacağını düşünmen için bırakıyoruz. Belki de anüsüne bir metal çubuk sokar ona akım veririz, düşün bunları ve konuş da bitsin bu iş."

Bunları söyledikten sonra onu karanlık odada yalnız başına bırakıp gittiler, kapı dışardan kilitlendi. Sesler kesilince acılar içinde yan tarafına döndü Lang ve ancak o zaman elektrik şokunu yediği zaman altını ıslattığını anladı.

3

Kafasını meşgul etmek için Lang'ın döşemedeki tahta çivileri saymasına gerek kalmamıştı artık. O hergeleler kasıklarına tekrar elektrik vermeden önce buradan kaçmanın bir yolunu bulmalıydı.

En küçük bir hareketinde kasıklarındaki acıyı tekrar hissediyor, kaçma duygusu gittikçe güç kazanıyordu. Devam eden acısına dayanmak için dişlerini sıktı, gıcırdatarak pencereye gitti ve açmayı denedi. Panjurlar sabitti ve büyük ihtimalle dışardan vidalanmıştı, oraya ulaşsa bile açamazdı onu. Ayrıca kaçıncı katta olduğunu bilmiyordu, birinci katta olmadığı takdirde atlayıp kaçması da imkansız olabilirdi.

Atlanta'da evine girip ona saldıran Şövalye bozuntusu gibi kendini bir kuleden aşağıya atıp intihar edecek değildi herhalde. Odaya girerlerken onlara saldırması olasılığı da çok zayıftı, hiç kuşkusuz birkaç kişi geleceklerdi ki saldırması halinde Lang'ı kolayca kontrol altına alabilirlerdi. Odanın içinde dolaşarak bir çare, bir kaçış yolu bulmaya çalıştı.

Gümüş Saçlı adam oturmak için bir sandalye getirmişse bile giderken götürmüştü onu. Kapı çok kalın ve sağlam ağaçtan yapılmıştı ve kilit de sökülecek gibi değildi. Eğilip tekrar anahtar deliğinden bakmaya çalışırken kasıkları yine yanmaya başladı, berbat bir acıydı bu. Kapı kolu modern kapılarda olduğu gibi yaylı değildi, aslında basit bir kapı kilidiydi bu ama çok sağlamdı ve elinde onu yerinden sökecek hiçbir alet yoktu. Anahtar deliği yine dışardan sokulan bir anahtarla kapatılmıştı ama Lang kapıyla eşik arasındaki çok ince aralıktan dışarıdaki ışığı görebileceğini düşündü. Başını kapı kenarına iyice yanaştırıp aşağı yukarı hareket ettirdi. Kapı ve pervaz arası çok sıkıydı ama menteşelerin olduğu yerlerde birkaç milimlik aralıklar vardı.

Kasığındaki acıyı artırmamak için çok yavaş hareket ederek yere oturdu, bir ayakkabısını çıkardı ve onun kauçuk tabanına yapışmış kum ve iri toprakla kapı çerçevesinde, tam kilit dili hizasında adeta görülemeyecek kadar küçük bir işaret çizdi.

Sonra yatağa döndü ve altına baktı; pamuklu döşeğin altında yay yerine dar tirizler vardı. Yaylı bir yatakta yatamadığı için rahatsız olmasına rağmen sevindi buna. Bu dar tahtalar işine yarayabilirdi. Canı yandığı için biraz uzanıp dinlenebilirdi ama zamanı çok azdı. Yatağı kaldırıp dar tahtalardan birini yerinden oynattı ve çıkardı. Onun zedelenen bir ucundan bir kıymık parçası aldı ve tahtayı yine yerine koydu.

Yapabileceği başka bir şey yoktu, artık şansına güvenecekti. Canı çok yanmasına rağmen yatağın altında duran kabı aldı ve ona işedi, ama idrarı kanlıydı. Sonra kapıya gitti ve vurmaya başladı. Dışarıda bir nöbetçi bırakmış olmalıydılar, çünkü kapının kilidi anında açıldı.

Kapının önünde duran iriyarı adam, başlığı da olan ve beline bir halat bağlı bir rahip cüppesi giymişti, sanki Pietro'nun zamanında yaşıyor gibiydi. Işık arkasından geldiği için Lang adamın yüzünü net göremedi ama kısa kesilmiş sarı saçları vardı. Omzunda da kısa bir makineli tüfek asılıydı.

Lang biraz önce işeyip doldurduğu kabı gösterdi ve "Bunu boşaltmalıyım," dedi.

Adam Lang'ın üzerindeki kurumuş idrar kokusuna burnunu kıvırdı, yüzünü buruşturdu ve "Henüz dolmamış, dolunca boşaltırsın dinsiz herif!" diye söylendi. "O zamana kadar yaşarsan tabii."

Adam Slav aksanıyla konuşuyordu, Rus ya da o bölge insanlarından biri olabilirdi. Omzundaki silah da Rus ya da Çin yapımı bir AK-47 idi ve Sovyetlerin çöküşünden sonra Doğu Avrupa ülkelerinde çok kullanılan bir silahtı bu, eğik şarjörü otuz yedi mermi alıyordu.

Nöbetçi öfkeyle dönüp çıktı ve kapıyı kapadı. Adam kapıyı kilitlerken Lang dizlerinin üzerine çöktü ve kapının yanına sıkıştırdığı kıymığı alarak kilit dili hizasına, kapıyla pervaz arasına sıkıştırdı. Kilit dilinin oldukça kalın olan kıymığa çarptığını hissetti ve kıymığın kırılmaması ve dili tutması için dua etti.

İstediği oldu, kilit dili önüne gelen kıymığı kıramadı ve kilit deliğine girmedi, geride kaldı.

Lang kapıya dayandı, bütün gücüyle yüklendi. Nöbetçi kilidi denerse kapı açılmamalıydı. Kapıyı bir süre ayakta ittikten sonra sırtını dönüp kayarak yere oturdu ve kapıya dayandı. Kıymık bir süre yerinde kalmalıydı.

Ama ne kadar bekleyecekti böyle? Gümüş Saçlı adam bir süre sonra işkence yapmak için yardımcısıyla beraber yine gelecekti. Saatine baktı ama adamların onu aldığını hatırladı. Dakikaları hesaplamak için ağır ağır altmışa kadar saymaya başladı.

Birkaç dakika sonra kapıyı birkaç milim oynattı, menteşelerin gıcırtı yapıp yapmadığını hatırlamıyordu. Milimetrik aralıktan baktığında ilk gördüğü şey, bir sandalye üzerine uzatılmış bir çift ayak oldu. Adam bir koltuğa oturmuş, ayaklarını da bir sandalye üzerine uzatıp iyice gevşemişti ve derin ve muntazam nefeslerine bakılırsa bir şeye dalmış olacaktı, biraz dikkat edince adamın bir dergi okuduğunu anladı. Lang cesaretini toplayarak kapıyı biraz daha araladı ama nöbetçi aynı anda hafifçe kıpırdandı. Silahı kucağındaydı.

Adamın bulunduğu koridorun boyu yaklaşık beş, altı metreydi ve bu koridor biraz ilerde ona dik olan bir başka koridorla birleşiyordu. Adeta bir otele benziyordu burası ama odaların üstünde numara yoktu.

Lang kapıyı yavaşça kapadı. Harekete geçmek istiyordu ama kapıyı ardına kadar açamazdı. Bir ayakkabısını çıkarıp kauçuk tabanını kapı aralığına sıkıştırdı. Kilit dilindeki kıymığın yerinde kalmasına dikkat ederek yatağa gitti ve kenarı işlemeli olan yatak çarşafını birkaç şerit halinde parçaladı. Bir şeridi tampon yaptı, birini de ilmek haline getirdi.

Nöbetçi elindeki dergiye iyice dalmış gibiydi. Lang kapıyı biraz daha açtı, ama nöbetçi kuşkulanıp bakarsa işi bitmiş demekti. Lang mümkün olduğunca yavaş hareket ederek uzandı ve yerde duran ayakkabısını aniden adamın başına fırlattı. Nöbetçi bir an ne olduğunu anlayamadı ve silahını kaparak doğrulurken elindeki dergi yere düştü.

Adam neler olduğunu anlayınca kapıya yöneldi, ama Lang onun şaşkınlığından yararlanarak kapıyı ardına kadar açtı ve adamın üzerine atladı. Silah yere düştü ve Lang çarşaftan yaptığı ilmeği adamın başından yıldırım gibi geçirip boynuna indirdi ve sıkmaya başladı. Adam bağırmak istedi ama sesi bir anda kesildi ve nefes almak için çırpınmaya başladı.

Lang çarşafın bir diğer şeridinden yaptığı tamponu adamın ağzına tıktı. Adam boğazındaki ilmikten kurtulmak için çırpınıyor, boğulmamak için mücadele ediyordu. Lang bir dizini kaldırıp adamın sırtına, kürek kemikleri arasına dayadı ve bütün gücüyle yüklendi. Adam iriyarı, güçlü kuvvetliydi ama nefesi yavaşça kesilirken gücü de hızla tükeniyordu.

Nöbetçi fazla dayanamadı ve hareketsiz kaldı ama o yere yığılırken diğer koridorda da yaklaşan ayak sesleri duyuldu.

4

Sintra, Portekiz
Saat 23.40

Taş binanın duvarın üzerinden görünen iki katını bir süreden beri, iki yanı ağaçlı, kavisli sokağın karşı kaldırımından gözetliyorlardı. Ev sahipleri yaklaşık on beş kilometre uzaktaki okyanusun rüzgârlarını istemiyormuş gibi, binanın bütün pencerelerinde panjurları sıkıca kapamışlardı. Binanın büyüklüğüne ve çok geniş bahçelerine bakanlar ona kolayca bir şato ya da saray diyebilirlerdi. Aslında bu çevredeki bütün evler yazlıktan ziyade şatoya benziyordu. Bu küçük kasabanın yamacında gerçekten de üç tane kraliyet kökenli malikâne vardı.

1800'lü yılların başlarında Lord Byron gibi, Avrupa'nın soylu zenginlerinden bazıları da bu bölgeye âşık olmuşlardı. Son yüzyılda sosyalist hükümetlerin ve vergi yasalarının zorlamasıyla bölgedeki muhteşem villalar, malikâneler dünyanın yeni seçkinlerine, zenginlerine ve çoğunun merkezi vergi cennetlerinde olan çokuluslu büyük şirketlere satılmıştı.

O gece o sokakta sadece iki kişi vardı, kaldırımda amaçsız bir tavırla bir süre dolaştılar, yüksek duvarların arkasındaki birkaç malikâneye baktıktan sonra birinin önünde durdular ve gözlerini karanlık duvarlara ve panjurlara diktiler.

Keskin nişancı, "Burada insan trafiği çok az," dedi. "Bugün buralarda bir tek turist bile göremedik."

Diğeri duvarın üstünden binanın içini görmek ister gibi dikkatle pencerelere baktı ve " Elbette göremezsin," diye konuştu. "Zaten az olan turistler buraya otobüslerle geliyor, bugün meydanda gördüğümüz restoranda öğle yemeklerini yiyor ve gidiyorlar. Sarayları dolaştıktan sonra görecekleri fazla bir şey yok burada. Oteller oldukça pahalı ve oda bulmak için de karanlık kişilerden tavsiye getirmen gerekiyor."

Keskin nişancı kaşlarını çattı. "Sen Pegasus'un izini buraya kadar sürmeden önce bu yerin adını bile duymamıştım ben. Nasıl becerdin bunu?"

O sırada sokağın köşesinde büyük bir Mercedes göründü, yavaşladı, bir kavşakta dönerek yokuş yukarı doğru çıkmaya başladı ve iki arkadaş konuşmayı keserek onun arkasından baktılar.

"Bunu beceren ben değilim, sensin aslında. Birinin Froggies hava trafik kontrol bilgisayarına girmesini sağladın. Toulouse-Blagnac'tan Lizbon'a uçan bir tek özel uçak olduğunu öğrendik."

"Ama burası Lizbon değil ki."

"Evet, ama Lizbon'a yirmi kilometre mesafede. Sintra denen bu kasaba hep dikkat çekmek istemeyen insanların sığınağı olmuştur. Tanıdığım Portekizli bir avukatı aradım ve ona bir vergi araştırması yaptırdım ve Pegasus örgütü çıktı ortaya."

Mercedes tekrar göründü, dar sokakta başka bir dönüşe girdi ve bir başka duvarın arkasında yine kayboldu. İki arkadaş dikkatlerini tekrar baktıkları binaya çevirdiler.

Keskin nişancı, "Yani sana göre şu binada, kuleye benzeyen şu yerde mi?" diye sordu.

"Öyle sanıyorum, onu neden getirsinler buraya?"

İki arkadaş turist gibi ağır adımlarla yürümeye devam ettiler. Keski nişancı, "Çatıda yüksek voltaj da var," diye konuştu. "Bahçede hareketli gözetleme kameraları da olduğuna eminim. Belki köpekler de vardır."

Diğeri belirli olanı dile getirdi ve "Biz buraya saldırarak onu alamayız dostum," dedi. "Bu binayı gözetleyecek ve bir fırsat bekleyeceğiz."

"Ya bu fırsatı bulamazsak, o zaman ne yapacağız?"

Diğeri omuz silkti ve ceplerini karıştırarak, "Umudumuzu kaybetmeyecek ve bekleyeceğiz," dedi.

"Ama biz beklerken onu öldürebilirler."

"Aslında şimdi biz burada konuşurken bile öldürmüş olabilirler onu. Belki de daha önce öldürdüler. Ama öldürmek isteselerdi bu kadar uzak bir yere getirmezlerdi herhalde, değil mi? Bana göre her şeyden önce, sırlarını onun nasıl öğrendiğini bilmek isteyeceklerdir. O da bu bilgiyi vermediği sürece sağ kalacağının bilincindedir. O adam sağlamdır, kolay pes etmez, eminim bundan."

Biraz daha yürüdüler ve ilgilendikleri binanın duvarı dibindeki kalın ve dalları duvarın ötesine sarkan bir meşe ağacının altında durdular.

"Bana öyle geliyor ki eğer kurtulursa şu demir bahçe kapısından çıkmayacaktır, bundan eminim. Aslında arabadan gerekli malzemeyi alıp hazırlansak çok daha iyi olacak"

"Evet ama yardım çağırsak daha iyi olur gibi geliyor bana."

5

Müfettiş Fitzwilliam'ın en nefret ettiği şey, gece geç saatlerde çıkan ve onun çağırılmasına neden olan olaylardı. Fakat gece yarıları gelen telefonları karısı Shandon'un hiç rahatsız etmemesi de canını sıkıyordu onun. Otuz iki yıllık evlilikten sonra, gece yarısı onu göreve çağıran bu telefonlar umurunda bile değildi karısının.

Ama o gece gelen telefon gerçekten de çok önemliydi. Telefon eden kişi ona bir isim verir vermez Müfettiş yaylanmış gibi bir anda kalkıp oturdu yatağında.

"Kim?"

Karşısındaki kişi ismi tekrarlayınca yanlış duymadığını anladı ve kaşlarını çatarak, "Nerede?" diye sordu. "Bekle." Yandaki komodin çekmecesini açıp bir kalemle not defteri çıkardı ve "Şimdi şu talimatı bir kez daha tekrarla," dedi.

Hattın karşı tarafındaki kişi söylediklerini tekrarladı ve sonra telefon kapandı.

6

Lang bir yay gibi fırlayarak yerdeki silahı kaptı, omzuna astı ve yerde yatan nöbetçiyi omuzlarından çekerek odaya götürdü, kapıyı kapadı. Mecbur kalarak bir adam daha öldürdüğü için aslında üzülüyor, ama bir yandan da onu yeniden katil yapan diğer adamlara ateş püskürüyordu.

Nöbetçinin cesedini sürükleyerek yatağın diğer yanına götürdü. Ağzından nefes almaya çalışarak adamın belindeki ipi gevşetti ve cüppesini çekerek başını örttü. Kapı kalındı ama yine de koridorda nöbetçi sandalyesini boş bulunca şaşıran adamların seslerini duyabiliyordu. Hızlı hareket etmeliydi. Cesedi kaldırıp yatağının üstüne yatırdı ve üzerine bir örtü çekti. Kapı açılana kadar cesedin üstündeki rahip cüppesini çıkarıp kendi üstüne geçirmişti. Onlar içeriye girerken kukuletayı başına geçirdi ve silahı cüppenin altına sakladı.

Gümüş Saçlı Adam ona Slav dillerinden biri olduğunu tahmin ettiği ve anlamadığı bir dilde bir şeyler söyledi. Lang onun ne sorduğunu tahmin ederek yatakta, örtü altında yatan cesedi işaret etti ve anlaşılmaz bir şeyler mırıldandı.

Gümüş Saç yine bir şeyler söyledi ama bu kez sinirlenmiş gibiydi. Lang yine başını salladı ve yatağın kenarında kapıya doğru kaydı. Kapıyla iki adam arasına girer girmez odadan koridora fırladı, kapıyı çarparak kapadı ve kilit dilinin kurtulmuş olduğunu düşünerek anahtarı döndürdü. Anahtar dönerek kapıyı kilitleyince derin bir nefes aldı. İçerdeki iki adam kapıyı yumruklarken ve açmaya çalışırken Lang anahtarı rahip cüppesinin cebine attı ve koştu.

Holde oto aküleri taşıyan küçük arabalara benzer bir araba gördü, üzerinde gerçekten de bir akü ile teller ve kelepçeler vardı. O anda ona çektirdikleri acıyı düşünmeden edemedi ve o akü arabasını alıp aynı işkenceyi onlara yapmamak için güç tuttu kendini.

Koridorda birkaç saniye durup etrafı kontrol etti, silahı cüppenin altından çıkarıp şarjöre baktı, şarjör doluydu, otuz yedi mermi vardı içinde. Nöbetçide yedek bir şarjör de olsaydı daha çok sevinecekti Lang.

Cüppeyi kısa bir süre çıkarıp AK-47'nin namlusunu kolunun içine soktu, böylece gerektiğinde kolunu kaldırıp cüppe kolunun içinden ateş edebilecekti. Bu silah zaten oldukça kısa menzillerden ve nişan almadan otomatik ateş etmek için üretilmişti.

Lang sırtını duvara verdi ve sanki nereye gideceğini biliyormuş gibi dikkatli adımlara ilerledi. İki koridorun kesiştiği yerde durup etrafı kontrol etti. Her iki koridorun da duvarları sanki bir silindirin parçası gibi meyilliydi, üzerlerinde yan yana kapılar vardı ve hepsi de loş koridorlarda Lang'ın çıktığı odanın kapısına benziyordu.

Sağa mı yoksa sola mı gitmeliydi?

Lang sola yöneldi, böylece silah kullanmak zorunda kalırsa sağdan ateş etmesi daha kolay olacaktı. Birkaç adım sonra kemerli bir pencere altında üzerinde yine bir kemer olan bir merdivene geldi, camdan gecenin karanlığı görünüyordu. Merdiven sadece aşağıya iniyordu, demek Lang en üst kattaydı.

Blanchefort kulesinde olduğu gibi, burada da mermer basamakların ortaları yüzyılların ayak izleriyle aşınmıştı. Basamaklar da kısa bacaklara göre, alçak yapılmıştı. Merdiven bir orta direk etrafında dönerek inen bir spiral şeklindeydi ve Lang karanlıkta düşmemek için ağır adımlarla inmeye başladı.

İki katta da aynı büyüklükte, her ikisinde de pencere olan sahanlıklar vardı. Lang dışarıya baktığında gecenin karanlığından başka bir şey göremiyordu ama renkli camlar az da olsa parlıyor, hoş bir görüntü veriyorlardı.

Spiral merdivenin en altından hafif bir ses geldi ve Lang kulak kabartarak dinledi. Alt kata yaklaştıkça bu ses yükseldi ve Lang çok geçmeden bunun bir Gregorian şarkısı, bestesiz ama yine de melodisi güzel bir Latin nağmesi olduğunu anladı.

Ama şarkının sözlerini hâlâ anlayamıyordu, henüz çok uzaktı şarkıyı söyleyene ve bir süre sonra yeni bir sahanlığa indi. Merdiven aşağıya doğru devam ediyordu ama Lang şimdi pencereden dalları sokak lambasına doğru uzanan ağaçları görebiliyordu. Bir de duvar gördü ve durdu. Bu garip yuvarlak binada büyük ihtimalle en azından bir bodrum katı ya da zindanları olan bir mahzen vardı. Pencereden gördüğü manzaraya bakılırsa o anda zemin katta olmalıydı.

Daire şeklinde bir hole geldi, bunun yaklaşık altı metre yükseklikte kemerli bir tavanı vardı. Soğuk gri taş duvarlar halılarla kaplanmıştı ve halıların üstünde insan boyu kanlı resimler vardı. Bunlar oklarla delinmiş insan bedenleri, yakılan ve aslanlar tarafından parçalanarak yenen insanlardı. Bu zavallı kurbanların arasında ise elleri kılıçlı zırhlı şövalyeler, yerlerde sürünen miğferler görülüyordu.

Burası zemin kattı.

Kurtarma teknesindeki avukat fıkrasında olduğu gibi, Lang da nerde olduğunu biliyor, ama bu yerin nerede olduğunu bilemiyordu.

Ne yapacağını düşünürken taş zeminde ayak sesleri duydu. Lang silahı sıkıca kavrarken diğer eliyle de kukuletayı yüzüne doğru iyice indirdi. Ama boşuna telaşlanmıştı. Holün diğer ucundan birisi bir hayalet gibi aniden geçip kayboldu. Adamın elinde bir tespih vardı ve dua eder gibi bir şeyler mırıldanıyordu.

Lang nerdeyse orada duracak ve geçen Tapınak Şövalyesi gibi dua etmeye başlayacaktı. Şarkının söylendiği yere yaklaştı ve sağ taraftaki büyük, daire şeklindeki odaya bakınca içerde çok sayıda beyaz cüppeli ya da zincir zırhlı adam gördü. Odanın tam ortasında yine beyaz cüppeli bir adam mermer bir sunak önünde durmuş karşısındaki cemaate bir şeyler söylüyordu.

Pietro'nun Blanchefort kilisesini tarif ettiği gibi bir manzaraydı bu.

Lang kilisenin biraz ilerisindeki kapının dışarıya açıldığını sanıyordu. Nerdeyse tavana kadar yükselen iki kanatlı büyük kapıda Lang'ın bacakları kadar kalın bir demir sürgü vardı. Parlak sarı pirinçten olan kapı rezelerinin boyları yaklaşık bir metreydi.

Lang aniden kapıya koşmayı düşündü ama hemen sonra vazgeçti bu fikirden. Kapının iki yanında, üzerlerinde kırmızı haçlı beyaz pelerinleri ve ellerinde de AK-47 silahları olan iki iriyarı nöbetçi bekliyordu ve adamların orada dekorasyon amaçlı durmadıkları belliydi.

Nöbetçiler normal adımlarla kendilerine yaklaşan Lang'a meraklı gözlerle baktılar. Lang işaretle kapıyı açmalarını isteyince nöbetçiler yine anlamadığı o Slav diliyle bir şeyler sordular ona. Lang bu dili anlamadığını belirtmek için gülümseyerek omuzlarını silkti. Pegasus uluslararası bir örgüt olduğuna göre herkes aynı dili konuşuyor olamazdı tabii.

Kapının solunda duran nöbetçi ona bir şey okur gibi bir işaret yaptı ve elini ileri uzattı, Lang'dan yazılı bir izin belgesi istediği belliydi. Demek ki tarikat kardeşleri dışarı çıkmak için üst makamdan izin almak zorundaydılar.

Sağdaki nöbetçi Lang'ın ayağındaki Mephisto ayakkabılara bakıyordu. Lang oda nöbetçisine attığı ayakkabı tekini yeniden alıp giymişti. Ama burada herkes ya zırhlı ya da Jesus ayakkabısı giyiyordu. Onun ayakkabısına bakan ve ondan kuşkulanan nöbetçi silahına davrandı ama Lang ondan daha hızlıydı. Taş duvarlarda yankılanan silah sesi kulakları sağır edecek kadar güçlüydü. Nöbetçinin önündeki kırmızı haçlı yanları açık cüppe bir anda kızıla boyandı.

Diğer nöbetçi de silahını doğrulturken Lang artık öldürmeye alıştığını düşünerek bir el daha ateş etti ve onu da devirdi. Silah seslerinden hemen sonra şarkı sesi de kesiliverdi. Lang omzuna asılı duran silahı bıraktı ve iki eliyle kapıdaki ağır sürgüyü çekti. Bu kapının binanın bir başka bölümüne, kapalı bir avluya ya da bölgedeki dereye açılması ihtimalini düşünmüyordu bile.

Sürgü nerdeyse kırk kilo ağırlığındaydı ve Lang onu yerinden çekmek için yaklaşık bir metre yukarı kaldırmak zorunda kaldı. Kendisine yapılan işkenceden sonra hâlâ her yeri acı içindeydi ama artık ok yaydan çıkmıştı. Aslında canı o kadar yanıyordu ki bir an geriye dönerek içerdekilerin hepsini öldürmeyi bile düşündü.

Arkasından gelen sesleri duyup geriye bakınca, yuvarlak kilisedeki bütün cemaatin dışarı fırladığını ve kendisine baktığını gördü. Son bir gayretle sürgüyü çekti ve koca kapıyı ayağıyla itti. Büyük rezeler kolayca hareket etti ve kapının iki kanadı arasında bir metre kadar bir aralık açıldı. Lang kapının bu aralığından günün yavaşça ağardığını gördü hafif bir esinti hissetti.

Artık dışarı çıkmış sayılabilirdi.

Omzunun üzerinden geriye bakınca öfkeli kalabalığın hızla üzerine doğru geldiğini gördü. Adamlar silahsızdı ama niyetlerinin iyi olmadığı da belliydi. Lang yere eğilip nöbetçilerin düşürdüğü silahlardan birini aldı, emniyetini açtı ve iki dev kapının aralığından kendini dışarıya atarken havaya doğru birkaç mermi gönderdi. Korkunç silah sesi ve duvarlardan düşen kireç parçaları etkisini gösterdi ve peşinden gelenlerin hepsi kendilerini yere attılar.

Lang önüne çıkan merdivenden, aşağıda otomobil yoluna benzer yola doğru koşarak indi. Nerede olduğunu bilmediği için yolu izledi. Etrafta yarı tropikal bitkiler vardı ama ileride yolunu kapayan yüksek duvarı görünce bir an şoke oldu Lang. Duvar hem aşamayacağı kadar yüksekti ve hem de üzerine dikenli tel çekilmişti. Daha dikkatli bakınca duvarın üstünde elektrik telleri bulunduğunu anladı.

Fakat burada bir otomobil yolu olduğuna göre bir çıkış da olmalıydı. Lang yolun sonuna kadar gitti ve önüne yine biraz önce çıktığı kadar büyük bir kapı çıktı. Bunu bekleyen nöbetçiler eski zaman kıyafeti giymemişlerdi ama ikisinde de yine otomatik silahlar vardı ve biri bir cep telefonuyla konuşuyordu.

Lang bir çalılığın arkasına gizlendi ve düşündü. Nemli ılık esintiyle beraber tuzlu hava ve yasemin kokusu geliyordu burnuna. Yakınlarda bir deniz vardı ama hangi deniz olabilirdi bu?

Telefonla konuşan nöbetçi telefonu kapadı ve arkadaşına bir şeyler söyledi. İkisi de silahlarını ileriye doğru çevirip etrafı taramaya başladılar. Lang bu mesafeden onları hemen vurabilirdi. Ama silah sesi herkesi buraya toplardı ve Lang onlar gelmeden bu koca kapıyı açabileceğinden emin değildi. Kapının iki yanında bulunan çelik kollar kanatların bir mekanizmayla açıldığını gösteriyordu. Eğer bu mekanizma için bir şifre gerekiyorsa, ya da çalıştırmak için gerekli düğmeyi bulamazsa işi bitmiş demekti.

Bütün bunlar yetmiyormuş gibi köpek havlamaları duydu. Çok az vakti kalmıştı. Doğuda gün ağarmaya başlamıştı, sabah oluyordu. Yakında her yer aydınlanacaktı.

7

Çift motorlu DeHavilland uçak Lizbon Portela Havaalanı pistinden ayrıldı ve birkaç arabanın beklediği park yerine doğru taksi yapmaya başladı. Çok geçmeden birkaç siyah Lancia araba henüz tamamen uyanmamış şehrin Avenida Marchia'sında hızla bir hedefe doğru yol almaya başladılar.

Müfettiş Fitzwilliam arabanın renkli camından yavaşça aydınlanan caddelere bakıyordu. Uçakta incelediği turizm rehberine göre, şimdi şehrin eski merkezinden geçiyor olmalıydılar. Bir süre karısı Shandon'la tatil için Lizbon'a gelmelerini hayal etti, herhalde çok iyi eğlenir, hoşça vakit geçirirlerdi.

Ama ne yazık ki şu günlerde romantik seyahatlere ayıracak zamanı yoktu. Campo Grande'den geçerlerken sabah trafiğinde sipariş dağıtan kamyonları ve diğer trafiği yöneten beyaz kemerli trafik polislerine baktı. Çok geçmeden geniş IC19 yoluna çıktılar, bir yonca yaprağını ve Queluz adlı sayfiyeyi geride bıraktılar. Kıraç yamaçlarda sıralanmış kutu gibi evlerin tekdüzeliğini doğuda güneşin doğuşu bile bozamıyordu.

Müfettiş bu adamların yaptıklarına çok kızıyordu. Tutuklamayı görmesi için onu davet etmelerine ne gerek vardı ki! Aslında bir sürü bürokratik işlemin altında ezilecekti. Keşke bütün AB ülkeleri de Portekiz kadar işbirliği yapsalardı. Burada işbirliği yaptığı Carlas'a göre tutuklama emrine bile gerek olmayacaktı. Sadece kapıyı vuracak ve o lanet Bay Langford Reilly'yi tutuklayacaklardı.

Müfettiş koltuğunda arkaya yaslandı ve gülümsedi; zevkli

ve kolay bir iş olacaktı bu. Belki de o karısı Shandon için hediye olarak bir şeyler arar ve alışveriş yaparken, Carlas tutukluyu ABD'ye iade belgelerini bile hazırlar ve o da Reilly'yi hemen o akşam yanına alıp gidebilirdi.

Ama yine hayallere dalmıştı işte, bunun gerçekleşmesi mümkün değildi.

Onlar Reilly'yi yakalamadan önce olay yerel polise yansımasaydı iş çok daha kolay olabilirdi. Reilly'yi tutanları uyarabilir ve sadece kendilerine teslim edilmesini isteyebilirlerdi. Ama anladığı kadarıyla Sentra polisi bölge sakinlerini korumaya büyük önem veriyor ve bunu devlet yetkililerine rağmen ya da özellikle onlara rağmen yapıyordu.

8

"Bunu elektrik akımına kapılmadan kesebileceğine gerçekten inanıyor musun sen?"

Keskin nişancı ona cevap olmak üzere, küçük bir kayıt cihazına benzeyen siyah kutuya bağlı yalıtımı olmayan telin ucunu tuttu ve kesiverdi. "Bu şekilde devrenin kesildiğini en azından iki saat anlayamazlar."

Teli kesen iki adam duvarın üstünde, ağaç dallarıyla örtülü ve binadan görülemeyecek olan bir noktada ata biner gibi bacaklarını açıp oturdular. Teli kestikleri kısmını duvarın dışına atmışlardı. İkisinin altında küçük bir kapı vardı ama o da asmalardan görünmüyordu. Duvara tırmanmak için kullandıkları ucu kancalı halat yanlarında duruyordu ve onu duvara atarken, sesini nöbetçilere duyurmamak için kapıya giden otomobil yoluna taşlar atarak onların dikkatini o tarafa çekmişlerdi.

Adamlardan biri, "İki saat içinde binadan çıkamazsa ne yapacağız peki?" diye sordu. "Sakince kapıyı çalıp onu görmek istediğimizi mi söyleyeceğiz yani?"

Diğeri ona cevap vermek için hafifçe dönünce birden elini kaldırdı ve arkadaşını susturdu; hava ağarmaya başlamıştı ve büyük bahçe kapısındaki iki nöbetçi şimdi kolayca görülebiliyordu. Nöbetçiler bir şey tarafından uyarılmış gibi dikkatle çevreyi gözetliyorlar, biri cep telefonunu kulağında tutuyordu. Duvar üzerinde bekleyen iki adam birkaç saniye sonra da köpeklerin havlamalarını duyunca bir şeyler olduğunu hemen anladılar.

9

Lang fazla seçeneği olmadığının bilincindeydi. Köpekler en çok iki ya da üç dakika içinde onun kokusunu alıp adamları oraya getirecek, ya da kendileri ona saldıracaklardı. İki adamı da öldürmek zorundaydı ama yaylım ateşle ikisini aynı anda temizlemeliydi, yoksa karşı ateşe maruz kalabilir, vurulabilirdi. Silahın otomatik atış pozisyonunda olup olmadığını bir kez daha kontrol etti, derin bir nefes aldı, namluyu önce en yakınında olan nöbetçiye doğrulttu ve nefesini verirken tetiğe bastı.

Ama hiçbir şey olmadı, silah ateş almadı. Lang birden şoke oldu, her tarafı buz gibiydi. Silahın emniyeti açıktı ve ateşe hazırdı. Silah içerde vurduğu adamların birine aitti, yere düşünce almıştı onu ama şarjörüne bakmamıştı. Şarjörde birkaç mermi kalmış olmalıydı ve içerdeki nöbetçi de ateş ederek mermilerin hepsini harcamış olacaktı.

O silahın artık sadece kabzasını kullanabilirdi. Çalıların arasından aniden fırladı ve bacaklarının bütün gücüyle kapıya doğru koştu. Arkasından gelen köpek havlamaları ve adamların bağırmalarını rahatça duyabiliyordu. Bunlar büyük olasılıkla cehennem Dobermanları olacaktı.

Lang kapıya on metre kadar yaklaşmıştı ki birden arkasında köpek sesleri dışında garip bir ses duydu ve ne olduğunu anlamak için başını geriye çevirirken ensesine korkunç bir darbe yedi, bir anda sendeledi, dünyası karardı ve kendini kaybetti.

10

Altı araba üç metre yüksekliğindeki demir kapının önünde arka arkaya durdular. Müfettiş Fitzwilliam arka koltuktan aşağıya, kaldırıma inerken, iki adam Amerikan yapımı M16'ya benzer silahların dipçiğiyle demir kapıya vurmaya başlamışlardı bile. Müfettiş kapıya bakınca Carlas'ın yan taraftaki bir ızgara arkasında duran bir adama bir şeyler söylediğini gördü ve büyük demir kapı yavaşça açılmaya başladı.

11

Lang kendini kısa bir süre kaybetti ama hemen toparlandı ve başının arkasındaki müthiş acıyı tekrar hissetti. Gözlerini aralayınca kendisini ayaklarından tutarak yerde sürükleyen iki adamı gördü, ikisinin de omzunda tüfek vardı.

Etrafta heyecanla bağıran adamlar vardı ve onu ortaçağ şatosuna benzeyen bir binaya doğru sürüklüyorlardı. Birden motor sesleri duyunca başını çevirdi ve otomobil yolundan yukarı doğru gelen beş ya da altı siyah arabayı gördü. Bu arabalar ya bir Mafya cenazesine geliyorlardı, ya şehirde bir pezevenkler toplantısı vardı ya da gerçekten önemli bir adam gelmişti. Lang fazla düşünemedi, başı çok ağrıyordu.

Tekrar bakınca haki üniformalı iki adam gördü; bunlar

jandarma ya da polis olabilirdi. Kafası çatlayacak kadar ağrımasına rağmen birden gerçeği görür gibi oldu; nasıl olduysa polisler onu bulmuşlardı galiba. Bu kez süvariler onu kurtarmaya gelmişlerdi işte.

Ama sevinci uzun sürmedi, adamlar onu polislerden kaçırıyorlardı. Adamlardan biri Lang'ın başına bir namlu dayadı; onu uyarıyorlardı, sesini çıkardığı takdirde sonu gelmiş demekti. Koca binada onu rahatça saklayabilirler ve polisler de onu asla bulamazdı.

Umutsuzluk içinde kendini bırakmak üzereydi ki birden, "Lang buradayız!" diye bağıran bir ses duyunca şoke oldu.

Lang duvar tarafından gelen bu sesi tanıyordu ama gerçek olamazdı bu. Herhalde hayal görüyordu. Ama onu sürükleyen iki adam da bir anda şaşkın gözlerle çevreye bakındılar, Lang'ı bırakıp silahlarını geriye, sesin geldiği yöne çevirdiler. Lang onların kendisini bıraktıklarını görünce birden ayağa kalkıp öne doğru fırladı.

Ama adamlar silahlarını tekrar ona doğru çevirdiler ve Lang sonunun geldiğini düşündü. Fakat aynı anda hiç beklenmedik bir şey oldu, adamlardan önce biri, sonra da diğeri görünmeyen bir çekiç darbesi yemiş gibi öne doğru devrildiler ve hemen bunun arkasından onları öldüren silahın sesi duvarlarda yankılandı.

Lang eğilip onların yere düşen silahlarını almak istedi ama biraz önce ona bağıran ses yine, "Kaç Lang! Kaç hemen!" diye haykırdı.

Lang sesin geldiği tarafa doğru koşarken duvardan sarkan halatı gördü. Daha sonra bu olanları düşününce, yeterince destek alan ve cesaretlendirilen bir insanın kitaplardaki tüm rekorları kolayca kırabileceğine inandı. O halata uzanırken bir rekor kırdığını biliyordu. İki eliyle halatı kavradı ve ayaklarını da duvara dayayarak duvara Tarzan'dan daha hızlı, birkaç saniyede tırmanıverdi. Vücudundaki tüm ağrılar sanki bir anda yok olmuştu.

Ama tırmanırken çok açık bir hedef oluşturduğunun da bilicindeydi, her an bir silah sesi duyabilir, birkaç kurşun yiyebilirdi. Ama silah sesi duyulmadı ve Lang rahat bir nefes aldı. Tapınak Şövalyeleri ateş ederlerse bütün Portekiz polisini karşılarında bulacaklarını anlamış ve onu vurmaya cesaret edememişlerdi.

Duvarın dibinde sesler geliyordu ve kendisini halatla yukarıya çekerken ayağına bir şey çarptı. Lang köpeklerin duvara sıçramamaları için dua ederken duvar üstünde birinin halatı yukarıya çektiğini gördü.

Gurt'un duvar üzerinde atış pozisyonu almış ve aşağıya doğru nişan aldığını görünce hemen hiç şaşırmadı Lang, çünkü onun sesini tanımıştı ve nişancılığını da biliyordu. Fakat onun yanındaki adamın Jacob olduğunu görünce şaşırmaktan ve başını iki yana sallamaktan alamadı kendini.

Jacob'un yüzüne baktı ve "Sen bu işler için artık fazla yaşlısın dostum," dedi.

İsrailli tecrübeli ajan halatı duvarın diğer tarafına, caddeye uzatırken, "Lanet teşekkürün için sağ ol dostum," diyerek sırıttı. "Ama istersen daha sonra teşekkür edersin. Önce şuradan aşağıya inip bir uzaklaşalım bu lanet yerden. Bak arkadaşların aşağıdan sana bakıp hırıldıyorlar, havlıyorlar."

Köpekler duvarın dibine toplanmış, yukarıya, onlara bakıp havlıyorlardı.

Gurt dürbünlü keskin nişancı tüfeğini omzuna astı ve halatı yakalayıp aşağıya doğru kayarken, "Siz ikiniz isterseniz burada kalıp sohbetinize devam edin," dedi. "Ama ben gidiyorum buradan."

Lang onun arkasından halata sarılıp duvardan inerken her yerinin yeniden ağrımaya başladığını hissetti. Üçü birkaç saniye duvarın dibinde, ağaçların ardında durdular ve Jacob halatın ucundaki kancayı duvardan kurtarıp aşağıya aldı ve halatı topladı. Gurt silahını söktü ve parçalarını bir çantadaki yerlerine yerleştirdi.

Lang, "Sizin gibi tecrübeli ajanlar korkak görünmemek için kaçmayı sevmezler ama ben burada çok çektim," diye konuştu. "Onun için isterseniz bir an önce uzaklaşalım bu lanet yerden, ne dersiniz?"

Jacob omuz silkti ve "Aceleye gerek yok arkadaşlar," diyerek sırıttı. "Şatodakiler şu anda dışarıya çıkamazlar, Müfettiş Fitzwillam ve yanındakiler onları uzun süre içerde tutup sorularıyla bunaltacaklardır, bundan eminim. Portekiz yasalarını iyi bilmem ama şatodakiler en azından içerdeki yasadışı silahlar ve cephanelik konusunda açıklama yapmak zorunda alacaklardır.

Lang da bir Amerikalı olarak, Avrupa'da av silahları dışında silah sahibi olmanın ne kadar güç olduğunu unutmuş gibiydi.

Lang, "Kim bu Müfettiş Fitzwillaim?" diye sordu.

Gurt ona cevap verdi ve oradan ayrılırlarken Jacob'la beraber, Lang'ı önce Languedoc'a ve sonra da Sintra'ya kadar nasıl izlediklerini anlattılar. Lang daha önce bulunduğu ülkeleri önceden tanıdığı, ya da nerde bulunduğunu bildiği için, bu kez bilmediği bir yere getirildiğine çok sinirlendi.

Henüz şato arazisinden çıkmamışlardı, bir süre yürüdükten sonra karşılarına bir başka duvar çıktı ama bunun üzerinde dikenli tel yoktu. O duvarı aştıkları zaman Tapınak Şövalyelerinin komşusu olan araziye girmişlerdi ki burası oradan yaklaşık çeyrek mil mesafedeydi.

Onlar yokuş yukarı bir yerde bir sokakta park ettikleri Fiat 1200 arabanın yanına geldikleri zaman her yandan polis sirenleri duyulmaya başladı. Flaşları yanıp sönen ve sireni öten iki polis arabası hızla onların yanından geçip uzaklaştı.

Bölüm İki

1

Roma'ya gelene kadar arabayı sırayla kullandılar, gerektiğinde benzin almak ya da bir şeyler yemek için kısa süreli molalar verdiler, dinlendiler. Roma'da Gurt onları Via Campania'da bir apartmanın en üst katındaki bir güvenli eve götürdü. Küçük dairenin tek penceresinden, eski şehir surlarının ötesinde Roma'nın en büyük parkı olan Villa Borghese görünüyordu.

Jacob salondaki açılır kapanır divana yatıp hemen uykuya dalarken Gurt ve Lang da küçük yatak odasında yattılar. Lang işkencelerin cinsel yaşamını fazla etkilememiş olduğunu görünce sevindi tabii.

Lang orada kaldıkları üçüncü günün sabahında uyandığı zaman, o günün Pazar olması gerektiğini düşündü. Sokaklarda yoğun sabah trafiği yoktu, her yer sessizdi ama parktân ve bisiklet yollarından neşeli çocuk sesleri duyuluyordu.

Üç arkadaş dairenin daracık mutfağında birbirlerine yardım ederek güzel bir kahvaltı hazırladılar. Jacob sabah kahvaltısında arkadaşlarını kızarmış balık kokusuyla rahatsız etmemek ya da Roma'da isli balık bulamadığı için sosis alıp kızartmıştı.

Lang ikinci espresso kahvesine başlamıştı ki Jacob piposunu, Gurt da Marlboro sigarasını yaktı. Lang eliyle dumanları dağıtmaya çalışırken, "Aman Tanrım!" diye söylendi. "Siz beni akciğer kanseri olayım diye mi kurtardınız dostlar?"

Jacob, "Bu da gösteriyor ki burada sonsuza kadar birlikte kalamayız, değil mi?" diye konuştu. "Eh, söyle bakalım, geleceğinle ilgili olarak neler düşünüyorsun sen?"

Lang sigara dumanını bir anda unuttu ve öfkeli bir sesle, "O hergelelerin sırlarını bütün dünyaya açıklayacağım," dedi. "Sırları açığa çıktıktan sonra artık hiç kimseden şantajla, zorbalıkla para alamayacaklar ve sonları gelmiş olacak."

Jacob piposundan bir nefes çekip dumanı geriye doğru üfledi ve "Ondan sonra da kalan kısa ömrünün sonuna kadar omzunun üstünden korkuyla geriye bakıp duracaksın, öyle mi?" dedi.

"O aşağılık herifler kız kardeşimle oğlunu öldürdüler ve işlemediğim cinayetleri benim üstüme attılar. Onlarla öpüşüp barışacak mıyım yani?"

"Evet, bence de onlardan intikam almalısın ve bunu kendin için olmasa bile milyonlarca Hıristiyan için yapmalısın dostum. Gerçi ben Yahudi'yim, Kilise konusunda söz söylemeye hakkım olmayabilir, ama Hıristiyanlık dünyayı dengeleyen bir güçtür. Onu tahrip ettiğin takdirde...."

Gurt onların konuşmasını dikkatle dinliyordu ve Jacob'un son sözünü duyunca dayanamayıp müdahale etti.

"Hıristiyanlığı tahrip etmek mi?" diye parladı. "Sen bunu nasıl....?"

Jacob piposunu ona doğru salladı ve "Bunu ben söylemiyorum," dedi. "Lang'ın sözüdür bu. Söylesene ona Lang."

"Evet, söyle bana bakalım!"

Lang içini çekti. "Jacob Tapınak Şövalyelerinin güncesini okudu, o da benim gibi aynı şeyleri tahmin etti ve ikimiz de haklıydık. O günceyi yazan Tapınak Şövalyesi ya da o tarikatın adamı Gnostik dalaletini biliyordu, yani...."

Gurt meraklı bir ifadeyle ona baktı ve "Ne dalaleti dedin, anlayamadım?" diye sordu.

"Gnostikler Hıristiyanlığın ilk tarikatlarından biriydi. Hz. İsa'nın Tanrı değil, ölümlü olduğuna inanıyorlardı. Bu nedenle Hz. İsa çarmıha gerildikten sonra bedeni değil de sadece ruhu cennete çıktı. Roma imparatoru Constantine 325 yılında Hıristiyanlığı resmi din olarak kabul edince, birçok piskopos Nicea'da toplanarak bazı sorunları çözmeye karar verdiler. Önce Hz. İsa'nın hayatından bazı bölümleri ele aldılar, Matthew, Mark, Luke ve John'un anlatımlarını seçtiler. Çünkü onlar Hz. İsa'nın bedeni ve ruhuyla dirileceğine inanıyorlardı. Onun ölümsüzlüğü esastı, Hıristiyanlığın temel mesajı buydu ve aynı zamanda Yahudilikte de Mesih kehanetiydi bu. Bunun sonucunda Gnostikler ve resmi görüşü kabul etmeyenler kâfirler olarak yok edildiler.

"Tapınak Şövalyeleri Gnostikleri haklı buldular; Hz. İsa'nın bedeni cennete çıkmamıştı ve erkek kardeşiyle karısı onun cesedini de alarak Filistin'den kaçtılar."

Jacob burada söze karıştı ve "Pietro'nun bulduğu ve 'kap' içinde dediği Gnostik yazıları bunlardı işte," dedi.

Lang, "O zamanın Yahudi âdetlerine göre ölen insanın cesedi en azından bir yıl mezarda çürümeye bırakılmalıydı," diyerek konuşmasına devam etti. "Ondan sonra kemikler taş bir kutuya konuyor ve sonsuza kadar gömülüyordu. Ama Hz. İsa'nın cesedinin Languedoc'a getirilip getirilmediğini ve kemiklerine ne olduğunu bilemiyoruz."

Gurt, "Çarmıha gerildikten sonra Onun ölüsünü neden gömüldüğü yerde bırakmamışlar peki?" diye sordu.

Lang omuzlarını silkti. "Bunu bilemem elbette, ama bazı tahminlerde bulunabilirim. Yahudi inanışına göre bedenin canlanması konusu geçerliydi. Cenazeyi olduğu yerde bırakmak Hz. İsa'nın Mesih statüsünü inkâr etmek ve müritlerine ihanet olurdu. Ayrıca ailesi almadığı takdirde cenazeyi müritleri de alabilirdi. Üçüncüsü, Hz. İsa bir suçlu gibi idam edildi. Mezarlara zenginler gömülüyordu. Cenaze kötü bir mezara da gömülebilirdi."

Gurt, "O halde ceset ya da kemikleri bunun için mi güneybatı Fransa'ya getirildi yani?" diye sordu.

Lang başını salladı ve "Tapınak Şövalyeleri de kemiklerin nerede olduğunu öğrendiler," diye devam etti hikâyesine. "Hz. İsa'nın kemiklerinin bulunması Kilisede nasıl bir karmaşa, ne büyük bir hasar oluştururdu düşünsene. Tapınak Şövalyeleri de bundan yararlanmak istediler ve Kiliseye, Papaya şantaj yapmaya başladılar."

Gurt başını salladı ve "Evet, ama sen şu anda Ortaçağdan söz ediyorsan, o zaman Papa oldukça güçlüydü, kemikleri alıp onların bulamayacağı bir yere saklayabilir, yok edebilir ya da Şövalyeleri ortadan kaldırabilirdi," dedi.

Lang başını salladı. "Ben sadece tahminlerde bulunuyorum, ama Papanın da o devirde o kadar güçlü olduğunu sanmıyorum. Bir savaşa giderken hep paralı asker tutarmış. Şövalyelerin ise daimi bir ordusu varmış ve mezarın bulunduğu yere Blanchefort kalesini inşa ederek güçlendirmişler orayı.

Kemikleri oradan almaya kalkanlar onların sırrını da açığa çıkaracaklardı. Ayrıca hiçbir Papa da Hz. İsa'nın mezarının varlığını kabul etmek istememiş ve kabul etse bile mezara saygısızlık etmekten kaçınmışlar diyebilirim."

Jacob ve Gurt bir süre hiç ses çıkarmadan düşündüler, Lang'ın anlattıklarında açık arıyor gibi bir halleri vardı.

Sonunda Jacob, "Söylediklerin doğru olsa bile, Tapınak Şövalyeleri neden kemiklerin bulunduğu kutuyu daha güvenli bir yere götürmediler?" diye sordu.

Bunu Lang da düşünmüş ve mantıklı bir cevap bulmuştu bu soruya. "Mezarı bulmak için bir ipucuna ihtiyaçları vardı Şövalyelerin," diye devam etti. "Ellerine geçen bir belge onları doğruca Hz. İsa'nın mezarına götürecekti. Kemikleri oradan alıp başka bir yere götürselerdi o kemik kabının orijinalliği kaybolacaktı."

Jacob anlamış olduğunu göstermek için başını salladı. "Yani varlığından kimsenin haberi olmadığı, ama birinin bodrumunda bulunan ve üzerinde Rembrandt imzasına benzer bir imza olan bir tablo gibi, değil mi? Boyayı, tuvali test edebilirsin, ama her zaman küçük bir kuşku kalacaktır ortada."

Lang, "Evet, onun gibi bir şey," dedi. "Şövalyeler böyle bir kuşkuya tahammül edemezlerdi."

Gurt kahve kupasını doldurdu ve bir kaşını kaldırıp Jacob'a baktı.

Jacob, "Hayır, teşekkür ederim," dedi. "Benim için biraz fazla sert olmuş bu kahve."

"Ama bu bir espresso, sert olması gerekir."

Jacob kahve kupasını elinin tersiyle biraz ileriye itti. "Gerçek bir İtalyan kahvesi olabilir ama benim sinirlerim fazla kafein kaldırmıyor artık. Evet, Lang gelecek için planın nedir, söyle bakalım?"

Adam haklıydı, Lang Şövalyelerin sırrını açıklarsa tatmin olacak, ama dünya nüfusunun büyük bir kısmını da karıştıracak, mahvedecekti. Janet dindarlığı sayesinde bulmuştu huzuru. Lang kim oluyordu da iki bin yıllık huzuru bozacaktı? Gerçi bu uzun zaman içinde Haçlı Seferleri, Engizisyon ve diğer bazı kötü olaylar da yaşanmıştı ama genelde pek çok şey yolunda gitmiş sayılabilirdi.

Lang bir süre düşündü ve Gurt'a bakarak, "Pegasus hiç kuşkusuz benim peşimde olacak," dedi. "Nerede olduğumuzu bilmeleri elbette bizim için bir avantaj değil. Beni o belalı yerden kurtardığınızı öğrenirlerse ikinizin teşkilatları da size kızacaktır. Burada dükkânlar Pazar günleri açık oluyor mu acaba?"

Gurt meraklı bir ifadeyle ona baktı. "Çoğu açık olur. Neden sordun?"

"Bana bir bilgisayar bulabilir misin? Modemi olduğu sürece herhangi bir marka dizüstü olabilir."

Genç kadın kaşlarını çatarak ona baktı. "Sanırım uçak biletlerin gibi bunun harcaması da benim kredi kartıma yüklenecek, değil mi?"

Gurt bunun için ona kızmıyordu ama unutmasını da istemiyordu.

Lang, "Tamam, tamam," dedi. "Harcamaların hepsini sana ödeyeceğimi biliyorsun."

"Nasıl yapacaksın bunu peki?"

Lang onun ne demek istediğini anlamadı ve soran gözlerle bakınca Gurt, "Bak ne diyeceğim sana," diye devam etti. "Ben

Atlanta'yı görmeyi, Tara'yı ve o harika kitapta adı geçen yerleri görmeyi çok istiyorum aslında."

Lang sonunda anladı onu ve "Yani sen şimdi Rüzgâr Gibi Geçti adlı romanı ve oradaki Atlanta'yı mı söylüyorsun?" diye sordu. "Politik olarak uygun görülmediğinden artık onun okunmadığını sanıyordum ben. Zaten o söylediğin yerler aslında yok."

"Ben Amerika'nın güneyine ve Atlanta'ya hiç gitmedim."

"Atlanta bu mevsimde çok sıcak olur ve şehrin havası çok kötüdür."

"Ben de dışarıda, bir çadırda kalacak değilim herhalde, sanırım klima sistemi denen şeyden vardır orada da, değil mi?"

"Trafik de korkunçtur."

"Orada araba kullanmaya niyetim yok."

Jacob da sırıttı ve "Çok güzel bir yere benziyor," dedi.

Gurt, "Ben yine de görmek istiyorum o şehri," diye ısrar etti. "Sanırım sen benim oraya gelmemi istemiyorsun, öyle mi?"

Lang onun yaşadığı yere gelmesini gerçekten de istemiyordu. Aslında Gurt oraya gelip şehri ziyaret edebilirdi ama Lang küçük dairesinde bir kadınla bir geceden fazla kalma fikrini pek beğenmiyordu. Küçük dairesinde ve banyosunda kadın çamaşırları ve tuvalet eşyaları, kremler görmeye dayanamazdı. Evine birkaç kez hoşlandığı birkaç kadın getirmiş ama kadınlar uzun süre kalmak isteyince onlardan zor kurtulmuştu. Ama Gurt onlara benzemiyordu, onun hayatını kurtarmış ve çok yardımcı olmuştu, şu anda yine kurtarıyordu onu. Lang nankör bir adam değildi. Özellikle de Gurt'un ziyareti belirsiz bir tarihte ve kadın da çok çekici olduğu için onu diğerleriyle bir tutamazdı tabii.

Lang başını salladı ve "Pekâlâ, istediğin zaman gelebilirsin Atlanta'ya," dedi. "Şimdi şu bilgisayarı alıyor musun bana?"

Gurt güldü ve "Sana bürodan bir tane getirebilirim," dedi.

"Hayır, ben yeni bir bilgisayar istiyorum, üzerinde benden başkasının e-posta adresi olmasın." Durdu ve Jacob'a döndü. "Baksana arkadaş, ben Pegasus'un e-posta adresini istiyorum. Onlar Channel Islands'da kayıtlı bir şirket olarak biliniyorlar, onun için bir adresleri, belki yasal işleri için bir de Web siteleri olabilir."

2

Jacob ona Pegasusltd@gb.com olan adresi kolayca buldu. Bilgisayarı satan mağaza uzmanları yeni bilgisayarın programlamasında ona yardımcı oldular, Lang'ın e-posta adresi ve şifresiyle ilgili her şeyi yaptılar, böylece Lang internet sistemini kullanabilecekti.

O gün Lang üçünün de uygun gördüğü mesajı yazarken, Gurt ve Jacob omzunun üstünden onu izliyorlardı:

Ortak ilgimiz olan meseleyi tartışmak için görüşmek istiyorum.

Mesele kamuoyuna açıklanmadan önce cevap verin.

Reilly.

Mesaj pek tatlı sayılmazdı ama kısa ve anlaşılır bir tarzda yazılmıştı.

Mesaj gittikten sonra bir saat geçti. Lang çok dalgındı, vakit kazanmak ve can sıkıntısından kurtulmak için Cuma gününün International Herald Tribune gazetesinin aynı sayfasını belki on kez okudu. Jacob pencere önündeki divanda kestirirken, Gurt da radyoda Almanca bir futbol maçı yayını dinliyordu.

Herald Tribune "Calvin ve Hobbes"ın hâlâ var olduğu tek yerdi. Ama Lang bu kez resimli hikâyeden nedense hoşlanmadı. O şimdi bir e-posa adresinden belirli bir telefon numarasına nasıl ulaşılabileceğini düşünüyordu.

Mesajın üzerinden bir saat birkaç dakika geçmişti ki bilgisayarda hafif gong sesini andıran bir ses duyuldu ve ekranda birkaç kelime ile beraber kapalı bir zarf vardı ki "postanız var" anlamına geliyordu. Mesaj şuydu:

Zaman, yer ve koşulları belirtin.

Pegasus sorunu henüz yasal bölümüne aksettirmemişe benziyordu. Lang daha önce Gurt ve Jacob'la konuşmuş ve bu tür bir muhtemel mesaja uygun cevabı hazırlamışlardı. Cevabı bilgisayara hemen yazdı:

San Clemente Kilisesi, Via di San Giovanni, Laterano. Roma. Triclinium of Mithras.

Saat 1530. Gelecek Salı. Sadece bir kişi.

Gurt kırk sekiz saatlik bir süreç düşünmüştü. Lang o kadar zamanda her yerden ulaşabilirdi Roma'ya ve bu yüzden e-posta gönderildiğinde her yerde olabilirdi. Yeri Jacob seçmişti. San Clemente Roma'nın tipik tarihi yerlerinden biriydi ve birçok tarihi dönem yaşamıştı. Esquiline Tepesinin yamacında, sokak düzeyinde, hatta biraz da altında olan kilise on ikinci yüzyıldan beri kullanılıyordu. Oymalı sunak ve Aziz Clement'ın boğuluşunu tasvir eden mozaiklerin altında dördüncü yüzyıldan kalma kilise harabesi vardı. Daha derinde ise Mithras Tapınağı harabeleri vardı ki, bu birinci yüzyıl erkeklik kültü İran'dan Roma'ya getirilmiş ve Romalı askerler arasında popüler olmuştu.

Lang'ın hatırladığı kadarıyla bu tarihi alan on yedinci yüzyıldan beri bir İrlandalı Dominikan tarikatı keşişleri tarafından bakılmış ve sürekli olarak kazılmıştı. Ama Lang'a sorarsanız adamlar orada asla viski bulamamışlardı.

Burası potansiyel olarak tehlikeli bir görüşme için oldukça avantajlıydı. Her şeyden önce çok az turist bilirdi burasını. İkincisi, Mithran tapınağının geçitleri ancak bir insanın geçebileceği genişlikteydi. Ayrıca kilise bir tepenin eteğindeydi, Jacob alanı yukardan gözetleyebilir ve bir tehlike anında cep telefonuyla Lang'ı kolayca uyarabilirdi. Diğer yandan Gurt da tüfeğiyle tek girişi kolayca kontrol altında tutabilecekti.

3

Roma: Laterano

Bir sonraki Salı saat 15.30

Roma'da kiliseler hafta içi günlerde öğle vakti saat yarımda kapanır ve üç buçuk saat sonra tekrar açılırlar. Jacob ve Gurt, sabah saat ondan beri Via di San Giovanni'deki bir ayakkabı mağazasının ikinci katındaki deposunda bekliyorlardı. İtalyanların iş anlayışına göre, mağaza sahibi bir deste para karşılığında dükkânının herhangi bir iş için kullanılmasını hiçbir soru sormadan kabul etmişti. Ne de olsa nefret edilen vergi memurlarının hiç haberi olmayacaktı bu paradan ve vergisiz kazançtı bu.

Roma'da zamana pek dikkat edilmezdi ama kahverengi cüppeli bir keşiş kilisenin kapısını saat tam üç buçukta açtı. Lang keşişi izleyip arkasından yürürken, arka tarafına, beline taktığı. 38'lik tabanca sırtına batar gibi oldu. Birkaç metre sonra sol taraftaki oymalı koro bölmesini geçtiler.

Orada keşiş birden ortadan kayboldu ve Lang yalnız başına kaldı. Sunağa yaklaşırken taşın üzerinde kabartma yapılmış hayvan ve yaprak resimlerini fark etti. Sağ tarafta açık bir kapı ve bir merdiven görünüyordu.

Lang'ın indiği karanlık boşluk, alçak tavandan beş altı metrede bir sarkan küçük ampullerle hafifçe aydınlatılmıştı. Daha aşağıda bir yerlerde su sesleri geliyordu ve orada da Roma'daki suyu içilen yüzlerce çeşmeden biri olabilirdi. Girdiği geçit iki kişinin geçebileceği genişlikteydi. Duvarlarda zamanla aşınmış asık insan yüzü kabartmaları vardı.

Geldiği yer bir dördüncü yüzyıl mabediydi ve buranın tavanı geçtiği diğer yerlerden biraz daha yüksekti. Lang olduğu yerde durdu ve akarsuyun sesini dinledi. Herkes sessizliğin bir sesi olmadığını söylerdi ama böyle derin bir sessizlikte, muhtemel bir katilin yaklaşan çok hafif ayak sesleri bile çok uzaklardan duyulabiliyordu.

Döner bir metal merdiven bir alt kata iniyordu ki o kat modern dünya sokaklarının yaklaşık on beş metre altındaydı. Mithran tapınağından geriye kalmış olan bu bölüm daha da loştu. Geçtiği daracık yerde harap olmuş duvarlar Lang'ın ancak beline kadar çıkıyordu. Birkaç köşe döndükten sonra alçak kemerli tavana uzanan çelik inşaat iskeleleri gördü. Ama bu iskelelerin oraya ne amaçla kurulduğunu anlayamadı.

Klostrofobisi olanların hiç dayanamayacağı bir yerdi burası.

Dış duvarlarda açık olan ızgaralardan karanlıkta simsiyah görünen sular öfkeli sesler çıkararak akıyordu. Her yerde tuğlalar, inşaat malzemeleri vardı, burada arkeoloji çalışmaları yapıldığı belliydi ama ortada hiç kimse görünmüyordu. Lang yüzyılların harabeleri arasında ve altında yalnız başına ve düşmanla baş başa olduğunu düşününce ürpermekten alamadı kendini.

Dikkatle yürüdüğü daracık yolun sonunda bir odaya vardı. Odanın iki yanında, taş duvarlarda birer taş bank vardı. Odanın ortasında, göğüs yüksekliğindeki beyaz mermer blok üzerinde bir boğayı öldüren Mithras kabartması vardı ve resim tavandan sarkan birkaç küçük ampulün ışığında insanı düşündürüyordu.

Burası dinsel ayinlerde kullanılan triclinium olacaktı. Lang loş ışıkta saatine baktı; üçü otuz yedi geçiyordu. Banklardan birine oturdu ve beklemeye başladı; o anda etrafta akan suların şırıltısından başka bir ses ve iki bin yıl önce ölmüş Romalıların rūhlarından başka bir şey yoktu.

Odada esinti yoktu ve tavandan sarkan küçük ampuller sallanmıyordu ama sanki loş ortamda duvarlarda kıpırdayan bazı şekiller varmış gibi geldi Lang'a. Fakat belinde takılı duran .38'lik tabanca ona büyük güç veriyordu.

Bir süre sonra sabırsızlanmaya başladı ve tekrar saatine bakmak üzereydi ki, su şırıltısına benzemeyen, farklı bir ses duyar gibi oldu. Ayağa kalkarak sesin geldiği yöne döndü ve çok geçmeden bunun ayak sesleri olduğunu anladı.

Lang belinden tabancasını çekip eline aldı ve odanın diğer ucuna giderek sunağı kendisiyle gelen kişi arasına soktu. Gurt'un vakti olmadığı için ona ancak şarjörü altı mermi alan bu küçük tabancayı getirmişti ama şimdi yanında otuzdan fazla mermi alan büyük bir otomatik silah olsaydı çok daha rahat olacaktı Lang. Ama en azından sürpriz avantajı ondaydı.

Ya da o öyle sanıyordu.

Loş ışıkta adamın yüzünü iyi göremedi ama parlayan gümüş renkli saçları hemen tanıdı. Gümüş Saç, "Hadi, Reilly," diye konuştu. "Saklanmana hiç gerek yok. Sana zarar vermek isteseydim zemin kattan buralara kadar rahatça inemezdin, değil mi?"

Lang tabancasını iki eliyle sıkıca kavradı ve namluyu adamın göğsüne doğrulttu. Bu kısa menzilde onu kaçırması mümkün değildi.

"Pekâlâ, biraz paranoyak olabilirim. Ama kasıklarına elektrik verilen adam sen değildin, bendim. Şimdi kollarını yana aç ki ellerini görebileyim, sonra da biraz ilerle ve avuçlarını şu sunağın üzerine koy."

Adam onun söylediklerini aynen yaptı. Lang ona yanaşıp bir elinde tabancası olduğu halde üzerini aradı ve silah taşımadığını anladı.

Gümüş Saç, "Artık tehlikeli olmadığımı anladın işte," diye konuştu. "Şimdi benimle neden görüşmek istediğini söylersen sevinirim."

Lang duvar dibindeki banklardan birini gösterip ona oturmasını işaret etti, kendisi de oturarak adamı kendisiyle kapı arasına aldı ve "O girişte birini gördüğüm an sen tarih olursun," dedi.

Yaşlı adam derin bir iç çekti ve "Yapma Reilly," dedi. "Seni öldürmek isteseydik şu anda burada olabilir miydin acaba? Şimdi tehditleri bir yana bırakalım da işimize bakalım, ne dersin? Sanırım bizden istediğin bir şey var, öyle olmasaydı bizimle görüşmek istemezdin, öyle değil mi?"

Adam bunu söyledikten sonra Lang'ın gözlerine bakarak elini yavaşça ceket cebine soktu, bir gümüş tabaka çıkardı ve bir sigara yaktı.

Lang başını salladı ve "Bak bunda haklısın," diye konuştu. "Siz yedi yüz yıldan fazla bir zamandan beri kiliseye şantaj yapıyorsunuz. Şimdi biraz sus payı ödeme sırası size geldi."

Gümüş Saç hiç şaşırmadı, sanki bekliyordu böyle bir şey. "Ne kadar istiyorsun peki?"

Lang bu konu üzerinde çok düşünmüştü. Miktar yeterince büyük olmalı, onlara bir ceza gibi gelmeliydi, ama çok büyük olursa adamlar onu ödememek için her şeyi göze alarak Lang'ı yok etmeye kalkabilirlerdi. Lang avukatlık yaşamında savcılarla pazarlık etmeyi çok iyi öğrenmişti, bu işte usta sayılırdı. Ama hiçbir pazarlığında bu kadar büyük meblağlar söz konusu olmamıştı.

Adamın gözlerine bakarak, "Yılda yarım milyar," dedi. "Janet ve Jeffrey Holt Fonuna ödenecek bu para."

Gümüş Saç bu kez şaşırmış gibi bir kaşını kaldırarak baktı ona. Gerçekten mi şaşırmıştı, yoksa rol mu yapıyordu belli değildi. "Ben böyle bir fonun adını hiç duymadım."

Lang birden hapşırdı. Üzerinde oturdukları taş bankın soğuğu onu oldukça etkilemiş, üşümeye başlamıştı. Ayağa kalktı ve girişe baktı.

"Bu fon henüz kurulmadı. Janet Holt benim kız kardeşimdi, Paris'teki o evi yaktığınız zaman onu ve oğlunu da yakarak acımasızca öldürdünüz.

Gümüş Saç yavaşça başını salladı. "Demek parayı almak için bu fondan...."

"Hayır! Bu gerçek bir yardım fonu olacak."

Lang bu konu üzerinde de çok düşünmüştü. Çünkü Jacob ona, Tapınak Şövalyeleri sırrının açığa çıkmasının yarardan çok zarar getireceğini söylemiş, bu konuda ikna etmişti onu. Lang önce bu tarikattan alacağı parayla yatlar, jet uçakları alarak lüks bir yaşam sürmeyi düşünmüş ama sonra vazgeçmişti bu fikirden. O parayla huzur içinde olamayacağını anlamıştı. Ayrıca zaten uçmaktan hiç hoşlanmazdı. Sevdiği araba Porsche idi, ona sahipti, istediği yerde, istediği gibi yaşıyor ve avukatlık yaparak çok iyi para kazanıyordu. Şimdi hayatında tek eksik olan şey ölen Dawn'dı ama Şövalyeler bile onu geri getiremezlerdi.

Ayrıca bu tarikattan alacağı paranın gizli kalması mümkün değildi. Herkes onun bu büyük paraları nereden aldığı konusunda dedikodu yapmaya başlayacak, gelirleri araştırma konusu olacaktı. Ama paralar Janet ve Jeff adını taşıyan bir fona aktarılırsa Lang o paraları kardeşinin isteyeceği yerlere rahatça harcayabilir, Jeff gibi çocukların yaşadığı fakir ülkelerin ailelerine istediği kadar yardım edebilirdi.

Gümüş Saçlı adam buz gibi bir gülümsemeyle onun yüzüne baktı. "Tıpkı Atlantalı hemşerin Ted Turner gibi sen de tam bir hayırseversin, öyle mi?"

"Ben daha iyiyim. Çünkü ben Jane Fonda ile evlenmedim."

Lang adamın para miktarı konusunda hiçbir soru sormadığını görünce düşündüğünden fazlasını istemediğine pişman oldu ve "Bir şey daha var...." diyerek birden sustu.

Adam alaycı bir ses tonuyla, "Her zaman vardır zaten," dedi.

"Atlanta ve Londra'da işlenen cinayetleri benim üstüme attınız. Şimdi London Times ve Atlanta Journal gazetelerinde o cinayetlerin suçlularının yakalandığı ve faillerinin cezaevinde olduğu haberini okumak istiyorum."

Gümüş Saç sigara izmaritini taş zemine atarak ezdi ve "Bu biraz zor olabilir," dedi.

"Bunun zor ya da kolay olması konusu beni hiç ilgilendirmez. Sizin adamlarınız kendilerini yüksek binalardan atacak kadar bağlı size, bu cinayetleri üstlenecek kişileri de kolayca bulabilirsiniz."

Adam bunun doğru olduğunu kabul etti ve bu konunun da çözümlenebileceğini göstermek için başını salladı. "Evet, ama bunu yapabilmemiz için, yazdığın o mektubu kime gönderdiğini bize söylemen gerekir."

Lang başını iki yana salladı. "Senden daha genç olabilirim, dostum, ama daha dün doğmadım ben. O mektubun gittiği yer bende gizli kalacak, ben daha yaşamak istiyorum. Ayrıca sırrınızı kamuoyuna açıklamayacağımı da biliyorsunuz, bunu yaparsam fona gelen paralar da kesilir tabii."

"Hepimiz bir gün öleceğiz, Reilly. O zaman ne olacak?"

"Eğer fon ben öldükten sonra yaşarsa sizin sırrınız da yaşayacaktır, bu riski almak zorundasınız, ben fona gelen paranın kesilmemesi için gereken her şeyi yapacağım."

Gümüş Saçlı Şövalye bir konuda karar vermek istermiş gibi uzun süre Lang'ın yüzüne baktı ve "Pekâlâ, Reilly," diye konuştu. "Sana yılda yarım milyar dolar ödeyeceğimize göre, sanırım mezarı nasıl bulduğunu da öğrenmek benim hakkım. Oraya kadar nasıl geldiğini, meselenin bir kısmını biliyoruz... ama senin gibi biri daha çıkar ve bizden yine büyük paralar istenirse... "

Lang başını salladı ve "Tamam, o konuda haklısın," diye konuştu. "Tapınak Şövalyeleri anı defterini biliyorsun. Orada sırrın Fransa'nın güneybatısında bulunduğu ima ediliyordu. Bunu anlamamda tablonun, daha doğrusu tablo fotoğrafının büyük yardımı oldu. Tablonun o resminde ETINARCADIAEGOSUM diye garip bir sözcük vardı. Tam bir bulmacaydı bu kelime. Ben de onu bir kelime bulmacası gibi çözmeye çalıştım, harflerin yerini değiştirmekle başladım işe." Lang sustu, cebinden bir şehir haritası çıkardı ve kenarındaki boşluğa bir şeyle yazdı. "Harfleri şu şekilde dizdim ve okumaya çalıştım:

Et in Arcadia Ego (Sum)

Arcam Dei lesu Tango.

Arcam, mezar, objektif muhafazası.

Dei, Tanrı, datif hali.

Iesu, Hz. İsa, malik olan.

Tango, dokunurum.

"Yani bunlardan, 'Tanrı'nın, Hz. İsa'nın mezarına dokunurum,' anlamını çıkardım. Poussin ortada olduğu sürece başkası da bu bulmacayı çözebilir diye düşünüyorum."

"Artık bu korku kalmadı ortada. Sen sırrımızı çözdükten sonra tablonun bütün kopyaları yok edildi ve orijinali de Louvre'da bulunuyor."

Lang, "Pekâlâ," dedi. "Şimdi de sen benim bir soruma cevap ver bakalım. Siz, yani Tapınak Şövalyeleri tarikatı nasıl buldu ya da öğrendi mezarı?"

"Peki, o halde anlatayım bunu sana. Kudüs bizim elimizdeyken Tapınak Şövalyelerinden biri eski İbranice ya da bugün Arami denen dilde yazılmış bazı belgeler buldu, Ölü Deniz Parşömenleri gibi bunlar da parşömene yazılmıştı. Bu belgelerden birinde ise Arimathea'lı Joseph ve Mary Magdalene, Roma İmparatorluğunun başka bir yerine gitmek için Pilate'den izin istiyorlardı, Hz. İsa'nın cenazesini de gömüldüğü yerden alıp götürecek ve gittikleri yerde tekrar gömeceklerdi. Parşömenin bir kenarında Latince yazılmış isim de vardı.

"Bizim yüzyıllar önce yaşamış olan kardeşlerimiz o belgelerde adı geçen yerleri, nehirleri tanıdılar ve mezarı buldular, ama bu keşif Hz. İsa'nın bedeninin cennete çıktığını söyleyen Kilise için can sıkıcı bir şey olacaktı. Vatikan bu sırrı saklamamız için bize para vermeye başladı."

Lang, "Vatikan neden mezarı ve kemikleri yok ederek çözmedi bu konuyu?" diye sorarken, Gurt'a doğru nedeni söylediğini düşünüyor ama bunu kesin olarak öğrenmek istiyordu.

Gümüş Saçlı Tapınak Şövalyesi ona cevap vermeden önce uzun süre düşündü ve sonra, "Bunu yaparlarsa Hz. İsa'nın kutsal mezarına çok büyük bir saygısızlık etmiş olacaklardı," diye cevap verdi. "Papanın Aziz Peter'i mezarından çıkarıp Tiber nehrine atması bile o kadar büyük günah olamazdı. Peygamberin gökyüzüne çıktığı hikâyesinin yalan olduğu ve Gnostiklerin de haklı oldukları ortaya çıkacaktı. Ayrıca Papa Şövalyelerin bulduğu belgelerin sadece bir kısmını gördü. Yakup ve Meryem'in nereye gittikleri konusu bir sır olarak saklandı."

Lang hayatının en garip sohbetini yaptığını düşünüyordu. O anda eski bir tapınağın harabeleri içinde oturmuş, kız kardeşini ve oğlunu öldürenlerin başında olan ve gerçekten öldürmek istediği kişiyle, futboldan bahseden iki futbol hastası gibi, yüzyıllar önce yaşanmış olaylardan söz ediyorlardı. Onu öldürmek istiyor ama bunu yapmayacağını da biliyordu.

"Bu kadar büyük bir sırrı saklarken etrafta da pek çok ipucu bıraktınız ama. Poussin resmini açıkladın bana, ama şu yolun kenarındaki Hz. İsa heykeliyle aynı hizada olan haça ne diyeceksin?"

"Evet, onlar oldukça modern, sonradan oraya konmuş bir ipucu, ama sadece ne aradıklarını bilen Şövalyelere yol göstermek için konmuş onlar oraya—tabii sen gelene kadar. Onlardan birini ya da belki her ikisini de oradan kaldırmamız gerekecek galiba."

Adam taş bankın üzerinde hafifçe kımıldadı ve Lang'ın başka bir şey sorup sormayacağını merak eder gibi bekledi.

Hergele tarikatının yaptığı işlerden gurur duyar gibiydi, büyük zevk alıyordu bu konuşmadan. Lang onun gırtlağına sarılıp canını boğazından çıkarmamak için güç tutuyordu kendini. Ama bu adamdan öğrenmek istediği başka konular da vardı. "Tabloyu Londra'dan Paris'e ve sonra da Atlanta'ya kadar izlediğinize göre çok geniş bir örgütünüz olmalı."

Adamın ağzından çıkan sigara dumanı loş ışıkta kırmızı gibi görünüyordu. Lang'ın sorusu üzerine başını salladı ve "Pek büyük sayılmaz ama çok etkilidir birliğimiz," diye cevap verdi. "Yedi yüz yıldır var olan bir birliği etkili olmadan sır olarak saklamak mümkün değildir."

Pietro'nun da yedi yüz yıl önce gözlemlediği gibi, bu insanlar, ya da en azından karşısında duran bu adam hiç de alçakgönüllü değillerdi.

Lang, "Yani Mafya örgütü gibi bir şey, değil mi?" dedi.

Gümüş Saç onu küçümsüyormuş gibi bir ifadeyle hafifçe gülümsedi ve "Yapma Reilly," dedi. "Mafya gizli bir örgüt değil ki, kırk yıldan beri herkes tanıyor onu. Ayrıca onun üyelerinin çoğu hapiste ya da girmek üzere mahkemede. Hayır, Reilly, biz ondan çok daha güçlü ve etkiliyiz. Bütün batı ülkelerinde bizim kardeşlerimiz var ve hepsi de toplumlarının etkin üyeleridir. İki ülkede, siyasetin ve devletin başında olan kişiler bizdendir. Eğitim, ticaret, bilim dâhil hemen tüm alanlarda adamlarımız, kardeşlerimiz vardır. General Motors gibi dünyanın en büyük şirketlerini satın alacak kadar çok paramız var. Pek çok ülkede çok sayıda siyasetçi bizim kardeşimizdir. İstediğimiz zaman, işimize yarayacaksa, istediğimiz yerde savaş bile çıkarabiliriz."

Bu adam megaloman olabilirdi, ama tam anlamıyla bir çılgına da benzemiyordu. Fakat adamın söylediklerinin yarısı bile doğru olsa dünyada iyimser olmak artık hiç de kolay olmayacaktı.

Lang iyice üşümeye başlamıştı ve ısınmak için kollarını bacaklarını hareket ettirmeye başladı. Biraz düşündükten sonra, "Her şeyden önce gazetelerde temize çıktığımı görmek istiyorum," diye konuştu. "Haberi okuduktan sonra parayı nereye göndereceğinizi e-postayla bildireceğim size. Haa, gazetelerde adamınız varsa ve oralarda da bir şeyler uydurmayı düşünüyorsan vazgeç bundan derim sana. Beni tutuklarlarsa Tapınak Şövalyeleri bu yüzyılın, belki de bin yılın en büyük haberi olur."

Gümüş Saç da onun gibi ayağa kalktı, sigarasının izmaritini pahalı İtalyan makoseninin altında ezdi ve "Gazeteleri sana göndermemi ister misin?" diye sordu.

"Gerek yok, ben kendim alırım onları. Ama haber önümüzdeki bir ay içinde yayınlanmadığı takdirde anlaşmamız geçersizdir."

Gümüş Saç başını iki yana salladı ve çık-çık yaptıktan sonra, "Bize hiç de fazla zaman tanımak istemiyorsun, değil mi?" dedi.

"Siz de kız kardeşim ve oğluna zaman tanımadınız ama değil mi?"

"Her şey yaşamı sürdürmek için, öyle değil mi, Reilly? Kişisel bir şey yok burada." Adam haddini aştığını belli etmek istemiyormuş gibi başını salladı ve hafifçe gülümsedi.

Hergele hiçbir şeyi önemsemiyormuş gibi görünüyor ve Lang da onun üstüne saldırmamak için güç tutuyordu kendini. Bu adamı şuracıkta boğup öldürse yine kaçak durumunda kalacak ve Şövalyeler tarikatı da yine peşine düşecekti.

Lang, "Pekâlâ, o zaman anlaştık," diyerek çıkışa doğru yürüdü.

"Evet, ben de sevindim anlaştığımıza, Reilly."

Lang bir şeyler homurdanarak devam etti yoluna. Vampirler aynada görünmezlerdi ve Malta Şövalyesi denen bu adamlar da istihzalardan anlamıyorlardı. Ama kapıdan çıkmak üzereyken aklına bir şey geldi ve birden durup geriye dönerek, "Son bir sorum olacak," dedi.

"Pekâlâ, sor bakalım."

"Siz hepiniz erkeksiniz, şu şey meselesini nasıl....?"

Yaşlı adamın gülümsemesini loş bir yerde durmasına ve ondan uzaklaşmasına rağmen rahatça gördü. "Neslimizi nasıl sürdürdüğümüzü mü merak ettin? Aynen Dominikanlar, Fransiskanlar gibi yapıyoruz biz de, erkekleri evlendiriyoruz. Ama kadınlarımızı çok dikkatli seçeriz. Unutma, on dördüncü yüzyılda kilisede bekârlık sadece şekilden ibaretti, gerçekte fazla uygulanmıyordu. Papaların bile metresleri, çocukları vardı. Sanırım cevabını aldın."

Lang'ın ona sormak istediği başka sorular da vardı ama adama fazla meraklı biri gibi görünmek istemiyordu.

Lang San Clemente'den ayrılırken Via di San Giovanni'de gölgeler uzamaya başlamıştı. Ama yeraltındaki karanlıktan sonra, sokağın akşamüstü aydınlığı bile gözlerini birkaç saniye için kapamasına neden oldu. Saatine baktı ve orada sadece yarım saat kaldığını görünce şaşırdı. Sokağa çıkınca adeta bir mezardan çıkmış gibi rahatladı.

Bölüm Üç

1

Maggiore Gölü

Bir hafta sonra

Lang nerde olduğunu söylemek istemeyince Sara söylendi durdu. Lang telefonun dinlenmediğinden emin değildi. Onun temize çıktığı haberi yayınlanınca Sara Jacob'a bir Atlanta Journal gazetesi göndermeye söz verdi. Haber iki gazetede de yayınlanınca Jacob ona şifreli bir e-posta ile durumu bildirecekti.

Bir süre sonra gazetelerde çıkan haberlere göre, cinayetler orijinal eseri Louvre'da bulunan Poussin adlı Fransız ressamın çok değerli bir eserinin çalınması sırasında işlenmişti. Gazete haberine göre, bu tablo Lang'da olduğu için, tabloyu onun çaldığı sanılmış ve gerçek katil Londra'da yakalanana kadar Lang şüpheli olarak aranmıştı. Haberde katilin kaçmak isterken öldüğü de yazıyordu, adam arabayla kaçarken trafik kazası yapmış ve arabanın içinde yanarak ölmüştü. İki gazete de Londra'daki antikacının Atlanta'daki adamın ölümünden sonra öldürüldüğünü ya da bir kapıcının böyle bir hazineyle ne yaptığını yazmadı.

Lang gazete haberlerini okuduktan sonra insanların her duyduklarına kolayca inandıklarını düşündü ve güldü. Öyle olmasaydı, bir yıl kadar önce onu suçlu bulan ve arandığını yazan gazetelerin editörleri onun masum olduğunu hemen kabul ederler miydi? Temize çıktığını ve artık saklanmasına gerek kalmadığını öğrenince adeta üzüldü Lang.

Lang'ın temize çıkmasına kadar Gurt'la ikisi yazlık evlerin bulunduğu Maggiore Gölü yakınlarında tenha bir bölgede kaldılar. Oradaki tek motelde sadece beş oda vardı ama otuz kişilik restoranı her akşam doluyordu ve Lang orada kilo almaya başladı.

Sabahları seviştiler ve kahvaltıya bile gitmeye üşenerek pencereden İsviçre Alplerinin karlı tepelerini seyrettiler. Gölden geçen arabalı vapurun koyu renkli sularda süzülüşü doyumsuz bir manzara oluşturuyordu. Genç âşıklar gibi el ele tutuşarak gölün kenarında yürüdüler ve İtalya'nın daha popüler olan Como gölünü değil de bu bölgeyi tercih eden insanların villalarını zevkle seyrettiler.

Akşam saatlerinde göl kıyısında oturup yoruluncaya kadar öpüşüyor, sonra motele dönüp yemeklerini yiyor ve doyasıya seviştikten sonra bitkin bir halde uykuya dalıyorlardı. Günlerin böyle geçtiği bir yerden kim ayrılmak isterdi ki?

Lang Malpensa'ya giderken eski taksinin içinde birden kendisini suçlu gibi hissetti. Yıllardan beri Dawn'ı düşünmeden huzur içinde ve mutlu yaşadığı günlerden sonra yola çıkmıştı ve adeta kendinden utanıyor gibiydi. Ama yeni hayatına alışmak zorundaydı.

2

Gurt Atlanta'ya hayran oldu. West Paces Ferry'deki muazzam malikâneleri ve onların uçsuz bucaksız bahçelerini, arazilerini şaşkın gözlerle seyretmekten alamadı kendini. Buckhead'deki restoranları çok sevdi. Büyük alışveriş merkezleri, Lenox Meydanı, Phipps Plaza'dan ayrılmak istemedi. Lang'la sebze meyve almaya gittiği zaman her şeyin üçten fazla çeşidi olduğunu görünce ne alacağını şaşırdı, seçim yapmakta zorlandı.

Braves maçına gittiler ama Gurt oyundan ziyade bira ve sosislerden zevk aldı ve kalabalık ve heyecanlı ortamı muazzam bir Oktober feste benzetti. Lang'ın köpeği Grumps ile çok iyi dost oldu Gurt ve köpek Sara'dan ayrıldığı için hiç de üzgün görünmedi, kısa zamanda alıştı Gurt'a ve çok sevdi onu. Lang onların muhabbetini görünce, "Eğer Almanlar insanları da köpekleri kadar sevselerdi geçen yüzyıl daha mutlu ve yumuşak bir yüzyıl olurdu," diye düşünmekten alamadı kendini.

Köpeğin Gurt'a olan sevgisi onlar arasında espri konusu oldu. Lang ne zaman Gurt'u kollarına alsa köpek hemen koşup onun kolunu ya da bacağını yakalıyor ve onları ayırmaya çalışıyordu. Bu durumda Lang'ın bir kadınla birlikte yaşaması hiç de kolay olmayacağa benziyordu.

Lang'ın kutsallık konusundaki inancına ilk darbe Francis'ten geldi. Rahip bir akşam ona akşam yemeğine davetliydi, balkondaki mangalda hamburger kızarttılar ve buz gibi teneke kutular içinde Chateau Budwiser biraları içtiler.

Gurt ve Lang Avrupa'da yaşadıklarını rahibe anlattıktan sonra, Gurt ve Francis ortaçağ Kilisesinden Martin Luther'e kadar değişen çeşitli dinsel konularda sohbete başladılar. Onlar 1560 yılından söz ediyorlardı ki Lang daha fazla dayanamadı ve iyi geceler dileyerek yatağına gitti.

Lang'ın geleneksel erkekler toplantısı olduğunu söylemesine rağmen, Francis Gurt'u da ısrarla Manuel'deki akşam yemeğine çağırdı. Sonra da Hz. İsa mantığına benzer bir mantıkla, şimdiye kadar yemeğe kadın davet etmediklerini ama bunun Lang'ın ısrarı ile yapıldığını açıkladı. Lang yemekte Gurt'un ağır ama anlaşılabilir bir Latince ile bir fıkra anlattığını duyunca çok şaşırdı. Gurt'un Latince bildiğinden haberi bile yoktu.

Lang birkaç ay sonra evde Latin tercümeleriyle beraber çağdaş fıkralar veren Amo, Amas, Amat: Latince Öğren ve Arkadaşlarını Şaşırt adlı ince kitabı bulunca şaşırdı. Gurt onu memnun etmek için uzun süre aramış ve bulmuştu bu kitabı.

Banyo dolabında ya da rafında kadın kremleri, tuvalet malzemesi ya da çekmecelerde kadın çorap ve çamaşırları görünmüyordu. Gurt her zaman güzel, zarif giyiniyordu ama Lang'ın gardırobunda hiç fazlalık yoktu, her şey eskisi gibi yerinde duruyordu. Lang onun eşyalarını, kıyafet ve çamaşırlarını nerde muhafaza ettiğini merak ediyordu. Gurt Avrupa'da yıllarca daracık apartman dairelerinde yaşadığı için yer tasarrufuna alışık olacaktı.

Gurt, Lang'ın çalışma saatlerinde alışverişe çıkıyor, parklarda dolaşıyor ya da Grump'la vakit geçiriyor, akşam yemeklerinde de o gün yaptıklarını Lang'a anlatıyordu. Gurt'un gitme vakti yaklaşırken Lang endişelenmeye başladı. Onun gitmesini istemiyor ama bunu kendine bile itiraf etmekten çekiniyordu.

3

Çoğu zaman Atlanta'ya erken gelen şu yaz akşamlarından biriydi, yakında hava çok ısınacak ve en küçük bir esinti bile aranacaktı. Lang ve Gurt Grumps'ı da yanlarına almış ağır adımlarla Peachtree'de yürüyorlar, köpek de kaldırımla çimler arasında gidip geliyor, açık havanın zevkini çıkarıyor, arada bir de gidip bir ağaç dibini ıslatıyordu.

Gurt ertesi gün gidecekti ve Lang başka bir şey düşünemiyordu, canı sıkılıyor, içi daralıyordu.

Gurt bir ara onun yüzüne baktı ve "Lang, şey yani şu . . . hani ne diyordunuz . . . belirledin mi?" diye sordu.

"Fondan yararlanacak olanları mı? Henüz yapamadım bunu. Ama listeyi daralttım ve sadece Jeff gibi çocuklara yardım eden, fakir aile çocuklarının eğitim ve sağlıkları konusunda çalışan Orta Amerika Yardım Kuruluşlarını saptadım. Başvuranları soruşturmak, incelemek için birkaç eleman tuttum. Bunları kendim yapmaya kalksam avukatlığı bırakmam gerekecek."

Gurt sağa sola koşuşturan Gurmps'a baktı ve sonra, "Baksana benim aklıma ne geldi," dedi. "Bu para Kiliseden Tapınak Şövalyelerine ve onlardan da sana geldiğine göre, neden doğruca geldiği yere, kiliseye göndermiyorsun o paraları?"

Lang onun bu konuyu bir süredir düşündüğünü anladı. Gurt durup dururken boş sorular sormazdı insana. Onun yüzüne baktı ve "Birincisi, paraları kiliseye geri gönderirsem Şövalyeler bunu öğrenir ve haraçlarının miktarını artırırlar, belki bunu yaptılar bile," dedi. "İkincisi, kilisenin öncelikleri benimkilere benzemiyor. Fakir ülkelerin çocukları doğum kontrolü, güvenli seks, AIDS'den kaçınma ve benzeri konularda eğitim almak zorundalar ki kilise pek ilgilenmiyor bu konularla."

"Yani Hz. İsa'nın bedeni mezarda yatıyor, cennete çıkmadı ve Katolik Kilisesi de bunun öğrenilmemesi için bu adamlara para ödemeye devam edecek, öyle mi?"

O sırada Grumps sıçradı ve Gurt onun kayışını elinden kaçırmamak için iyice sıktı. Lang uzanarak köpeğin kayışını geriye çekti ve "Hey, yavaş ol bakalım, canavar!" diye seslendi. "Evet, Gurt, ben bir din adamı değilim ama bana göre Hz. İsa her iki şekilde de bir peygamberdir, kutsal bir varlıktır. Kilise ilk zamanlar bir hata yapmış ve hâlâ bunu kabul etmek istemiyorlar."

Gurt köpeğin kayışını çekerek gerdi. "Tanrı'nın oğlunun mezarına dokunmak... Bunun için uzun bir yolculuk yapmaya değer doğrusu."

Gurt bunu söylerken yüzü daha da çekici bir hal aldı ama hemen sonra yüzünü ekşitti, somurttu ve Lang'ın yüzüne baktı. Sanki söylediği sözün doğru olup olmadığını bilmiyormuş gibi bir hali vardı.

Lang durdu ve onu kollarına aldı. "Ben o zaman bunu böyle düşünmemiştim... Ama şimdi boş ver mezarı, Şövalyeleri, bütün bunları Gurt, ben senin gitmeni istemiyorum."

Gurt başını onun omzuna dayadı ve yanlarında geçen genç bir çift onlara bakarak gülümsediler.

"Burada kalmam ne işe yarar ki? Beni buraya getirmen için ben zorladım seni. Ben Dawn'ın yerini dolduramam, bunun bilincindeyim."

"Aslında hiç kimse dolduramaz onun yerini. Ama sen onun yerini doldurmayacaksın ki . . . sen bir . . . sen sensin ve bu da bana yeter."

"O halde seni mutlu edebileceğim sürece kalabilirim burada."

"Sen beni ömür boyu mutlu edeceksin, Madam, buna inanıyorum ben."

Kaldırımda durdular ve caddeden geçen arabaların kornalarına ve insanların neşeli, teşvik edici seslenmelerine gülerek uzun uzun öpüştüler. Ama o sırada acı bir fren sesi ve hemen arkasından bir çarpma sesi duyuldu.

Gurt onun kollarından kurtuldu ve "Grumps! Mein Gott!" diye bağırdı.

"Lanet olsun!"

İkisi de köpeğin kayışını diğerinde sanıyordu.

Köpek arabanın çarpmasıyla havaya fırlamış, kaldırımın dibinde siyah bir kürk yığını olarak hareketsiz yatıyordu. Ona çarpan Volvo arabadan aşağıya inen kadının yüzü sapsarıydı, elleri titriyordu. "Birden kaldırımdan önüme fırlayıverdi, fren yaptım ama yine de çarptım," diye kekeledi.

Lang ve Gurt ona aldırmadan köpeğin yanına koştular ve üzerine eğildiler. Gurt üstüne bulaşan kana aldırmadan hayvanı kucakladı ve göğsüne bastırdı. "Yavrum! Sakın ölme, dayan biraz!" diye inledi.

Grumps onun yüzünü yaladı ve sonra gözleri geriye gitti, başı düştü ve hareketsiz kaldı zavallı hayvan.

Lang daha önce Gurt'un ağladığını hiç görmemişti. Soğukkanlılıkla ateş ederek kötüleri öldüren bir kadının bu kadar üzülmesi insanı daha da çok etkiliyordu. Lang ölen köpeği Gurt'un kucağından aldı ve hemen soğuduğunu görünce şaşırdı. Zavallı hayvanda kalp atışı ve soluk kalmamıştı. Lang onu yavaşça kaldırıma bıraktı ve üzüntüden harap olan Gurt'a sarılarak onu teselli etmeye çalıştı.

Etraflarına bir sürü yaya, bisikletli ve arabasını kenara çekip gelen insan toplandı ve herkes de üzgün görünüyor, alçak sesle konuşuyordu.

Lang daha sonra hangisinin önce olduğunu hatırlayamadı; önce şaşkınlık seslerini mi duymuştu, yoksa paçasının çekilişini mi hissetmişti? Başını indirip aşağıya bakınca gördüğüne inanamadı. Grumps homurdanarak Lang'ın pantolon paçasını ağzına almış, çekiştirip duruyordu. Köpeğin birkaç saniye önce yattığı yerde birikmiş olan kanlar sabah çiği gibi kaybolmaya başlamıştı.

Oradan ayrılıp yürümeye başlarken ne Gurt, ne de Lang konuştular. Grumps hiçbir şey olmamış gibi yeniden çimlerin üstünde koşmaya başlamıştı. Lang o sırada Fransa'da bir tepe yamacını, Hıristiyan dünyasının büyük çoğunluğunun varlığını inkâr ettiği taş sandıktan gelen ve ne olduğu açıklanamayan sıcaklığı hissettiği anı düşünüyordu.

Olabilirdi . . . Başını iki yana salladı ve aklına gelenin mümkün olamayacağını düşünerek unutmaya çalıştı onu. Gurt için hissettikleri zaten yeterince bir mucizeydi.